VOLTAIRE

François-Marie Arouet, dit Voltaire (1694-1778), est à la tête d'un véritable mouvement philosophique qui rayonne sur toute l'Europe. Son œuvre domine la production du siècle. Voltaire s'essaie avec des succès divers à tous les genres littéraires : théâtre, dialogues, ouvrages historiques, romans et contes (*Zadig*, *Candide*, *L'Ingénu*, *Micromégas*), poésie, essais, articles scientifiques et culturels, textes de critique littéraire, pamphlets. Immense épistolier, il écrira plus de 20 000 lettres... Son œuvre témoigne du combat d'une vie contre le mensonge et l'imposture, l'illusion et la bêtise.

DU MÊME AUTEUR
CHEZ POCKET

DANS LA COLLECTION « CLASSIQUES »

CANDIDE
MICROMÉGAS *suivi de* L'INGÉNU
ZADIG

POCKET CLASSIQUES

collection créée par Claude AZIZA

VOLTAIRE

MICROMÉGAS
L'INGÉNU

Préface et commentaires par
Élisabeth CHARBONNIER

© Pocket, 1997, pour la préface, les commentaires
et le dossier historique et littéraire.

© Pocket, 1998, pour « Au fil du texte » *in* « Les clés de l'œuvre ».

ISBN : 978-2-266-19803-5

SOMMAIRE

* Pour approfondir votre lecture, *Au fil du texte* vous propose une sélection commentée :
- de morceaux « classiques » devenus incontournables, signalés par ➡◆ (droit au but).
- d'extraits représentatifs de l'œuvre, signalés par ∞◆ (en flânant).

PRÉFACE

Quels points communs entre un extraterrestre et un Huron bien tourné ? Leur caractère sympathique, leur vivacité d'esprit, leur goût marqué pour les voyages ? Ce sont là qualités communes à tous les héros de Voltaire, et Micromégas et l'Ingénu les partagent avec leurs cousins Zadig et Candide. La ressemblance qui les lie, plus profonde, tient au fait qu'ils sont tous deux étrangers. Le Sirien et le Huron *débarquent*, au sens propre comme au sens figuré, et que ce soit d'une autre planète ou d'un continent lointain importe peu. Alors que Zadig et Candide se promènent dans des univers dont ils assurent l'unité, ne serait-ce que par la continuité de leurs aventures, Micromégas et l'Ingénu viennent d'ailleurs. Ils apportent avec eux l'altérité et la relativité, et comme beaucoup de voyageurs de leur temps, héritiers des Persans de Montesquieu, servent la critique que l'Europe des Lumières fait d'elle-même. Critique politique et sociale bien évidemment, mais surtout philosophique : *Micromégas* et *L'Ingénu* condamnent avec les armes habituelles de l'esprit voltairien le despotisme, le fanatisme et tous les maux qu'ils engendrent. Mais ces machines de guerre, ces brûlots lancés contre l'Infâme, constituent aussi deux enquêtes sur les conditions nécessaires et les modalités de la connaissance. *Zadig ou la Destinée*, *Candide ou l'Optimisme* : *Micromégas* et *L'Ingénu* n'ont, eux, aucun sous-titre. Pour laisser au lecteur la liberté d'une lecture plurielle, ou peut-être parce que *Prolégomènes à une réflexion sur la connaissance* eût semblé par trop pédant...

Ces deux textes, frontières dans la vie de Voltaire,

séparés par trente ans de luttes et d'intense activité intellectuelle, ont un statut littéraire différent. *Micromégas* est une « histoire philosophique », entre allégorie et parabole. *L'Ingénu*, une « histoire véritable », qui est, de tout ce qu'a écrit Voltaire, ce qui se rapproche le plus du roman. La parfaite maîtrise des procédés techniques de la narration, à l'efficacité éprouvée, ne tourne pas à la recette. Voltaire ne se répète pas, même si l'inspiration de *L'Ingénu* rappelle parfois celle des premiers contes. Sa manière évolue. Les personnages, plus fouillés, gagnent en épaisseur psychologique, et leur vérité devient vraisemblable. Comme si Voltaire, l'âge venant, s'intéressait moins à l'homme pour se soucier plus des hommes.

De l'enthousiasme intellectuel à la lutte politique

Nos deux contes appartiennent en effet à des moments différents de la vie de Voltaire. Par moments, entendons non seulement deux étapes, mais deux équilibres différents [1]. Bien que publié en 1752, alors que le philosophe séjournait en Prusse, *Micromégas* est une œuvre sans doute beaucoup plus ancienne, comme le laissent supposer quelques passages de la correspondance de Voltaire et de Frédéric II, qui évoquent un certain *Voyage du baron de Gangan*. Ce texte n'a pas été retrouvé et tout ce que nous en savons tient à ces quelques lignes d'une lettre de juin 1739 [2]. Voltaire écrit :

« Je prends la liberté d'adresser à votre Altesse Royale une petite relation, non pas de mon voyage, mais de celui de M. le baron de Gangan. C'est une fadaise philosophique qui ne doit être lue que comme on se délasse d'un travail sérieux avec les bouffonneries

1. Voir *Candide*, préface de P. Malandain, Pocket, n° 6006, p. 9.
2. Voir l'édition critique de I.O. Wade, *Micromegas, a Study in the Fusion of Science, Myth and Art*, Princeton University Press, 1950, et Voltaire, *Romans et Contes*, La Pléiade, Gallimard, p. 693 sq.

d'Arlequin. Le respectable ennemi de Machiavel aurait-il quelques moments pour voyager avec ce baron de Gangan ? Il y verra au moins un petit article plein de vérité sur les choses de la terre. »

À cela, Frédéric répond le 7 juillet 1739 :

« J'ai reçu l'ingénieux voyage du baron de Gangan, sur le point de mon départ de Rémusberg. Il m'a beaucoup amusé, ce voyage céleste ; et j'ai remarqué en lui quelque satire et quelque malice qui lui donne beaucoup de ressemblance avec les habitants de notre globe, mais qu'il ménage si bien qu'on voit en lui un jugement plus mûr et une imagination plus vive qu'en tout autre être pensant. Il y a dans ce voyage un article où je reconnais la tendresse et la prévention de mon ami en faveur de l'éditeur de *La Henriade* ; mais souffrez que je m'étonne qu'en un ouvrage où vous rabaissez la vanité ridicule des mortels, où vous réduisez à sa juste valeur ce que les hommes ont coutume d'appeler grand, qu'en un ouvrage où vous abattez l'orgueil et la présomption, vous vouliez nourrir mon amour-propre, et fournir des arguments à la bonne opinion que je peux avoir de moi-même [...] ».

Plusieurs indices (« ce voyageur céleste », son « jugement plus mûr » et son « imagination plus vive », la nature satirique de cette « fadaise philosophique ») laissent supposer que ce *Voyage du baron de Gangan* pourrait bien être un premier état de *Micromégas*. Voltaire aurait seulement renoncé au nom de Gangan, issu des *Grandes Chroniques* rabelaisiennes, pour celui de Micromégas, plus savant, fabriqué à partir des deux adjectifs grecs signifiant petit et grand. Ce nom renvoie directement au contenu philosophique du conte : tout est relatif et, si gigantesque qu'il soit, l'habitant de Sirius n'est qu'un nain au regard des êtres qui peuplent d'autres planètes. Cette « histoire philosophique » est une leçon de sagesse et de modestie adressée aux hommes, qualifiés tour à tour d'« êtres imperceptibles », d'« atomes » ou d'« insectes invisibles ». On ne trouve en revanche dans *Micromégas* aucun discours courtisan, ni même aucune allusion à Frédéric II. Mais il est possible que Voltaire, remaniant son texte quelques années plus tard, au moment où ses relations avec l'empereur commençaient à se gâter, ait jugé préférable de renoncer à des louanges désormais hors de saison.

Il est certain en revanche que les nombreuses allusions à l'actualité intellectuelle du temps renvoient aux années heureuses de Cirey. L'action est datée : Micromégas et son compagnon arrivent sur terre le 5 juillet 1737, au moment même où « une volée de philosophes », c'est-à-dire Maupertuis et ses amis, « revenait du cercle polaire ». Le secrétaire de l'Académie de Saturne, « homme de beaucoup d'esprit, qui n'avait à la vérité rien inventé, mais qui rendait un fort bon compte des inventions des autres », est visiblement Fontenelle, secrétaire perpétuel de l'Académie des sciences. Voltaire s'était moqué de lui en 1738, dans ses *Éléments de la philosophie de Newton*, en déclarant : « Ce n'est point ici une marquise, ni une philosophie imaginaire », et cette allusion perfide aux *Entretiens sur la pluralité des mondes*, épisode d'une petite guerre de salon, avait compromis la bonne entente des deux philosophes. En 1752 ces propos ne sont plus d'actualité : Voltaire est brouillé avec Maupertuis, dont il n'a plus aucune raison de signaler les exploits, et il serait pour le moins inélégant de s'en prendre au malheureux Fontenelle, alors âgé de quatre-vingt-quinze ans !

Micromégas a donc vraisemblablement été rédigé à Cirey, entre 1737 et 1739, au moment où Voltaire acquiert la culture scientifique qui lui manque. Ce conte peut apparaître comme une sorte de bilan littéraire des lectures faites à cette époque, et P.-G. Castex voit même une source possible de *Micromégas* dans un article de Cassini, intitulé « De la grandeur des étoiles fixes et de leur distance à la terre », publié dans les *Mémoires de l'Académie des sciences*[1]. Le voyage de Micro-

---

1. P.-G. Castex, *Micromégas, Candide, L'Ingénu*, SEDES, 1982.

mégas jusqu'à Saturne, puis jusqu'à la terre est plein de réminiscences newtoniennes : « Notre voyageur connaissait merveilleusement les lois de la gravitation, et toutes les forces attractives et répulsives. Il s'en servait si à propos que, tantôt à l'aide d'un rayon du soleil, tantôt par la commodité d'une comète, il allait de globe en globe, lui et les siens, comme un oiseau voltige de branche en branche. » Cette agilité n'est-elle pas celle de l'esprit même, affranchi par les découvertes de la physique et plein d'enthousiasme devant l'immensité des champs d'investigation qui s'offrent à lui ?

L'Ingénu, publié en 1767, appartient à un âge tout différent, celui de l'engagement et de la lutte philosophique. Une ébauche, retrouvée dans les papiers de Voltaire et sans doute antérieure de peu à l'état définitif du texte (1766 ?), évoque un sujet très voisin, et prouve que Voltaire pensait depuis quelque temps à écrire une histoire de sauvage :

« Histoire de l'Ingénu, élevé chez les sauvages, puis chez les Anglais, instruit dans la religion en Basse-Bretagne, tonsuré, confessé, se battant avec son confesseur, son voyage à Versailles chez frère Letellier son parent, volontaire deux campagnes sa force incroyable. Son courage, veut être capitaine de cavalerie, étonné du refus. Se marie, ne veut pas que le mariage soit un sacrement, trouve très bon que sa femme soit infidèle parce qu'il l'a été. Meurt en défendant son pays, un capitaine anglais l'assiste à sa mort avec un jésuite et un janséniste, il les instruit en mourant [1]. »

Il est vrai que les Indiens étaient à la mode ces années-là. Au Théâtre-Français, des Illinois venaient de ravir la vedette aux Scythes de Voltaire, et un autre indigène américain, Zidzem, est le héros de *L'Homme sauvage* publié par Sébastien Mercier au printemps 1767. Ce roman rappelle d'ailleurs *L'Ingénu* par plus d'un point

---

1. Voltaire, *Romans et Contes*, La Pléiade, Gallimard, p. 968.

et semble avoir exercé sur Voltaire une influence décisive, qui permet de reculer jusqu'à juillet 1767 la fin de la composition de *L'Ingénu*.

Depuis 1761 Voltaire signe ses lettres « Ecrlinf », c'est-à-dire « Écrasez l'Infâme », et combat au premier rang dans une bataille plus ardente que jamais. Les affaires Calas, Sirven, Lally-Tolendal, du chevalier de La Barre se succèdent entre 1762 et 1766. Les philosophes sont l'objet d'attaques incessantes, vilipendés par Moreau, l'historiographe du roi, dans ses *Mémoires contre les Cacouacs*, ridiculisés dans la comédie de Palissot, *Les Philosophes*. En 1758 l'ouvrage d'Helvétius, *De l'esprit*, est condamné à la fois par le roi, le Parlement, la Sorbonne et le pape ! L'année suivante le privilège de l'*Encyclopédie* est révoqué. À Ferney Voltaire délaisse l'étude des sciences et de la philosophie pour l'engagement politique, et les aventures du Huron relèvent, comme le *Traité sur la tolérance* ou le *Dictionnaire philosophique*, de la littérature de combat.

L'action de *L'Ingénu* est censée se dérouler en 1689, soit quatre ans après la révocation de l'édit de Nantes. Cette date souligne les intentions de Voltaire qui souhaite en découdre à la fois avec les jésuites, serviteurs du despotisme et instruments du fanatisme, et les jansénistes, qui de persécutés en 1689 sont en 1767 devenus persécuteurs. C'est en effet à des magistrats jansénistes, « canaille janséniste et parlementaire », « jansénistes de grand'chambre et de tournelle », qu'ont le plus souvent affaire les protégés du philosophe. La figure de Gordon, première victime de son aveuglement, est toutefois sympathique, infiniment moins chargée que celle du père de La Chaise ou du père Tout-à-tous. Sans doute parce que les jansénistes, tout intolérants et prisonniers qu'ils soient de la métaphysique, ont contribué à lutter efficacement contre la superstition. Et surtout parce que jansénistes et philosophes ont pour ennemis communs les jésuites, dont l'ordre a été dissous en 1762 par le Parlement gallican. La mesure est rendue effective par un édit royal en 1764. Or Voltaire, cette année-là, s'occupe de faire publier à Genève un ouvrage de d'Alembert, *Sur la destruction des jésuites.* On y trouve l'acte de naissance du père Tout-à-tous : « Ils [les jésuites] ont eu, à la vérité en petit nombre, des casuistes et des directeurs sévères, pour le petit nombre de ceux qui, par caractère ou par scrupule, voulaient porter dans toute sa rigueur le joug de l'Évangile ; par ce moyen se faisant, pour ainsi dire, *tout à tous*, suivant une expression de l'Écriture, dont à la vérité ils détournaient tant soit peu le sens, d'un côté ils se préparaient des amis de toute espèce, et de l'autre ils réfutaient ou croyaient réfuter d'avance l'objection qu'on pouvait leur faire, d'enseigner universellement la morale relâchée, et d'en avoir fait la doctrine uniforme de leur compagnie. » Ce sont les jésuites qui font d'ailleurs le malheur du Huron, puisqu'ils sont directement responsables et de son internement à la Bastille, et de la mort de sa fiancée. La morale relâchée qu'évoque d'Alembert prend dans *L'Ingénu* les formes précises et intolérables de la délation, du mensonge et de la corruption. L'action de la Compagnie de Jésus y est présentée comme d'autant plus dangereuse qu'elle est insidieuse, souterraine, s'opposant ainsi à la belle franchise et à la « naïveté » de l'Hercule breton. Le personnage peut même être inspiré de La Chalotais, procureur général au Parlement de Rennes, dont les démêlés avec les jésuites défrayèrent la chronique entre 1765 et 1767. La Chalotais s'était signalé par des mémoires hostiles aux pères, et s'était en même temps opposé au duc d'Aiguillon, commandant de la province. Emprisonné en Bretagne, embastillé puis libéré en décembre 1766 après un an de captivité, il fut soutenu par d'Alembert et Diderot, et son affaire fut un moment un des points chauds de la lutte philosophique.

L'Ingénu constitue donc un pamphlet contre tous ceux dont les préjugés et le sectarisme ont empêché le siècle de Louis XIV d'être un âge d'or de la civilisation, et qui continuent d'entraver les progrès des Lumières un siècle plus tard. Du géant de Sirius au Huron de basse Bretagne, il y a toute la distance qui sépare le cabinet du philosophe de la tribune de l'orateur, tous deux animés d'une même passion pour la connaissance.

Que peut-on savoir et comment ?

C'est la curiosité — et non les malheurs — qui jette Micromégas et l'Ingénu sur les routes. Le géant de Sirius incarne l'esprit du XVIIIᵉ siècle éclairé, il est géomètre, biologiste, physicien, capable de se défendre avec esprit et en chanson. Bref, il est dès le départ ce qu'Hercule de Kerkabon, figure de l'homme naturel, ne sera qu'au terme de son apprentissage. L'Ingénu est poussé par le désir de savoir, il aime « passionnément voir du pays » et manifeste les plus grandes qualités physiques et intellectuelles : de la robustesse, du courage et du jugement. Sa curiosité n'a rien de commun avec l'indiscrétion brouillonne de l'« interrogant bailli », qui, bien que saisi d'une véritable « fureur de questionner », est incapable de s'instruire. Faute précisément de l'heureux naturel qui fait la force du Huron : « Sa conception était d'autant plus vive et plus nette que, son enfance n'ayant point été chargée des inutilités et des sottises qui accablent la nôtre, les choses entraient dans sa cervelle sans nuage. » L'Ingénu est une belle plante qui tient toute sa vigueur de la nature.

Voici donc nos deux esprits en route. Leurs périples s'inspirent librement des modes littéraires du temps [1]. Les aventures de Micromégas rappellent celles de Gulliver, le héros du « Rabelais de la bonne compagnie », et relèvent de l'abondante tradition du voyage interplanétaire. L'Ingénu est une interprétation très libre du thème du bon sauvage, expression que Voltaire n'utilise

1. Voir dossier, p. 145 sq.

d'ailleurs pas. Pour la bonne raison que son Huron n'est pas un sauvage, mais un bas Breton qui s'ignore et surtout un homme naturel, que les événements ont préservé de l'influence de la civilisation. Le personnage est d'ailleurs moins pittoresque que symbolique, comme le prouve son costume mi-« sauvage », mi-européen, mais en tout cas fort peu indien, à l'exception peut-être de « ses longs cheveux en tresses ». La couleur locale huronne se limite à deux scènes de chasse, au lièvre et à l'ours, que l'on croirait empruntées à quelque toile de Jouy, et aux trois mots hurons tirés du dictionnaire du père Sagard : *taya* (le tabac) pour l'exotisme, *essenten* (manger) pour sa ressemblance avec l'allemand — y aurait-il une parenté cratyléenne entre les langues ? — et *trovander* (faire l'amour) pour la poésie. Le héros, bientôt affublé du doux prénom d'Hercule, n'a pas de nom indien, et celui de son amie, Abacaba, est plus facétieux qu'authentique. Il suggère surtout que la demoiselle fut à la fois première dans la vie de l'Ingénu et primitive dans l'ordre naturel.

Ces deux récits initiatiques à la mode du temps diffèrent cependant par la personnalité de leurs héros. Le Sirien, ne rencontrant que des êtres finalement moins évolués que lui, n'apprend pas grand-chose, et met seulement en pratique les qualités intellectuelles qu'il possédait au départ. Il exerce scrupuleusement la fonction d'observateur qui est la sienne, et qui justifie son existence, dans la mesure où la lucidité demande du recul au sens propre comme au sens figuré. Il incarne une attitude de l'esprit, une posture intellectuelle. Le Huron évolue en revanche d'un mode de pensée primitif, sain mais quelque peu sommaire, à la sagesse du philosophe, et reconnaît dans sa prison : « Je serais tenté de croire aux métamorphoses, car j'ai été changé de brute en homme. »

L'Ingénu répond toutefois aux mêmes préoccupations que *Micromégas* : que peut-on savoir et comment ? L'influence de l'*Essai sur l'entendement humain* est manifeste dans le rôle que Voltaire accorde à la sensation, à l'observation et à l'expérience. Quoi qu'en pense Descartes, il n'y a pas d'idées innées, toutes proviennent de nos sens : « Locke après avoir ruiné les idées innées, après avoir bien renoncé à la vanité de croire qu'on pense toujours, établit que toutes nos idées nous viennent par les sens [1]. » C'est pourquoi les habitants de Saturne, qui n'ont que soixante-douze sens, sont des êtres bien limités, comparés aux habitants de Sirius, qui en ont mille. Voltaire écrit encore dans son *Traité de métaphysique* [2] : « Il est donc indubitable que nos premières idées sont nos sensations. Petit à petit nous recevons des idées composées de ce qui frappe nos organes, notre mémoire, retient ces perceptions ; nous les rangeons ensuite sous des idées générales ; et de cette seule faculté que nous avons de composer et d'arranger ainsi nos idées, résultent toutes les vastes connaissances de l'homme. » Ce qui explique que les deux géants ne peuvent rien savoir des hommes tant qu'ils ne les ont pas d'abord vus, puis touchés et enfin entendus. Mais attention, les sens peuvent tromper ! Seul un examen attentif et prudent, à l'aide d'instruments adaptés (les diamants-microscopes et la rognure d'ongle-entonnoir), permet de saisir la vérité. À condition de ne pas se laisser emporter par son imagination.

Le Saturnien tombe ainsi constamment dans le piège des apparences : il croit d'abord que la terre est inhabitée, puis prend les gestes affolés des marins pour un acte amoureux ! On tremble à l'idée du *Traité de l'espèce humaine* qu'il pourrait bien écrire de retour sur sa planète. Heureusement Son Excellence est là pour modérer ce fâcheux penchant à la spéculation. Mais tous les philosophes n'ont pas la chance d'avoir un tel compagnon, et le conte s'achève sur le rappel de leurs

    1. *Lettres philosophiques*, XIII, *Mélanges*, La Pléiade, Gallimard, p. 39.
    2. *Mélanges*, La Pléiade, Gallimard, p. 173.

rêveries les plus imprudentes : Aristote, Descartes, Malebranche, Leibniz, tous ont parlé de ce qu'ils ne connaissaient pas. Seul Locke en sait plus que les autres, puisqu'il sait, lui, qu'il est inutile de spéculer sur ce que l'expérience ne nous livre pas. Il y a des choses que les hommes ne peuvent connaître. Le plus grave est que ce goût de la métaphysique engendre des systèmes invérifiables et des dogmes, pour lesquels les hommes vont s'entre-tuer. « Tous les hommes sont d'accord sur la vérité quand elle est démontrée, mais ils sont trop partagés sur les vérités obscures », reconnaît le malheureux Gordon, qui paie de sa liberté sa passion pour la théologie. Faut-il en déduire que ceux qui ne lisent pas de traités métaphysiques sont à l'abri des égarements de l'imagination ? Non, car ils sont, eux, prisonniers de leurs superstitions et des fables, autre visage de l'ignorance humaine. « J'aime les fables des philosophes, je ris de celles des enfants, et je hais celles des imposteurs », déclare le Huron. Certaines sont ridicules et inoffensives, comme la légende de saint Dunstan qui sert d'incipit à *L'Ingénu*. La plupart, érigées en dogmes, devenues des vérités incontestables sous peine de mort, sont criminelles et font le malheur des hommes.

Le bonheur passe donc par la conquête de la vérité. Les contes de Voltaire ne disent jamais autre chose. *Micromégas* et *L'Ingénu* énumèrent de façon plaisante les heurs et les malheurs de la raison, en butte aux attaques constantes de l'illusion, du dogmatisme et du mensonge. Pauvre raison ! elle ne peut compter que sur elle-même, au prix d'un permanent effort de correction et de vigilance. Mais encore faut-il qu'elle puisse se développer et se nourrir.

Or est-il de meilleur élément pour l'exercice de la raison que la rencontre de l'altérité, qui au-delà d'un salutaire étonnement engendre réflexion et connaissance ? Il ne peut y avoir de progrès du même au même. C'est pourquoi les Hurons, malgré leur bon naturel, n'ont

guère progressé et ignorent les arts. Il faut voyager pour
découvrir le monde, dans l'espace et dans le temps, à
pied, à cheval et dans les livres, qui seuls rendent possible l'entretien des grands esprits du passé. Le vrai
voyage du Huron est donc intellectuel. Le jeune homme
ne découvre véritablement le monde qu'une fois
enfermé entre quatre murs, dans sa bibliothèque qui
s'élargit aux dimensions de l'univers. La culture qu'il
acquiert grâce à Gordon est celle de Voltaire lui-même.
L'Ingénu lit d'abord des ouvrages de géométrie et de
physique (la connaissance commence par des mesures),
il se lance ensuite dans Malebranche, qu'il critique en
bon disciple de Locke. Après la métaphysique, qu'il
faut connaître pour la combattre, un peu de mathématiques, puis beaucoup d'histoire, discipline chère à
Voltaire, qui permet d'évaluer l'héritage du passé et de
progresser. La mémoire historique est même un signe
de la supériorité de la civilisation sur l'état naturel,
puisqu'elle affranchit l'homme de ses limites biologi-
ques : « J'ai parcouru cinq ou six cents lieues du
Canada, je n'y ai pas trouvé un seul monument ; personne ne sait rien de ce qu'a fait son bisaïeul. Ne serait-
ce pas là l'état naturel de l'homme ? L'espèce de ce
continent-ci me paraît supérieure à celle de l'autre. »
Vient ensuite l'astronomie, qui affine le sentiment de
la relativité développé par l'histoire, et donne le goût
des proportions nécessaires à l'étude des arts. L'Ingénu
termine son cursus par la découverte de la poésie, du
théâtre et des romans, qui forment sa sensibilité. L'indigence même des romans — « Tous ces auteurs-là n'ont
que de l'esprit et de l'art » — l'aide à voir clair en son
cœur.

Ces lectures, dirigées par les soins du bon Gordon,
permettent l'exercice de toutes les facultés de l'âme. La
première rencontre de l'Ingénu et des livres — Rabelais et Shakespeare — avait pourtant été décevante. « Je
vous avoue », dit-il à l'abbé, « que j'ai cru en deviner
quelque chose et que je n'ai pas entendu le reste. » C'est
qu'une lecture intelligente des textes n'est pas chose

aisée. Le prieur a d'ailleurs la sagesse de le reconnaître
en son for intérieur : « [...] c'était ainsi que lui-même
avait toujours lu et [...] la plupart des hommes ne
lisaient guère autrement ». La lecture des textes sacrés
est encore plus délicate : faut-il les prendre à la lettre,
comme le fait l'Ingénu, ou leur donner un sens symbolique ? Dans ce dernier cas, pourquoi se réclamer de
textes dont la pratique religieuse s'éloigne ? L'argument
du prieur, pour qui « les usages ont changé », est
d'autant moins convaincant que l'Église attache la plus
grande importance à la forme des rites. Ainsi le Huron
baptisé dans la rivière pourrait bien ne pas être un vrai
chrétien... Voltaire ne soutient pas pour autant son sauvage : si la lecture littérale des textes ne conduit le
néophyte qu'à quelques excentricités cocasses, l'abdi-
cation de l'esprit critique peut engendrer, dans d'autres
cas, toutes les horreurs du fanatisme. Les livres doivent nourrir la réflexion et non l'étouffer, car aucun
d'eux ne révèle la vérité. C'était déjà la leçon finale de
Micromégas et c'est ce qu'apprend peu à peu l'Ingénu,
qui découvre, s'enthousiasme, condamne, la plume à
la main ou dans ses entretiens avec Gordon, au point
de devenir à la fin du conte le lecteur idéal que se rêve
tout philosophe. Un lecteur critique, intelligent et sensible, dont l'adhésion n'a de prix que parce qu'elle est
révocable à tout moment.

De la connaissance à la morale

Puisque la métaphysique est vaine, seule compte la
morale qui règle les rapports humains. Les philosophes
qui se déchirent à propos de la nature de l'âme reconnaissent tous le rôle de la vertu. Dieu a jeté dans l'âme
de l'homme, en lui donnant la raison, des principes
moraux, qui constituent le fondement de la société.
« La notion de quelque chose de juste me semble si
naturelle, si universellement acquise par tous les hommes, qu'elle est indépendante de toute loi, de tout pacte,
de toute religion » ; et Voltaire ajoute : « L'idée de

justice me paraît tellement une vérité du premier ordre, à laquelle tout l'univers donne son assentiment, que les plus grands crimes qui affligent la société humaine sont tous commis sous un faux prétexte de justice [1]. » C'est précisément ce que font les jésuites, ces pseudo-artisans de la justice passés maîtres en l'art de la justification. Leurs manigances sont plus graves que leur goût pour la grâce suffisante, car elles s'opposent aux principes moraux les plus élémentaires. Il n'est pas de vertu qui ne soit sociale. Le premier souhait de l'Ingénu, quand il arrive à la cour, est de se rendre *utile*. Gordon, tout empêtré qu'il soit dans sa théologie, est racheté par sa bonté. Il sait « deux grandes choses : supporter l'adversité et consoler les malheureux ». Tout le reste n'est qu'illusion : Gordon est moins un janséniste qu'un homme, au sens le plus noble de l'idéal voltairien.

Le bien et le mal sont néanmoins toujours relatifs : « La vertu ou le vice, le bien et le mal moral, sont donc en tout pays ce qui est utile ou nuisible à la société [2]. » D'où l'erreur de la pauvre Saint-Yves qui s'est crue irrémédiablement coupable, alors qu'elle n'avait fait que le bien. Sans doute appartenait-elle à l'élite qui aime la vertu pour elle-même, et non par conformisme ou intérêt, d'un amour si élevé qu'il ne peut souffrir aucun compromis ?

La mort de la malheureuse, victime des institutions et de l'immoralité des puissants, clôt la série des infortunes de la vertu. Le bailli, les jésuites, les puissants de la cour, M. de Saint-Pouange, autant de persécuteurs. Faut-il pour autant condamner la société, au nom de l'idéal naturel, à la manière de Rousseau ?

1. *Le Philosophe ignorant*, XXXII, *Mélanges*, La Pléiade, Gallimard, pp. 893-894, Voir aussi le *Poème sur la loi naturelle*, écrit précédemment par Voltaire.
2. *Traité de métaphysique*, IX, *Mélanges*, La Pléiade, Gallimard, p. 197.

Comme le fait l'Ingénu lui-même quand il affirme :
« Mes compatriotes de l'Amérique ne m'auraient
jamais traité avec la barbarie que j'éprouve ; ils n'en
ont pas d'idée. On les appelle *sauvages*, ce sont des gens
de bien grossiers, et les hommes de ce pays-ci sont des
coquins raffinés. » Tout dépend de la valeur que l'on
accorde au « raffinement ». Second par rapport à la
morale, il ne rachète pas les fautes commises. Mais il
est, sous le nom de civilisation, la condition du progrès. L'art de vivre en société fait ainsi partie de la
morale. La bienséance est une des qualités requises pour
être un honnête homme. L'Ingénu, d'abord incapable
de se maîtriser, apprend peu à peu la retenue, même
dans les circonstances les plus douloureuses : « Il était
sans doute le plus alarmé et le plus attendri de tous ;
mais il avait appris à joindre la discrétion à tous les
dons heureux que la nature lui avait prodigués, et le
sentiment prompt des bienséances commençait à dominer en lui. » L'homme est fait pour vivre en société,
et l'évolution de l'Ingénu, « changé de brute en
homme », montre que la seule loi naturelle ne peut suf-
fire, sans le secours de la culture et des arts, à l'accom-
plissement de l'être humain.

Voltaire n'est pas un instant tenté par la position
rousseauiste, il renvoie seulement dos à dos les deux
parties : d'un côté le droit naturel, au nom duquel
l'Ingénu se jette sur Mlle de Saint-Yves sans autre
forme de procès, et de l'autre une société qui la livre
aux entreprises de Saint-Pouange. Le choix est douloureux, l'aporie totale. Ce n'est heureusement pas à un
choix que le philosophe de Ferney convie son lecteur.
Il l'invite plutôt à se comporter en sauvage, c'est-à-dire
à préserver et cultiver les qualités naturelles qui sont
celles de l'Ingénu et qui forcent l'admiration : honnêteté, courage, bon sens, raison. À la fin du roman,
Gordon renonce à ses chimères, il se « convertit ». « Il
prit pour sa devise : *malheur est bon à quelque chose*.
Combien d'honnêtes gens dans le monde ont pu dire :
malheur n'est bon à rien ! » Certes les honnêtes gens

sont une écrasante majorité face au seul Gordon, et la position en clausule de cette affirmation pessimiste peut sembler un aveu d'échec et de découragement. C'est que le mal est un fait, un phénomène énorme qu'il serait vain de nier. Mais de tout mal peut sortir un bien, comme l'éveil de l'Ingénu est né de son emprisonnement. C'est ce que J. Starobinski appelle « la loi du fusil à deux coups ». Il suffit pour cela de le vouloir, de ne pas renoncer à la lutte, de « prendre une devise » quand les victimes ne peuvent que « dire » ! « Si le mal était l'œuvre de la religion, des préjugés, de l'arbitraire, bref des institutions abusives, le bien apparaît comme l'œuvre toujours possible de l'homme qui a résolu de s'y employer [1]. » Le sauvage, tel que l'imagine Voltaire, hérite en naissant d'un ordre naturel qu'il ne modifiera pas sa vie durant, et qui le détermine. Le civilisé n'a ni cette chance, ni ces limites, il peut agir sur le monde.

Cette importance du thème moral peut rendre compte de la composition hybride de *L'Ingénu*, qui commence comme *Candide* et finit comme l'*Histoire de Madame de Luz* [2]. La transition étant assurée par l'évolution du héros, instruit par les livres, et celle de Mlle de Saint-Yves, mûrie par le chagrin. La sensibilité larmoyante de la seconde partie est une concession au goût du temps, outrée sans qu'on puisse réellement parler de parodie. Les souffrances de la belle Saint-Yves touchent malgré l'emphase des gestes et des paroles [3]. On imagine que Voltaire eût pu faire bien pire, s'il avait voulu se moquer du drame bourgeois, par exemple, ou des romans vertueux. Les formes du roman sensible

1. J. Starobinski, « Le fusil à deux coups de Voltaire », in *Le Remède dans le mal*, Gallimard, p. 161.
2. Voir dossier, « Influences théâtrales et romanesques ».
3. Le même thème des sacrifices de la vertu est déjà traité sur le mode plaisant dans *Cosi-Sancta*, une œuvre de jeunesse (composée vers 1715). Voir *Candide*, Pocket, n° 6006, pp. 210-215.

sont plutôt ici le véhicule littéraire idéal pour dire la souffrance des victimes — surtout féminines — et l'injustice. L'investigation psychologique ne retient pas le philosophe, l'analyse des sentiments est plutôt convenue, et la peinture vaut surtout pour l'indignation qu'elle suscite. La stratégie discursive de Voltaire a bien changé depuis *Candide*. Qu'on se rappelle les déboires de Cunégonde : plus tristes que la belle fin de Mlle de Saint-Yves, ils n'engendrent pourtant que le sourire. Faut-il parler de pessimisme ? Voltaire, un vieillard au moment où il écrit *L'Ingénu*, serait-il saisi de découragement devant les maux qui l'entourent, et dont le triste dénouement du conte serait la transposition allégorique ? L'énergique résolution de Gordon montre cependant que le patriarche n'est pas vaincu. Mais sa pensée, toujours en mouvement et sensible à l'air du temps, fait une place plus grande que jadis à la morale des sentiments. Les passions peuvent aider l'homme à évoluer. Elles complètent l'apprentissage intellectuel, ou même, pour les femmes, le remplacent. La jolie Bretonne n'a pas de bibliothèque et se forme à l'école du sentiment : « Ce n'était plus cette fille simple dont une éducation provinciale avait rétréci les idées. L'amour et le malheur l'avaient formée. Le sentiment avait fait autant de progrès en elle que la raison en avait fait dans l'esprit de son amant infortuné. » Cette répartition traditionnelle des talents — l'homme raisonnable, la femme sensible — révèle moins une vision figée, réductrice du monde (Voltaire savait par Mme du Châtelet que les femmes aussi peuvent aimer la philosophie) qu'une volonté délibérée de stylisation. Le Huron et sa maîtresse apprennent tous deux que l'amour est « un sentiment aussi noble que tendre, qui peut élever l'âme autant que l'amollir, et produire même quelquefois des vertus ». Influence de Corneille ? de Diderot ? Volonté surtout de produire une morale rigoureuse et humaine qui fasse — quoique Voltaire se proclame déiste — l'économie de tout postulat métaphysique.

De *Micromégas* à *L'Ingénu*, la position de Voltaire est toujours risquée. La lutte contre les forces de l'oppression et de l'obscurantisme se double d'une entreprise de reconstruction. Le modèle chrétien compromis, il faut repenser l'homme, individu politique, être pensant et conscience morale. Les contes de Voltaire, doublés des écrits philosophiques, sont autant d'étapes dans cette gigantesque entreprise. Les voyages fictifs du Sirien et du Huron fonctionnent à la manière de concepts opératoires, de confrontations imaginaires entre le même et l'autre. Ces périples sont fructueux : *Micromégas* rapporte dans ses bagages les principes d'un mode fiable de connaissance, dûment éprouvé lors de sa rencontre avec les terriens ; l'Ingénu apprend — et nous avec lui — le bon usage des livres et des passions. Un principe supérieur anime ces contes, comme tous les autres, le goût de la justice, qui attribue à chacun ce qui lui revient. Justice politique et sociale : *L'Ingénu* est la dénonciation du despotisme qui prive les êtres de ce qu'ils ont de plus cher, la liberté ou la vertu. Mais encore justice philosophique, dans la mesure où Voltaire rend à l'homme ce qui lui est dû. Certes l'homme n'est pas la créature privilégiée et supérieure que l'orgueil chrétien installe au centre de l'univers. Mais tout imparfait et vulnérable qu'il est, il ne doit pas renier au nom d'un idéal illusoire ses plus nobles réalisations, la culture, les arts, la vie en société. La vraie justice veut que l'homme ne se nie pas. Voltaire rappelle à la conscience européenne en crise qu'il est vain de se bercer de modèles exotiques, et que les maux de la civilisation portent en eux-mêmes leurs remèdes. Message courageux et toujours d'actualité.

MICROMÉGAS

HISTOIRE PHILOSOPHIQUE

CHAPITRE PREMIER

VOYAGE D'UN HABITANT DU MONDE DE L'ÉTOILE SIRIUS DANS LA PLANÈTE DE SATURNE

Dans une de ces planètes qui tournent autour de ◆━
l'étoile nommée Sirius, il y avait un jeune homme de
beaucoup d'esprit, que j'ai eu l'honneur de connaître
dans le dernier voyage qu'il fit sur notre petite fourmilière ; il s'appelait Micromégas, nom qui convient
fort à tous les grands. Il avait huit lieues de haut :
j'entends, par huit lieues, vingt-quatre mille pas géométriques de cinq pieds chacun.

Quelques algébristes[1], gens toujours utiles au
public, prendront sur-le-champ la plume, et trouveront
que, puisque M. Micromégas, habitant du pays de
Sirius, a de la tête aux pieds vingt-quatre mille pas, qui
font cent vingt mille pieds de roi, et que nous autres,
citoyens de la terre, nous n'avons guère que cinq pieds,
et que notre globe a neuf mille lieues de tour ; ils trouveront, dis-je, qu'il faut absolument que le globe qui
l'a produit ait au juste vingt et un millions six cent mille
fois plus de circonférence que notre petite terre. Rien
n'est plus simple et plus ordinaire dans la nature. Les

---

1. Ces calculs ont pu être inspirés à Voltaire par la lecture, entre
autres, des *Elementa matheseos universae* de Wolf, disciple de
Leibniz. Wolf cherchait à évaluer la taille des habitants de Jupiter
en se référant à celle des géants de la Bible. Ces travaux avaient sus-
cité à Cirey la plus franche hilarité.

◆━ Voir *Au fil du texte*, p. IX.

États de quelques souverains d'Allemagne ou d'Italie,
dont on peut faire le tour en une demi-heure, comparés à l'empire de Turquie, de Moscovie ou de la Chine,
ne sont qu'une très faible image des prodigieuses différences que la nature a mises dans tous les êtres.

La taille de Son Excellence étant de la hauteur que
j'ai dite, tous nos sculpteurs et tous nos peintres
conviendront sans peine que sa ceinture peut avoir
cinquante mille pieds de roi de tour ; ce qui fait une
très jolie proportion.

Quant à son esprit, c'est un des plus cultivés que nous
ayons ; il sait beaucoup de choses, il en a inventé
quelques-unes : il n'avait pas encore deux cent cinquante ans, et il étudiait, selon la coutume, au collège
des jésuites[1] de sa planète, lorsqu'il devina, par la
force de son esprit, plus de cinquante propositions
d'Euclide. C'est dix-huit de plus que Blaise Pascal,
lequel, après en avoir deviné trente-deux en se jouant,
à ce que dit sa sœur, devint depuis un géomètre assez
médiocre et un fort mauvais métaphysicien[2]. Vers les
quatre cent cinquante ans, au sortir de l'enfance, il dis-
séqua beaucoup de ces petits insectes qui n'ont pas cent
pieds de diamètre, et qui se dérobent aux microscopes
ordinaires ; il en composa un livre fort curieux, mais
qui lui fit quelques affaires[3]. Le muphti de son pays,
grand vétillard et fort ignorant, trouva dans son livre
des propositions suspectes, malsonnantes, téméraires,
hérétiques, sentant l'hérésie, et le poursuivit vivement ;
il s'agissait de savoir si la forme substantielle des puces
de Sirius était de même nature que celle des colimaçons.
Micromégas se défendit avec esprit ; il mit les femmes
de son côté ; le procès dura deux cent vingt ans. Enfin

---

1. Allusion plaisante au rôle joué par les jésuites en matière
d'éducation.
2. Fait rapporté dans *La Vie de M. Pascal écrite par Mme Périer,
sa sœur.*
3. Voltaire pense à la condamnation des *Lettres philosophiques*
par l'archevêque de Paris.

le muphti fit condamner le livre par des jurisconsultes qui ne l'avaient pas lu, et l'auteur eut ordre de ne paraître à la cour de huit cents années.

Il ne fut que médiocrement affligé d'être banni d'une cour qui n'était remplie que de tracasseries et de petitesses. Il fit une chanson fort plaisante contre le muphti, dont celui-ci ne s'embarrassa guère ; et il se mit à voyager de planète en planète, pour achever de se former *l'esprit et le cœur*[1], comme l'on dit. Ceux qui ne voyagent qu'en chaise de poste ou en berline seront sans doute étonnés des équipages de là-haut : car nous autres, sur notre petit tas de boue, nous ne concevons rien au-delà de nos usages. Notre voyageur connaissait merveilleusement les lois de la gravitation et toutes les forces attractives et répulsives. Il s'en servait si à propos que, tantôt à l'aide d'un rayon de soleil, tantôt par la commodité d'une comète, il allait de globe en globe, lui et les siens, comme un oiseau voltige de branche en branche. Il parcourut la voie lactée en peu de temps ; et je suis obligé d'avouer qu'il ne vit jamais, à travers les étoiles dont elle est semée, ce beau ciel empyrée que l'illustre vicaire Derham[2] se vante d'avoir vu au bout de sa lunette. Ce n'est pas que je prétende que M. Derham ait mal vu, à Dieu ne plaise ! mais Micromégas était sur les lieux, c'est un bon observateur, et je ne veux contredire personne. Micromégas, après avoir bien tourné, arriva dans le globe de Saturne. Quelque accoutumé qu'il fût à voir des choses nouvelles, il ne put d'abord, en voyant la petitesse du globe et de ses habitants, se défendre de ce sourire de supériorité qui échappe quelquefois aux plus sages. Car enfin Saturne n'est guère que neuf cents fois plus gros que la terre, et les citoyens de ce pays-là sont des nains qui n'ont que mille toises[3] de haut ou environ. Il s'en

1. Cliché du temps.
2. Savant anglais, mort en 1735, qui se proposait de prouver l'existence de Dieu par les merveilles de la nature.
3. Environ 2 000 mètres.

moqua un peu d'abord avec ses gens, à peu près comme un musicien italien se met à rire de la musique de Lulli [1], quand il vient en France. Mais, comme le Sirien avait un bon esprit, il comprit bien vite qu'un être pensant peut fort bien n'être pas ridicule pour n'avoir que six mille pieds de haut. Il se familiarisa avec les Saturniens, après les avoir étonnés. Il lia une étroite amitié avec le secrétaire de l'Académie de Saturne, homme de beaucoup d'esprit, qui n'avait à la vérité rien inventé, mais qui rendait un fort bon compte des inventions des autres, et qui faisait passablement de petits vers et de grands calculs [2]. Je rapporterai ici, pour la satisfaction des lecteurs, une conversation singulière que Micromégas eut un jour avec monsieur le secrétaire.

1. Voltaire est un partisan de Lulli.
2. Ce personnage pourrait bien être Fontenelle, dont le style fleuri est plaisamment évoqué au début du chapitre II.

☞ Voir *Au fil du texte*, p. X.

CHAPITRE II

CONVERSATION DE L'HABITANT
DE SIRIUS AVEC CELUI DE SATURNE

Après que Son Excellence se fut couchée, et que le secrétaire se fut approché de son visage : « Il faut avouer, dit Micromégas, que la nature est bien variée. — Oui, dit le Saturnien, la nature est comme un parterre dont les fleurs... — Ah ! dit l'autre, laissez là votre parterre. — Elle est, reprit le secrétaire, comme une assemblée de blondes et de brunes dont les parures... — Eh ! qu'ai-je affaire de vos brunes ? dit l'autre. — Elle est donc comme une galerie de peintures dont les traits... — Eh non ! dit le voyageur, encore une fois la nature est comme la nature. Pourquoi lui chercher des comparaisons ? — Pour vous plaire, répondit le secrétaire. — Je ne veux point qu'on me plaise, répondit le voyageur, je veux qu'on m'instruise ; commencez d'abord par me dire combien les hommes de votre globe ont de sens. — Nous en avons soixante et douze, dit l'académicien ; et nous nous plaignons tous les jours du peu. Notre imagination va au-delà de nos besoins ; nous trouvons qu'avec nos soixante et douze sens, notre anneau, nos cinq lunes, nous sommes trop bornés ; et, malgré toute notre curiosité et le nombre assez grand de passions qui résultent de nos soixante et douze sens, nous avons tout le temps de nous ennuyer. — Je le crois bien, dit Micromégas : car dans notre globe nous avons près de mille sens, et il nous reste encore je ne sais quel désir vague, je ne sais quelle inquiétude, qui nous avertit

sans cesse que nous sommes peu de chose, et qu'il y
a des êtres beaucoup plus parfaits. J'ai un peu voyagé ;
j'ai vu des mortels fort au-dessous de nous ; j'en ai vu
de fort supérieurs ; mais je n'en ai vu aucuns qui n'aient
plus de désirs que de vrais besoins, et plus de besoins
que de satisfaction. J'arriverai peut-être un jour au
pays où il ne manque rien ; mais jusques à présent
personne ne m'a donné de nouvelles positives de ce
pays-là. » Le Saturnien et le Sirien s'épuisèrent alors
en conjectures ; mais, après beaucoup de raisonnements
fort ingénieux et fort incertains, il en fallut revenir aux
faits. « Combien de temps vivez-vous ? dit le Sirien.
— Ah ! bien peu, répliqua le petit homme de Saturne.
— C'est tout comme chez nous, dit le Sirien : nous nous
plaignons toujours du peu. Il faut que ce soit une loi
universelle de la nature. — Hélas ! nous ne vivons, dit
le Saturnien, que cinq cents grandes révolutions du
Soleil. (Cela revient à quinze mille ans ou environ, à
compter à notre manière.) Vous voyez bien que c'est
mourir presque au moment que l'on est né ; notre existence est un point, notre durée un instant, notre globe
un atome. À peine a-t-on commencé à s'instruire un
peu que la mort arrive avant qu'on ait l'expérience.
Pour moi, je n'ose faire aucuns projets ; je me trouve
comme une goutte d'eau dans un océan immense. Je
suis honteux, surtout devant vous, de la figure ridicule
que je fais dans ce monde. »

Micromégas lui repartit : « Si vous n'étiez pas philosophe, je craindrais de vous affliger en vous apprenant
que notre vie est sept cents fois plus longue que la
vôtre ; mais vous savez trop bien que quand il faut rendre son corps aux éléments, et ranimer la nature sous
une autre forme, ce qui s'appelle mourir ; quand ce
moment de métamorphose est venu, avoir vécu une
éternité ou avoir vécu un jour, c'est précisément la
même chose. J'ai été dans des pays où l'on vit mille
fois plus longtemps que chez moi, et j'ai trouvé qu'on
y murmurait encore. Mais il y a partout des gens de
bon sens qui savent prendre leur parti et remercier

l'auteur de la nature. Il a répandu sur cet univers une profusion de variétés, avec une espèce d'uniformité admirable. Par exemple, tous les êtres pensants sont différents, et tous se ressemblent au fond par le don de la pensée et des désirs. La matière est partout étendue ; mais elle a dans chaque globe des propriétés diverses. Combien comptez-vous de ces propriétés diverses dans votre matière ? — Si vous parlez de ces propriétés, dit le Saturnien, sans lesquelles nous croyons que ce globe ne pourrait subsister tel qu'il est, nous en comptons trois cents, comme l'étendue, l'impénétrabilité, la mobilité, la gravitation, la divisibilité, et le reste. — Apparemment, répliqua le voyageur, que ce petit nombre suffit aux vues que le Créateur avait sur votre petite habitation. J'admire en tout sa sagesse ; je vois partout des différences, mais aussi partout des proportions. Votre globe est petit, vos habitants le sont aussi ; vous avez peu de sensations ; votre matière a peu de propriétés : tout cela est l'ouvrage de la Providence. De quelle couleur est votre soleil, bien examiné ? — D'un blanc fort jaunâtre, dit le Saturnien ; et quand nous divisons un de ses rayons, nous trouvons qu'il contient sept couleurs. — Notre soleil tire sur le rouge, dit le Sirien, et nous avons trente-neuf couleurs primitives. Il n'y a pas un soleil, parmi tous ceux dont j'ai approché, qui se ressemble, comme chez vous il n'y a pas un visage qui ne soit différent de tous les autres. »

Après plusieurs questions de cette nature, il s'informa combien de substances essentiellement différentes on comptait dans Saturne. Il apprit qu'on n'en comptait qu'une trentaine, comme Dieu, l'espace, la matière, les êtres étendus qui sentent, les êtres étendus qui sentent et qui pensent, les êtres pensants qui n'ont point d'étendue, ceux qui se pénètrent, ceux qui ne se pénètrent pas, et le reste. Le Sirien, chez qui on en comptait trois cents, et qui en avait découvert trois mille autres dans ses voyages, étonna prodigieusement le philosophe de Saturne. Enfin, après s'être communiqué l'un à l'autre

un peu de ce qu'ils savaient et beaucoup de ce qu'ils
ne savaient pas, après avoir raisonné pendant une révolution du soleil, ils résolurent de faire ensemble un petit
voyage philosophique.

CHAPITRE III

VOYAGE DES DEUX HABITANTS DE SIRIUS ET DE SATURNE

Nos deux philosophes étaient prêts à s'embarquer dans l'atmosphère de Saturne, avec une fort jolie provision d'instruments mathématiques, lorsque la maîtresse du Saturnien, qui en eut des nouvelles, vint en larmes faire ses remontrances. C'était une jolie petite brune qui n'avait que six cent soixante toises, mais qui réparait par bien des agréments la petitesse de sa taille. « Ah ! cruel ! s'écria-t-elle, après t'avoir résisté quinze cents ans, lorsque enfin je commençais à me rendre, quand j'ai à peine passé cent ans entre tes bras, tu me quittes pour aller voyager avec un géant d'un autre monde ; va, tu n'es qu'un curieux, tu n'as jamais eu d'amour ; si tu étais un vrai Saturnien, tu serais fidèle. Où vas-tu courir ? Que veux-tu ? Nos cinq lunes sont moins errantes que toi, notre anneau est moins changeant. Voilà qui est fait, je n'aimerai jamais plus personne. » Le philosophe l'embrassa, pleura avec elle, tout philosophe qu'il était, et la dame, après s'être pâmée, alla se consoler avec un petit-maître du pays.

Cependant nos deux curieux partirent ; ils sautèrent d'abord sur l'anneau, qu'ils trouvèrent assez plat, comme l'a fort bien deviné un illustre habitant de notre petit globe [1] ; de là ils allèrent de lune en lune. Une

---

1. Huygens a étudié l'anneau de Saturne dans son *Système saturnien* (1659).

comète passait tout auprès de la dernière ; ils s'élancèrent sur elle avec leurs domestiques et leurs instruments. Quand ils eurent fait environ cent cinquante millions de lieues, ils rencontrèrent les satellites de Jupiter. Ils passèrent dans Jupiter même, et y restèrent une année, pendant laquelle ils apprirent de fort beaux secrets, qui seraient actuellement sous presse sans messieurs les inquisiteurs, qui ont trouvé quelques propositions un peu dures. Mais j'en ai lu le manuscrit dans la bibliothèque de l'illustre archevêque de ... [1], qui m'a laissé voir ses livres avec cette générosité et cette bonté qu'on ne saurait assez louer.

Mais revenons à nos voyageurs. En sortant de Jupiter, ils traversèrent un espace d'environ cent millions de lieues, et ils côtoyèrent la planète de Mars, qui, comme on sait, est cinq fois plus petite que notre petit globe ; ils virent deux lunes qui servent à cette planète, et qui ont échappé aux regards de nos astronomes. Je sais bien que le père Castel [2] écrira, et même assez plaisamment, contre l'existence de ces deux lunes ; mais je m'en rapporte à ceux qui raisonnent par analogie. Ces bons philosophes-là savent combien il serait difficile que Mars, qui est si loin du soleil, se passât à moins de deux lunes. Quoi qu'il en soit, nos gens trouvèrent cela si petit qu'ils craignirent de n'y pas trouver de quoi coucher, et ils passèrent leur chemin, comme deux voyageurs qui dédaignent un mauvais cabaret de village et poussent jusqu'à la ville voisine. Mais le Sirien et son compagnon se repentirent bientôt. Ils allèrent longtemps, et ne trouvèrent rien. Enfin ils aperçurent une petite lueur ; c'était la terre : cela fit pitié à des gens qui venaient de Jupiter. Cependant, de peur de se repentir une seconde fois, ils résolurent de débar-

---

1. Sans doute quelque prélat libertin, peut-être l'archevêque Tencin, frère de Mme de Tencin.
2. Castel, savant jésuite, est l'inventeur du célèbre clavecin oculaire, détesté de Voltaire pour avoir attaqué *Les Éléments de la philosophie de Newton* dans le *Journal de Trévoux* en 1738.

quer. Ils passèrent sur la queue de la comète, et, trouvant une aurore boréale toute prête, ils se mirent dedans, et arrivèrent à terre sur le bord septentrional de la mer Baltique, le cinq juillet mil sept cent trente-sept, nouveau style.

CHAPITRE IV

CE QUI LEUR ARRIVE
SUR LE GLOBE DE LA TERRE

Après s'être reposés quelque temps, ils mangèrent
à leur déjeuner deux montagnes que leurs gens leur
apprêtèrent assez proprement. Ensuite ils voulurent
reconnaître le petit pays où ils étaient. Ils allèrent
d'abord du nord au sud. Les pas ordinaires du Sirien
et de ses gens étaient d'environ trente mille pieds de
roi ; le nain de Saturne suivait de loin en haletant ; or
il fallait qu'il fît environ douze pas quand l'autre faisait
une enjambée : figurez-vous (s'il est permis de faire de
telles comparaisons) un très petit chien de manchon qui
suivrait un capitaine des gardes du roi de Prusse.

Comme ces étrangers-là vont assez vite, ils eurent fait
le tour du globe en trente-six heures ; le soleil, à la
vérité, ou plutôt la terre, fait un pareil voyage en une
journée ; mais il faut songer qu'on va bien plus à son
aise quand on tourne sur son axe que quand on marche
sur ses pieds. Les voilà donc revenus d'où ils étaient
partis, après avoir vu cette mare, presque imperceptible pour eux, qu'on nomme *la Méditerranée*, et cet
autre petit étang qui, sous le nom du *grand Océan*, en-
toure la taupinière. Le nain n'en avait eu jamais qu'à
mi-jambe [1], et à peine l'autre avait-il mouillé son
talon. Ils firent tout ce qu'ils purent en allant et en reve-

---

1. On ne savait pas à l'époque que certaines fosses marines peuvent
atteindre 10 000 mètres de profondeur. Or le nain ne mesure que
2 000 mètres !

nant dessus et dessous pour tâcher d'apercevoir si ce globe était habité ou non. Ils se baissèrent, ils se couchèrent, ils tâtèrent partout ; mais, leurs yeux et leurs mains n'étant point proportionnés aux petits êtres qui rampent ici, ils ne reçurent pas la moindre sensation qui pût leur faire soupçonner que nous et nos confrères les autres habitants de ce globe avons l'honneur d'exister.

Le nain, qui jugeait quelquefois un peu trop vite, ◄► décida d'abord qu'il n'y avait personne sur la terre. Sa première raison était qu'il n'avait vu personne. Micromégas lui fit sentir poliment que c'était raisonner assez mal : « Car, disait-il, vous ne voyez pas avec vos petits yeux certaines étoiles de la cinquantième grandeur que j'aperçois très distinctement ; concluez-vous de là que ces étoiles n'existent pas ? — Mais, dit le nain, j'ai bien tâté. — Mais, répondit l'autre, vous avez mal senti. — Mais, dit le nain, ce globe-ci est si mal construit, cela est si irrégulier et d'une forme qui me paraît si ridicule ! tout semble être ici dans le chaos : voyez-vous ces petits ruisseaux dont aucun ne va de droit fil, ces étangs qui ne sont ni ronds, ni carrés, ni ovales, ni sous aucune forme régulière ; tous ces petits grains pointus dont ce globe est hérissé, et qui m'ont écorché les pieds ? (Il voulait parler des montagnes.) Remarquez-vous encore la forme de tout le globe, comme il est plat aux pôles, comme il tourne autour du soleil d'une manière gauche, de façon que les climats des pôles sont nécessairement incultes ? En vérité, ce qui fait que je pense qu'il n'y a ici personne, c'est qu'il me paraît que des gens de bon sens ne voudraient pas y demeurer. — Eh bien, dit Micromégas, ce ne sont peut-être pas non plus des gens de bon sens qui l'habitent. Mais enfin il y a quelque apparence que ceci n'est pas fait pour rien. Tout vous paraît irrégulier ici, dites-vous, parce que tout est tiré au cordeau dans Saturne et dans Jupiter. Eh ! c'est peut-être par cette raison-là même qu'il y a ici un peu de confusion. Ne vous ai-je pas dit que dans mes voyages j'avais toujours remarqué de la variété ? » Le Saturnien répliqua à toutes ces raisons.

◄► Voir *Au fil du texte*, p. XI.

La dispute n'eût jamais fini, si par bonheur Micromégas, en s'échauffant à parler, n'eût cassé le fil de son collier de diamants. Les diamants tombèrent : c'étaient de jolis petits carats assez inégaux, dont les plus gros pesaient quatre cents livres, et les plus petits cinquante. Le nain en ramassa quelques-uns ; il s'aperçut, en les approchant de ses yeux, que ces diamants, de la façon dont ils étaient taillés, étaient d'excellents microscopes. Il prit donc un petit microscope de cent soixante pieds de diamètre, qu'il appliqua à sa prunelle ; et Micromégas en choisit un de deux mille cinq cents pieds. Ils étaient excellents ; mais d'abord on ne vit rien par leur secours : il fallait s'ajuster. Enfin l'habitant de Saturne vit quelque chose d'imperceptible qui remuait entre deux eaux dans la mer Baltique : c'était une baleine. Il la prit avec le petit doigt fort adroitement, et, la mettant sur l'ongle de son pouce, il la fit voir au Sirien, qui se mit à rire pour la seconde fois de l'excès de petitesse dont étaient les habitants de notre globe. Le Saturnien, convaincu que notre monde est habité, s'imagina bien vite qu'il ne l'était que par des baleines ; et, comme il était grand raisonneur, il voulut deviner d'où un si petit atome tirait son mouvement, s'il avait des idées, une volonté, une liberté. Micromégas y fut fort embarrassé : il examina l'animal fort patiemment, et le résultat de l'examen fut qu'il n'y avait pas moyen de croire qu'une âme fût logée là. Les deux voyageurs inclinaient donc à penser qu'il n'y a point d'esprit dans notre habitation, lorsqu'à l'aide du microscope ils aperçurent quelque chose de plus gros qu'une baleine qui flottait sur la mer Baltique. On sait que dans ce temps-là même une volée de philosophes revenait du cercle polaire [1], sous lequel ils avaient été

---

1. Allusion à l'expédition de Maupertuis, parti le 2 mai 1736 de Dunkerque avec ses compagnons pour mesurer le méridien. Les savants prirent le chemin du retour le 10 juin 1737. Mais une tempête dans le golfe de Botnie (entre la Finlande et la Suède) endommagea le vaisseau, et les retarda si bien qu'on les crut perdus. Les explorateurs arrivèrent à Paris le 20 août.

faire des observations dont personne ne s'était avisé jusqu'alors. Les gazettes dirent que leur vaisseau échoua aux côtes de Botnie, et qu'ils eurent bien de la peine à se sauver ; mais on ne sait jamais dans ce monde le dessous des cartes. Je vais raconter ingénument comme la chose se passa, sans y rien mettre du mien, ce qui n'est pas un petit effort pour un historien.

CHAPITRE V

EXPÉRIENCES ET RAISONNEMENTS
DES DEUX VOYAGEURS

Micromégas étendit la main tout doucement vers
l'endroit où l'objet paraissait, et, avançant deux doigts
et les retirant par la crainte de se tromper, puis les
ouvrant et les serrant, il saisit fort adroitement le vaisseau qui portait ces messieurs, et le mit encore sur son
ongle, sans le trop presser de peur de l'écraser. « Voici
un animal bien différent du premier », dit le nain de
Saturne ; le Sirien mit le prétendu animal dans le creux
de sa main. Les passagers et les gens de l'équipage, qui
s'étaient crus enlevés par un ouragan, et qui se croyaient
sur une espèce de rocher, se mettent tous en mouvement ; les matelots prennent des tonneaux de vin, les
jettent sur la main de Micromégas et se précipitent
après. Les géomètres prennent leurs quarts de cercle,
leurs secteurs, et des filles laponnes [1], et descendent
sur les doigts du Sirien. Ils en firent tant qu'il sentit
enfin remuer quelque chose qui lui chatouillait les
doigts : c'était un bâton ferré qu'on lui enfonçait d'un
pied dans l'index ; il jugea, par ce picotement, qu'il
était sorti quelque chose du petit animal qu'il tenait.
Mais il n'en soupçonna pas d'abord davantage. Le
microscope, qui faisait à peine discerner une baleine
et un vaisseau, n'avait point de prise sur un être aussi

---

1. Maupertuis et ses collègues avaient effectivement ramené deux
Lapones.

imperceptible que des hommes. Je ne prétends choquer ici la vanité de personne, mais je suis obligé de prier les importants de faire ici une petite remarque avec moi : c'est qu'en prenant la taille des hommes d'environ cinq pieds, nous ne faisons pas sur la terre une plus grande figure qu'en ferait, sur une boule de dix pieds de tour, un animal qui aurait à peu près la six cent millième partie d'un pouce en hauteur. Figurez-vous une substance qui pourrait tenir la terre dans sa main, et qui aurait des organes en proportion des nôtres ; et il se peut très bien faire qu'il y ait un grand nombre de ces substances : or concevez, je vous prie, ce qu'elles penseraient de ces batailles qui nous ont valu deux villages qu'il a fallu rendre.

Je ne doute pas que si quelque capitaine des grands grenadiers lit jamais cet ouvrage, il ne hausse de deux grands pieds au moins les bonnets de sa troupe ; mais je l'avertis qu'il aura beau faire, et que lui et les siens ne seront jamais que des infiniment petits.

Quelle adresse merveilleuse ne fallut-il donc pas à notre philosophe de Sirius pour apercevoir les atomes dont je viens de parler ! Quand Leuwenhoek et Hartsoeker [1] virent les premiers, ou crurent voir, la graine dont nous sommes formés, ils ne firent pas à beaucoup près une si étonnante découverte. Quel plaisir sentit Micromégas en voyant remuer ces petites machines, en examinant tous leurs tours, en les suivant dans toutes leurs opérations ! comme il s'écria ! comme il mit avec joie un de ses microscopes dans les mains de son compagnon de voyage ! « Je les vois, disaient-ils tous deux à la fois ; ne les voyez-vous pas qui portent des fardeaux, qui se baissent, qui se relèvent ? » En parlant ainsi, les mains leur tremblaient, par le plaisir de voir des objets si nouveaux et par la crainte de les perdre. Le Saturnien, passant d'un excès de défiance à un

---

1. Naturalistes hollandais (morts en 1723 et 1725) ; ils ont travaillé sur les spermatozoïdes.

excès de crédulité, crut apercevoir qu'ils travaillaient à la propagation. *Ah !* disait-il, *j'ai pris la nature sur le fait* [1]. Mais il se trompait sur les apparences, ce qui n'arrive que trop, soit qu'on se serve ou non de microscopes.

CHAPITRE VI

CE QUI LEUR ARRIVA
AVEC DES HOMMES

Micromégas, bien meilleur observateur que son nain, vit clairement que les atomes se parlaient ; et il le fit remarquer à son compagnon, qui, honteux de s'être mépris sur l'article de la génération, ne voulut point croire que de pareilles espèces pussent se communiquer des idées. Il avait le don des langues, aussi bien que le Sirien ; il n'entendait point parler nos atomes, et il supposait qu'ils ne parlaient pas. D'ailleurs, comment ces êtres imperceptibles auraient-ils les organes de la voix, et qu'auraient-ils à dire ? Pour parler, il faut penser, ou à peu près ; mais, s'ils pensaient, ils auraient donc l'équivalent d'une âme. Or, attribuer l'équivalent d'une âme à cette espèce, cela lui paraissait absurde. « Mais, dit le Sirien, vous avez cru tout à l'heure qu'ils faisaient l'amour. Est-ce que vous croyez qu'on puisse faire l'amour sans penser et sans proférer quelque parole, ou du moins sans se faire entendre ? Supposez-vous d'ailleurs qu'il soit plus difficile de produire un argument qu'un enfant ? Pour moi, l'un et l'autre me paraissent de grands mystères. — Je n'ose plus ni croire ni nier, dit le nain ; je n'ai plus d'opinion. Il faut tâcher d'examiner ces insectes, nous raisonnerons après. — C'est fort bien dit », reprit Micromégas ; et aussitôt il tira une paire de ciseaux dont il se coupa les ongles, et d'une rognure de l'ongle de son pouce il fit sur-le-champ une espèce de grande trompette parlante comme un vaste entonnoir, dont il mit le tuyau dans son oreille. La circonférence de l'entonnoir enveloppait le vaisseau et tout l'équipage. La voix la plus faible entrait dans les fibres circulaires de l'ongle, de sorte que grâce à son industrie le philosophe de là-haut entendit parfaitement le bourdonnement de nos insectes de là-bas. En peu d'heures il parvint à distinguer les paroles, et enfin à entendre le français. Le nain en fit autant, quoique avec plus de difficulté. L'étonnement des voyageurs redoublait à chaque instant. Ils entendaient des mites parler d'assez bon sens : ce jeu de la nature leur paraissait inexplicable. Vous croyez bien que le Sirien et son nain brûlaient d'impatience de lier conversation avec les atomes : il craignait que sa voix de tonnerre, et surtout celle de Micromégas, n'assourdît les mites sans en être entendue. Il fallait en diminuer la force. Ils se mirent dans la bouche des espèces de petits cure-dents, dont le bout fort effilé venait donner auprès du vaisseau. Le Sirien tenait le nain sur ses genoux, et le vaisseau avec l'équipage sur son ongle. Il baissait la tête et parlait bas. Enfin, moyennant toutes ces précautions et bien d'autres encore, il commença ainsi son discours :

« Insectes invisibles, que la main du Créateur s'est plu à faire naître dans l'abîme de l'infiniment petit, je le remercie de ce qu'il a daigné me découvrir des secrets qui semblaient impénétrables. Peut-être ne daignerait-on pas vous regarder à ma cour ; mais je ne méprise personne, et je vous offre ma protection. »

Si jamais il y a eu quelqu'un d'étonné, ce furent les gens qui entendirent ces paroles. Ils ne pouvaient deviner d'où elles partaient. L'aumônier du vaisseau récita les prières des exorcismes, les matelots jurèrent, et les philosophes du vaisseau firent un système ; mais, quelque système qu'ils fissent, ils ne purent jamais deviner qui leur parlait. Le nain de Saturne, qui avait la voix plus douce que Micromégas, leur apprit alors en peu de mots à quelles espèces ils avaient affaire. Il leur conta le voyage de Saturne, les mit au fait de ce qu'était

M. Micromégas, et, après les avoir plaints d'être si petits, il leur demanda s'ils avaient toujours été dans ce misérable état si voisin de l'anéantissement, ce qu'ils faisaient dans un globe qui paraissait appartenir à des baleines, s'ils étaient heureux, s'ils multipliaient, s'ils avaient une âme, et cent autres questions de cette nature.

Un raisonneur de la troupe, plus hardi que les autres et choqué de ce qu'on doutait de son âme, observa l'interlocuteur avec des pinnules[1] braquées sur un quart de cercle, fit deux stations, et, à la troisième, il parla ainsi : « Vous croyez donc, Monsieur, parce que vous avez mille toises depuis la tête jusqu'aux pieds que vous êtes un... — Mille toises ! s'écria le nain. Juste ciel ! d'où peut-il savoir ma hauteur ? mille toises ! Il ne se trompe pas d'un pouce. Quoi ! cet atome m'a mesuré ! Il est géomètre. Il connaît ma grandeur ; et moi, qui ne le vois qu'à travers un microscope, je ne connais pas encore la sienne ! — Oui, je vous ai mesuré, dit le physicien, et je mesurerai bien encore votre grand compagnon. » La proposition fut acceptée ; Son Excellence se coucha de son long, car, s'il se fût tenu debout, sa tête eût été trop au-dessus des nuages. Nos philosophes lui plantèrent un grand arbre dans un endroit que le docteur Swift nommerait, mais que je me garderai bien d'appeler par son nom à cause de mon grand respect pour les dames. Puis, par une suite de triangles liés ensemble, ils conclurent que ce qu'ils voyaient était en effet un jeune homme de cent vingt mille pieds de roi.

Alors Micromégas prononça ces paroles : « Je vois plus que jamais qu'il ne faut juger de rien sur sa grandeur apparente. Ô Dieu, qui avez donné une intelligence à des substances qui paraissent si méprisables, l'infiniment petit vous coûte aussi peu que l'infiniment grand ;

1. Plaque dressée perpendiculairement aux extrémités d'une alidade.

et, s'il est possible qu'il y ait des êtres plus petits que ceux-ci, ils peuvent encore avoir un esprit supérieur à ceux de ces superbes animaux que j'ai vus dans le ciel, dont le pied seul couvrirait le globe où je suis descendu. »

Un des philosophes lui répondit qu'il pouvait en toute sûreté croire qu'il est en effet des êtres intelligents beaucoup plus petits que l'homme. Il lui conta, non pas tout ce que Virgile a dit de fabuleux sur les abeilles [1], mais ce que Swammerdam [2] a découvert, et ce que Réaumur [3] a disséqué. Il lui apprit enfin qu'il y a des animaux qui sont pour les abeilles ce que les abeilles sont pour l'homme, ce que le Sirien lui-même était pour ces animaux si vastes dont il parlait, et ce que ces grands animaux sont pour d'autres substances devant lesquelles ils ne paraissent que comme des atomes. Peu à peu la conversation devint intéressante, et Micromégas parla ainsi.

1. Allusion aux *Géorgiques*, IV, de Virgile.
2. Entomologiste hollandais (1637-1680).
3. Naturaliste (1683-1757). Il a écrit des *Mémoires pour servir à l'histoire des insectes*, parus en 6 volumes entre 1734 et 1742.

CHAPITRE VII

CONVERSATION AVEC LES HOMMES

« Ô atomes intelligents, dans qui l'Être éternel s'est ➤●
plu à manifester son adresse et sa puissance, vous devez
sans doute goûter des joies bien pures sur votre globe ;
car, ayant si peu de matière et paraissant tout esprit,
vous devez passer votre vie à aimer et à penser, c'est
la véritable vie des esprits. Je n'ai vu nulle part le vrai
bonheur, mais il est ici sans doute. » À ce discours, tous
les philosophes secouèrent la tête ; et l'un d'eux, plus
franc que les autres, avoua de bonne foi que, si l'on
en excepte un petit nombre d'habitants fort peu considérés, tout le reste est un assemblage de fous, de
méchants et de malheureux. « Nous avons plus de
matière qu'il ne nous en faut, dit-il, pour faire beaucoup de mal, si le mal vient de la matière, et trop
d'esprit, si le mal vient de l'esprit. Savez-vous bien, par
exemple, qu'à l'heure que je vous parle, il y a cent mille
fous de notre espèce, couverts de chapeaux, qui tuent
cent mille autres animaux couverts d'un turban, ou qui
sont massacrés par eux [1], et que, presque par toute la
terre, c'est ainsi qu'on en use de temps immémorial ? »
Le Sirien frémit et demanda quel pouvait être le sujet
de ces horribles querelles entre de si chétifs animaux.
« Il s'agit, dit le philosophe, de quelque tas de boue
grand comme votre talon. Ce n'est pas qu'aucun de

---

1. Allusion à la guerre entre l'Autriche, la Russie et la Turquie,
qui dura de 1736 à 1739.

➤● Voir *Au fil du texte*, p. XII.

ces millions d'hommes qui se font égorger prétend un fétu sur ce tas de boue. Il ne s'agit que de savoir s'il appartiendra à un certain homme qu'on nomme *Sultan* ou à un autre qu'on nomme, je ne sais pourquoi, *César*. Ni l'un ni l'autre n'a jamais vu ni ne verra jamais le petit coin de terre dont il s'agit, et presque aucun de ces animaux qui s'égorgent mutuellement n'a jamais vu l'animal pour lequel ils s'égorgent.

— Ah, malheureux ! s'écria le Sirien avec indignation, peut-on concevoir cet excès de rage forcenée ? Il me prend envie de faire trois pas, et d'écraser de trois coups de pied toute cette fourmilière d'assassins ridicules. — Ne vous en donnez pas la peine, lui répondit-on ; ils travaillent assez à leur ruine. Sachez qu'au bout de dix ans il ne reste jamais la centième partie de ces misérables ; sachez que, quand même ils n'auraient pas tiré l'épée, la faim, la fatigue ou l'intempérance les emportent presque tous. D'ailleurs, ce n'est pas eux qu'il faut punir : ce sont des barbares sédentaires qui, du fond de leur cabinet, ordonnent, dans le temps de leur digestion, le massacre d'un million d'hommes, et qui ensuite en font remercier Dieu solennellement. » Le voyageur se sentait ému de pitié pour la petite race humaine, dans laquelle il découvrait de si étonnants contrastes. « Puisque vous êtes du petit nombre des sages, dit-il à ces messieurs, et qu'apparemment vous ne tuez personne pour de l'argent, dites-moi, je vous en prie, à quoi vous vous occupez. — Nous disséquons des mouches, dit le philosophe, nous mesurons des lignes, nous assemblons des nombres, nous sommes d'accord sur deux ou trois points que nous entendons, et nous disputons sur deux ou trois mille que nous n'entendons pas. » Il prit aussitôt fantaisie au Sirien et au Saturnien d'interroger ces atomes pensants pour savoir les choses dont ils convenaient. « Combien comptez-vous, dit-il, de l'étoile de la Canicule à la grande étoile des Gémeaux ? » Ils répondirent tous à la fois : « Trente-deux degrés et demi. — Combien comptez-vous d'ici à la lune ? — Soixante demi-diamètres de la terre en nombre rond. — Combien pèse votre air ? » Il croyait les attraper, mais tous lui dirent que l'air pèse environ neuf cents fois moins qu'un pareil volume de l'eau la plus légère, et dix-neuf mille fois moins que l'or de ducat. Le petit nain de Saturne, étonné de leurs réponses, fut tenté de prendre pour des sorciers ces mêmes gens auxquels il avait refusé une âme un quart d'heure auparavant.

Enfin Micromégas leur dit : « Puisque vous savez si ∞ bien ce qui est hors de vous, sans doute vous savez encore mieux ce qui est dedans. Dites-moi ce que c'est que votre âme et comment vous formez vos idées. » Les philosophes parlèrent tous à la fois comme auparavant ; mais ils furent tous de différents avis. Le plus vieux citait Aristote, l'autre prononçait le nom de Descartes, celui-ci de Malebranche, cet autre de Leibniz, cet autre de Locke. Un vieux péripatéticien dit tout haut avec confiance : « L'âme est une *entéléchie*, et une raison par qui elle a la puissance d'être ce qu'elle est. C'est ce que déclare expressément Aristote, page 633 de l'édition du Louvre Ἐντελέχειά ἐστι, etc. [1].

— Je n'entends pas trop bien le grec, dit le géant. — Ni moi non plus, dit la mite philosophique. — Pourquoi donc, reprit le Sirien, citez-vous un certain Aristote en grec ? — C'est, répliqua le savant, qu'il faut bien citer ce qu'on ne comprend point du tout dans la langue qu'on entend le moins. »

Le cartésien prit la parole, et dit : « L'âme est un esprit pur, qui a reçu dans le ventre de sa mère toutes les idées métaphysiques et qui, en sortant de là, est obligée d'aller à l'école, et d'apprendre tout de nouveau ce qu'elle a si bien su et qu'elle ne saura plus. — Ce n'était donc pas la peine, répondit l'animal de huit lieues, que ton âme fût si savante dans le ventre de ta mère, pour être si ignorante quand tu auras de la barbe au menton. Mais qu'entends-tu par esprit ? — Que me

1. Dans le *De anima*, II, 2. La référence est exacte.

∞ Voir *Au fil du texte*, p. XIII.

demandez-vous là ? dit le raisonneur, je n'en ai point
d'idée : on dit que ce n'est pas de la matière. — Mais
sais-tu au moins ce que c'est que de la matière ? — Très
bien, répondit l'homme. Par exemple, cette pierre est
grise, et d'une telle forme, elle a ses trois dimensions,
elle est pesante et divisible. — Eh bien, dit le Sirien,
cette chose qui te paraît être divisible, pesante et grise,
me dirais-tu bien ce que c'est ? Tu vois quelques attri-
buts ; mais le fond de la chose, le connais-tu ? — Non,
dit l'autre. — Tu ne sais donc point ce que c'est que
la matière [1]. »

Alors M. Micromégas, adressant la parole à un autre
sage qu'il tenait sur son pouce, lui demanda ce que
c'était que son âme, et ce qu'elle faisait. « Rien du tout,
répondit le philosophe malebranchiste, c'est Dieu qui
fait tout pour moi ; je vois tout en lui, je fais tout en
lui : c'est lui qui fait tout sans que je m'en mêle [2].
— Autant vaudrait ne pas être, reprit le sage de Sirius.
Et toi, mon ami, dit-il à un leibnizien qui était là,
qu'est-ce que ton âme ? — C'est, répondit le leibnizien, une aiguille qui montre les heures pendant que
mon corps carillonne ; ou bien, si vous voulez, c'est
elle qui carillonne pendant que mon corps montre
l'heure ; ou bien mon âme est le miroir de l'univers et
mon corps est la bordure du miroir : cela est clair [3]. »

Un petit partisan de Locke était là tout auprès ; et
quand on lui eut enfin adressé la parole : « Je ne sais
pas, dit-il, comment je pense, mais je sais que je n'ai

---

1. Chez Descartes, Voltaire rejette à la fois la théorie des idées
innées, et la conception de l'être et de la connaissance.
2. Critique de la doctrine de Malebranche, dite « de la Vision en
Dieu ». C'est dans l'intelligence de Dieu que l'intelligence de l'homme
voit les idées.
3. Images effectivement leibniziennes. Pour Leibniz, il n'existe pas
d'action directe des substances créées l'une sur l'autre, mais un développement parallèle qui maintient entre elles un rapport réglé
d'avance. D'où l'image de la montre qui sonne tandis que les aiguilles
avancent. Quant à l'âme, elle est le miroir de l'univers, microcosme
reflétant le macrocosme.

jamais pensé qu'à l'occasion de mes sens. Qu'il y ait des substances immatérielles et intelligentes, c'est de quoi je ne doute pas ; mais qu'il soit impossible à Dieu de communiquer la pensée à la matière, c'est de quoi je doute fort. Je révère la puissance éternelle, il ne m'appartient pas de la borner ; je n'affirme rien, je me contente de croire qu'il y a plus de choses possibles qu'on ne pense [1]. »

L'animal de Sirius sourit : il ne trouva pas celui-là le moins sage ; et le nain de Saturne aurait embrassé le sectateur de Locke, sans l'extrême disproportion. Mais il y avait là, par malheur, un petit animalcule en bonnet carré [2], qui coupa la parole à tous les animalcules philosophes ; il dit qu'il savait tout le secret, que cela se trouvait dans la *Somme* de saint Thomas ; il regarda de haut en bas les deux habitants célestes ; il leur soutint que leurs personnes, leurs mondes, leurs soleils, leurs étoiles, tout était fait uniquement pour l'homme. À ce discours, nos deux voyageurs se laissèrent aller l'un sur l'autre en étouffant de ce rire inextinguible qui, selon Homère, est le partage des dieux ; leurs épaules et leurs ventres allaient et venaient, et dans ces convulsions le vaisseau que le Sirien avait sur son ongle tomba dans une poche de la culotte du Saturnien. Ces deux bonnes gens le cherchèrent longtemps ; enfin ils retrouvèrent l'équipage, et le rajustèrent fort proprement. Le Sirien reprit les petites mites ; il leur parla encore avec beaucoup de bonté, quoiqu'il fût un peu fâché dans le fond du cœur de voir que les infiniment petits eussent un orgueil presque infiniment grand. Il leur promit de leur faire un beau livre de philosophie, écrit fort menu pour leur usage, et que dans ce livre ils verraient le bout des choses. Effectivement, il leur

1. Voltaire pense comme Locke.
2. Il s'agit d'un docteur de Sorbonne, qui défend la philosophie de saint Thomas d'Aquin et la thèse dépassée de l'anthropocentrisme.

donna ce volume avant son départ : on le porta à Paris
à l'Académie des sciences ; mais, quand le secrétaire
l'eut ouvert, il ne vit rien qu'un livre tout blanc : *Ah !*
dit-il, *je m'en étais bien douté*.

L'INGÉNU

HISTOIRE VÉRITABLE
TIRÉE DES MANUSCRITS
DU P. QUESNEL [1]

---

1. Théologien janséniste (1634-1719), auteur de *Réflexions morales sur le Nouveau Testament*, d'où furent tirées les 101 propositions condamnées en 1713 par la bulle *Unigenitus*.

CHAPITRE PREMIER

COMMENT LE PRIEUR
DE NOTRE-DAME DE LA MONTAGNE
ET MADEMOISELLE SA SŒUR
RENCONTRÈRENT UN HURON[1]

Un jour saint Dunstan[2], Irlandais de nation et saint de profession, partit d'Irlande sur une petite montagne qui vogua vers les côtes de France, et arriva par cette voiture[3] à la baie de Saint-Malo. Quand il fut à bord[4], il donna la bénédiction à sa montagne, qui lui fit de profondes révérences et s'en retourna en Irlande par le même chemin qu'elle était venue.

Dunstan fonda un petit prieuré dans ces quartiers-là et lui donna le nom de *prieuré de la Montagne*, qu'il porte encore, comme un chacun sait.

En l'année 1689[5], le 15 juillet au soir, l'abbé de Kerkabon, prieur de Notre-Dame de la Montagne, se

---

1. Indien du Canada. Les Hurons, cultivateurs, étaient plus pacifiques que leurs ennemis traditionnels, les Iroquois.
2. Saint Dunstan (924-988), évêque de Worcester, Londres, Canterbury, n'était pas irlandais, mais avait été élevé par des moines irlandais. Comme l'Ingénu qui n'est huron que par adoption.
3. Moyen de locomotion.
4. À terre.
5. Date signifiante : la France est soumise au pouvoir absolu de Louis XIV, et la révocation de l'édit de Nantes, en 1685, a ravivé les querelles religieuses ; en Angleterre, Guillaume de Hollande détrône son beau-père, catholique et absolutiste. Locke publie la *Lettre sur la tolérance*.

◆◆ Voir *Au fil du texte*, p. XIV.

promenait sur le bord de la mer avec Mlle de Kerkabon, sa sœur, pour prendre le frais. Le prieur, déjà
un peu sur l'âge, était un très bon ecclésiastique, aimé
de ses voisins, après l'avoir été autrefois de ses voisines. Ce qui lui avait donné surtout une grande considération, c'est qu'il était le seul bénéficier du pays
qu'on ne fût pas obligé de porter dans son lit quand
il avait soupé avec ses confrères. Il savait assez honnêtement de théologie, et quand il était las de lire saint
Augustin, il s'amusait avec Rabelais [1] : aussi tout le
monde disait du bien de lui.

Mlle de Kerkabon, qui n'avait jamais été mariée,
quoiqu'elle eût grande envie de l'être, conservait de la
fraîcheur à l'âge de quarante-cinq ans ; son caractère
était bon et sensible ; elle aimait le plaisir et était dévote.

Le prieur disait à sa sœur, en regardant la mer :
« Hélas ! c'est ici que s'embarqua notre pauvre frère
avec notre chère belle-sœur, Mme de Kerkabon sa
femme, sur la frégate l'Hirondelle, en 1669, pour aller
servir en Canada. S'il n'avait pas été tué, nous pour-
rions espérer de le revoir encore.

— Croyez-vous, disait Mlle de Kerkabon, que notre
belle-sœur ait été mangée par les Iroquois, comme on
nous l'a dit ? Il est certain que, si elle n'avait pas été
mangée, elle serait revenue au pays. Je la pleurerai toute
ma vie ; c'était une femme charmante ; et notre frère,
qui avait beaucoup d'esprit, aurait fait assurément une
grande fortune. »

Comme ils s'attendrissaient l'un et l'autre à ce souvenir, ils virent entrer dans la baie de Rance un petit
bâtiment qui arrivait avec la marée : c'était des Anglais
qui venaient vendre quelques denrées de leur pays. Ils
sautèrent à terre, sans regarder monsieur le prieur ni
mademoiselle sa sœur, qui fut très choquée du peu
d'attention qu'on avait pour elle.

---

1. Association qui révèle la modération et l'éclectisme du prieur,
capable de s'intéresser à la métaphysique et au roman, aux âmes et
aux corps.

Il n'en fut pas de même d'un jeune homme très bien fait, qui s'élança d'un saut par-dessus la tête de ses compagnons, et se trouva vis-à-vis mademoiselle. Il lui fit un signe de tête, n'étant pas dans l'usage de faire la révérence. Sa figure et son ajustement attirèrent les regards du frère et de la sœur. Il était nu-tête et nu-jambes, les pieds chaussés de petites sandales, le chef orné de longs cheveux en tresses, un petit pourpoint qui serrait une taille fine et dégagée ; l'air martial et doux. Il tenait dans sa main une petite bouteille d'eau des Barbades [1], et dans l'autre une espèce de bourse dans laquelle était un gobelet et de très bon biscuit de mer. Il parlait français fort intelligiblement. Il présenta de son eau des Barbades à Mlle de Kerkabon et à monsieur son frère ; il en but avec eux ; il leur en fit reboire encore, et tout cela d'un air si simple et si naturel que le frère et la sœur en furent charmés. Ils lui offrirent leurs services, en lui demandant qui il était et où il allait. Le jeune homme leur répondit qu'il n'en savait rien, qu'il était curieux, qu'il avait voulu voir comment les côtes de France étaient faites, qu'il était venu, et allait s'en retourner.

Monsieur le prieur, jugeant à son accent qu'il n'était pas anglais, prit la liberté de lui demander de quel pays il était. « Je suis huron », lui répondit le jeune homme.

Mlle de Kerkabon, étonnée et enchantée de voir un Huron qui lui avait fait des politesses, pria le jeune homme à souper ; il ne se fit pas prier deux fois, et tous trois allèrent de compagnie au prieuré de Notre-Dame de la Montagne.

La courte et ronde demoiselle le regardait de tous ses petits yeux, et disait de temps en temps au prieur : « Ce garçon-là a un teint de lis et de rose ! qu'il a une belle peau pour un Huron ! — Vous avez raison, ma sœur », disait le prieur. Elle faisait cent questions coup sur coup, et le voyageur répondait toujours fort juste.

1. Sorte de rhum.

Le bruit se répandit bientôt qu'il y avait un Huron au prieuré. La bonne compagnie du canton s'empressa d'y venir souper. L'abbé de Saint-Yves y vint avec mademoiselle sa sœur, jeune Basse-Brette [1], fort jolie et très bien élevée. Le bailli, le receveur des tailles et leurs femmes furent du souper. On plaça l'étranger entre Mlle de Kerkabon et Mlle de Saint-Yves. Tout le monde le regardait avec admiration ; tout le monde lui parlait et l'interrogeait à la fois ; le Huron ne s'en émouvait pas. Il semblait qu'il eût pris pour sa devise celle de milord Bolingbroke : *nihil admirari* [2]. Mais à la fin, excédé de tant de bruit, il leur dit avec assez de douceur, mais avec un peu de fermeté : « Messieurs, dans mon pays on parle l'un après l'autre ; comment voulez-vous que je vous réponde quand vous m'empêchez de vous entendre ? » La raison fait toujours rentrer les hommes en eux-mêmes pour quelques moments. Il se fit un grand silence. Monsieur le bailli, qui s'emparait toujours des étrangers dans quelque maison qu'il se trouvât, et qui était le plus grand questionneur de la province, lui dit en ouvrant la bouche d'un demipied : « Monsieur, comment vous nommez-vous ? — On m'a toujours appelé *l'Ingénu*, reprit le Huron, et on m'a confirmé ce nom en Angleterre, parce que je dis toujours naïvement ce que je pense, comme je fais tout ce que je veux.

— Comment, étant né huron, avez-vous pu, monsieur, venir en Angleterre ? — C'est qu'on m'y a mené ; j'ai été fait, dans un combat, prisonnier par les Anglais, après m'être assez bien défendu ; et les Anglais, qui aiment la bravoure, parce qu'ils sont braves et qu'ils sont aussi honnêtes que nous, m'ayant proposé de me rendre à mes parents ou de venir en Angleterre,

1. Féminin archaïque pour « bas Breton ».
2. Homme d'État et écrivain anglais (1678-1751), ami et protecteur de Voltaire. Sa devise, empruntée à Horace, signifie : « Ne s'étonner de rien. »

j'acceptai le dernier parti parce que de mon naturel j'aime passionnément à voir du pays.

— Mais, monsieur, dit le bailli avec son ton imposant, comment avez-vous pu abandonner ainsi père et mère ? — C'est que je n'ai jamais connu ni père ni mère », dit l'étranger. La compagnie s'attendrit, et tout le monde répétait : *Ni père, ni mère !* « Nous lui en servirons, dit la maîtresse de la maison à son frère le prieur ; que ce monsieur le Huron est intéressant ! » L'Ingénu la remercia avec une cordialité noble et fière, et lui fit comprendre qu'il n'avait besoin de rien.

« Je m'aperçois, monsieur l'Ingénu, dit le grave bailli, que vous parlez mieux français qu'il n'appartient à un Huron. — Un Français, dit-il, que nous avions pris dans ma grande jeunesse en Huronie, et pour qui je conçus beaucoup d'amitié, m'enseigna sa langue ; j'apprends très vite ce que je veux apprendre. J'ai trouvé en arrivant à Plymouth [1] un de vos Français réfugiés que vous appelez *huguenots* [2], je ne sais pourquoi ; il m'a fait faire quelques progrès dans la connaissance de votre langue ; et, dès que j'ai pu m'exprimer intelligiblement, je suis venu voir votre pays, parce que j'aime assez les Français quand ils ne font pas trop de questions. »

L'abbé de Saint-Yves, malgré ce petit avertissement, lui demanda laquelle des trois langues lui plaisait davantage, la huronne, l'anglaise ou la française. « La huronne, sans contredit, répondit l'Ingénu. — Est-il possible ? s'écria Mlle de Kerkabon ; j'avais toujours cru que le français était la plus belle de toutes les langues après le bas-breton. »

Alors ce fut à qui demanderait à l'Ingénu comment on disait en huron du tabac, et il répondait *taya* ;

---

1. Port anglais.
2. L'étymologie du mot était discutée. Voltaire en donne lui-même une explication dans l'*Essai sur les mœurs*, chap. CXXXIII : le mot viendrait de *eidgenossen*, « alliés par serment ».

comment on disait manger, et il répondait *essenten*.
Mlle de Kerkabon voulut absolument savoir comment
on disait faire l'amour ; il lui répondit *trovander*, et
soutint, non sans apparence de raison, que ces mots-là
valaient bien les mots français et anglais qui leur
correspondaient. *Trovander* parut très joli à tous les
convives.

Monsieur le prieur, qui avait dans sa bibliothèque
la grammaire huronne dont le révérend père Sagard-
Théodat, récollet [1], fameux missionnaire, lui avait fait
présent, sortit de table un moment pour l'aller consulter. Il revint tout haletant de tendresse et de joie. Il
reconnut l'Ingénu pour un vrai Huron. On disputa un
peu sur la multiplicité des langues, et on convint que,
sans l'aventure de la tour de Babel, toute la terre aurait
parlé français.

L'interrogant bailli, qui jusque-là s'était défié un peu
du personnage, conçut pour lui un profond respect ;
il lui parla avec plus de civilité qu'auparavant, de quoi
l'Ingénu ne s'aperçut pas.

Mlle de Saint-Yves était fort curieuse de savoir comment on faisait l'amour au pays des Hurons. « En faisant de belles actions, répondit-il, pour plaire aux personnes qui vous ressemblent. » Tous les convives
applaudirent avec étonnement. Mlle de Saint-Yves rougit, et fut fort aise. Mlle de Kerkabon rougit aussi,
mais elle n'était pas si aise ; elle fut un peu piquée que
la galanterie ne s'adressât pas à elle, mais elle était si
bonne personne que son affection pour le Huron n'en
fut point du tout altérée. Elle lui demanda, avec beaucoup de bonté, combien il avait eu de maîtresses en
Huronie. « Je n'en ai jamais eu qu'une, dit l'Ingénu ;
c'était Mlle Abacaba, la bonne amie de ma chère nour-

---

1. Récollet, c'est-à-dire franciscain. Voltaire possédait comme son
personnage le *Grand Voyage au pays des Hurons*, du R. P. Théodat, publié en 1632. Les mots hurons cités plus haut sont effectivement empruntés au *Dictionnaire de la langue huronne* qui accompagnait cet ouvrage.

rice ; les joncs ne sont pas plus droits, l'hermine n'est pas plus blanche, les moutons sont moins doux, les aigles moins fiers, et les cerfs ne sont pas si légers que l'était Abacaba. Elle poursuivait un jour un lièvre dans notre voisinage, environ à cinquante lieues de notre habitation. Un Algonquin [1] mal élevé, qui habitait cent lieues plus loin, vint lui prendre son lièvre ; je le sus, j'y courus, je terrassai l'Algonquin d'un coup de massue, je l'amenai aux pieds de ma maîtresse, pieds et poings liés. Les parents d'Abacaba voulurent le manger, mais je n'eus jamais de goût pour ces sortes de festins ; je lui rendis sa liberté, j'en fis un ami. Abacaba fut si touchée de mon procédé qu'elle me préféra à tous ses amants. Elle m'aimerait encore si elle n'avait pas été mangée par un ours. J'ai puni l'ours, j'ai porté longtemps sa peau, mais cela ne m'a pas consolé. »

Mlle de Saint-Yves, à ce récit, sentait un plaisir secret d'apprendre que l'Ingénu n'avait eu qu'une maîtresse, et qu'Abacaba n'était plus ; mais elle ne démêlait pas la cause de son plaisir. Tout le monde fixait les yeux sur l'Ingénu ; on le louait beaucoup d'avoir empêché ses camarades de manger un Algonquin.

L'impitoyable bailli, qui ne pouvait réprimer sa fureur de questionner, poussa enfin la curiosité jusqu'à s'informer de quelle religion était monsieur le Huron ; s'il avait choisi la religion anglicane, ou la gallicane [2], ou la huguenote. « Je suis de ma religion, dit-il, comme vous de la vôtre. — Hélas ! s'écria la Kerkabon, je vois bien que ces malheureux Anglais n'ont pas seulement songé à le baptiser. — Eh ! mon Dieu, disait Mlle de Saint-Yves, comment se peut-il que les Hurons ne soient pas catholiques ? Est-ce que les RR. PP. [3] jésuites ne

1. Les Algonquins étaient plus nomades et plus guerriers que les Hurons.
2. C'est-à-dire le catholicisme. Le gallicanisme, qui défend le pouvoir du roi et des conciles face aux prérogatives du pape, était alors d'actualité, puisque les libertés gallicanes venaient d'être officiellement proclamées en quatre articles rédigés par Bossuet (1682).
3. Les révérends pères.

les ont pas tous convertis ? » L'Ingénu l'assura que
dans son pays on ne convertissait personne ; que jamais
un vrai Huron n'avait changé d'opinion, et que même
il n'y avait point dans sa langue de terme qui signifiât
inconstance. Ces derniers mots plurent extrêmement à
Mlle de Saint-Yves.

« Nous le baptiserons, nous le baptiserons, disait la
Kerkabon à monsieur le prieur ; vous en aurez l'honneur, mon cher frère ; je veux absolument être sa marraine ; M. l'abbé de Saint-Yves le présentera sur les
fonts : ce sera une cérémonie bien brillante ; il en sera
parlé dans toute la Basse-Bretagne, et cela nous fera
un honneur infini. » Toute la compagnie seconda la
maîtresse de la maison ; tous les convives criaient :
« Nous le baptiserons ! » L'Ingénu répondit qu'en
Angleterre on laissait vivre les gens à leur fantaisie. Il
témoigna que la proposition ne lui plaisait point du
tout, et que la loi des Hurons valait pour le moins la
loi des Bas-Bretons ; enfin, il dit qu'il repartait le lendemain. On acheva de vider sa bouteille d'eau des Barbades, et chacun s'alla coucher.

Quand on eut reconduit l'Ingénu dans sa chambre,
Mlle de Kerkabon et son amie Mlle de Saint-Yves ne
purent se tenir de regarder par le trou d'une large ser-
rure pour voir comment dormait un Huron. Elles virent
qu'il avait étendu la couverture du lit sur le plancher,
et qu'il reposait dans la plus belle attitude du monde.

CHAPITRE II

LE HURON, NOMMÉ L'INGÉNU, RECONNU DE SES PARENTS

L'Ingénu, selon sa coutume, s'éveilla avec le soleil au chant du coq, qu'on appelle en Angleterre et en Huronie *la trompette du jour*. Il n'était pas comme la bonne compagnie qui languit dans un lit oiseux jusqu'à ce que le soleil ait fait la moitié de son tour, qui ne peut ni dormir ni se lever, qui perd tant d'heures précieuses dans cet état mitoyen entre la vie et la mort, et qui se plaint encore que la vie est trop courte.

Il avait déjà fait deux ou trois lieues [1], il avait tué trente pièces de gibier à balle seule [2], lorsqu'en rentrant il trouva monsieur le prieur de Notre-Dame de la Montagne et sa discrète sœur, se promenant en bonnet de nuit dans leur petit jardin. Il leur présenta toute sa chasse, et, en tirant de sa chemise une espèce de petit talisman qu'il portait toujours à son cou, il les pria de l'accepter en reconnaissance de leur bonne réception. « C'est ce que j'ai de plus précieux, leur dit-il ; on m'a assuré que je serais toujours heureux tant que je porterais ce petit brimborion sur moi, et je vous le donne afin que vous soyez toujours heureux. »

Le prieur et mademoiselle sourirent avec attendrissement de la naïveté de l'Ingénu. Ce présent consistait

---

1. Une lieue fait environ 4 kilomètres.
2. D'une seule balle.

co Voir *Au fil du texte*, p. XV.

en deux petits portraits assez mal faits, attachés ensemble avec une courroie fort grasse.

Mlle de Kerkabon lui demanda s'il y avait des peintres en Huronie. « Non, dit l'Ingénu, cette rareté me vient de ma nourrice ; son mari l'avait eue par conquête, en dépouillant quelques Français du Canada qui nous avaient fait la guerre ; c'est tout ce que j'en ai su. »

Le prieur regardait attentivement ces portraits ; il changea de couleur, il s'émut, ses mains tremblèrent. « Par Notre-Dame de la Montagne, s'écria-t-il, je crois que voilà le visage de mon frère le capitaine et de sa femme ! » Mademoiselle, après les avoir considérés avec la même émotion, en jugea de même. Tous deux étaient saisis d'étonnement et d'une joie mêlée de douleur ; tous deux s'attendrissaient ; tous deux pleuraient ; leur cœur palpitait ; ils poussaient des cris ; ils s'arrachaient les portraits ; chacun d'eux les prenait et les rendait vingt fois en une seconde ; ils dévoraient des yeux les portraits et le Huron ; ils lui demandaient l'un après l'autre, et tous deux à la fois, en quel lieu, en quel temps, comment ces miniatures étaient tombées entre les mains de sa nourrice ; ils rapprochaient, ils comptaient les temps depuis le départ du capitaine ; ils se souvenaient d'avoir eu nouvelle qu'il avait été jusqu'au pays des Hurons, et que depuis ce temps ils n'en avaient jamais entendu parler.

L'Ingénu leur avait dit qu'il n'avait connu ni père ni mère. Le prieur, qui était homme de sens, remarqua que l'Ingénu avait un peu de barbe ; il savait très bien que les Hurons n'en ont point[1]. « Son menton est cotonné, il est donc fils d'un homme d'Europe. Mon frère et ma belle-sœur ne parurent plus après l'expédition contre les Hurons en 1669 ; mon neveu devait alors être à la mamelle ; la nourrice huronne lui a sauvé la vie et lui a servi de mère. » Enfin, après cent questions et cent réponses, le prieur et sa sœur conclurent que

---

1. Ce détail revient à plusieurs reprises sous la plume de Voltaire, pour différencier Indiens et Européens.

le Huron était leur propre neveu. Ils l'embrassaient en versant des larmes ; et l'Ingénu riait, ne pouvant s'imaginer qu'un Huron fût neveu d'un prieur bas-breton.

Toute la compagnie descendit ; M. de Saint-Yves, qui était grand physionomiste, compara les deux portraits avec le visage de l'Ingénu ; il fit très habilement remarquer qu'il avait les yeux de sa mère, le front et le nez de feu M. le capitaine de Kerkabon, et des joues qui tenaient de l'un et de l'autre.

Mlle de Saint-Yves, qui n'avait jamais vu le père ni la mère, assura que l'Ingénu leur ressemblait parfaitement. Ils admiraient tous la Providence et l'enchaînement des événements de ce monde. Enfin on était si persuadé, si convaincu de la naissance de l'Ingénu, qu'il consentit lui-même à être neveu de monsieur le prieur, en disant qu'il aimait autant l'avoir pour son oncle qu'un autre.

On alla rendre grâce à Dieu dans l'église Notre-Dame de la Montagne, tandis que le Huron, d'un air indifférent, s'amusait à boire dans la maison.

Les Anglais qui l'avaient amené, et qui étaient prêts à mettre à la voile, vinrent lui dire qu'il était temps de partir. « Apparemment, leur dit-il, que vous n'avez pas retrouvé vos oncles et vos tantes : je reste ici ; retournez à Plymouth, je vous donne toutes mes hardes, je n'ai plus besoin de rien au monde, puisque je suis le neveu d'un prieur. » Les Anglais mirent à la voile, en se souciant fort peu que l'Ingénu eût des parents ou non en Basse-Bretagne.

Après que l'oncle, la tante et la compagnie eurent chanté le *Te Deum* ; après que le bailli eut encore accablé l'Ingénu de questions ; après qu'on eut épuisé tout ce que l'étonnement, la joie, la tendresse peuvent faire dire, le prieur de la Montagne et l'abbé de Saint-Yves conclurent à faire baptiser l'Ingénu au plus vite. Mais il n'en était pas d'un grand Huron de vingt-deux ans comme d'un enfant qu'on régénère [1] sans qu'il en

---

1. À qui l'on donne une nouvelle vie.

sache rien. Il fallait l'instruire, et cela paraissait difficile : car l'abbé de Saint-Yves supposait qu'un homme qui n'était pas né en France n'avait pas le sens commun.

Le prieur fit observer à la compagnie que, si en effet monsieur l'Ingénu, son neveu, n'avait pas eu le bonheur d'être élevé en Basse-Bretagne, il n'en avait pas moins d'esprit ; qu'on en pouvait juger par toutes ses réponses ; et que sûrement la nature l'avait beaucoup favorisé, tant du côté paternel que du maternel.

On lui demanda d'abord s'il avait jamais lu quelque livre. Il dit qu'il avait lu Rabelais traduit en anglais, et quelques morceaux de Shakespeare qu'il savait par cœur ; qu'il avait trouvé ces livres chez le capitaine du vaisseau qui l'avait amené de l'Amérique à Plymouth et qu'il en était fort content. Le bailli ne manqua pas de l'interroger sur ces livres. « Je vous avoue, dit l'Ingénu, que j'ai cru en deviner quelque chose, et que je n'ai pas entendu le reste. »

L'abbé de Saint-Yves, à ce discours, fit réflexion que c'était ainsi que lui-même avait toujours lu, et que la plupart des hommes ne lisaient guère autrement. « Vous avez sans doute lu la Bible ? dit-il au Huron. — Point du tout, monsieur l'abbé ; elle n'était pas parmi les livres de mon capitaine ; je n'en ai jamais entendu parler. — Voilà comme sont ces maudits Anglais, criait Mlle de Kerkabon ; ils feront plus de cas d'une pièce de Shakespeare, d'un plumbpouding et d'une bouteille de rhum que du Pentateuque[1]. Aussi n'ont-ils jamais converti personne en Amérique. Certainement ils sont maudits de Dieu ; et nous leur prendrons la Jamaïque et la Virginie avant qu'il soit peu de temps. »

Quoi qu'il en soit, on fit venir le plus habile tailleur de Saint-Malo pour habiller l'Ingénu de pied en cap. La compagnie se sépara ; le bailli alla faire ses questions

---

1. Les cinq premiers livres de l'Ancien Testament. Voltaire plaisante, puisque les protestants pratiquent, plus que les catholiques, la lecture personnelle de la Bible.

ailleurs. Mlle de Saint-Yves, en partant, se retourna plusieurs fois pour regarder l'Ingénu ; et il lui fit des révérences plus profondes qu'il n'en avait jamais fait à personne en sa vie.

Le bailli, avant de prendre congé, présenta à Mlle de Saint-Yves un grand nigaud de fils qui sortait du collège ; mais à peine le regarda-t-elle, tant elle était occupée de la politesse du Huron.

CHAPITRE III

LE HURON, NOMMÉ L'INGÉNU, CONVERTI

Monsieur le prieur, voyant qu'il était un peu sur l'âge, et que Dieu lui envoyait un neveu pour sa consolation, se mit en tête qu'il pourrait lui résigner son bénéfice [1] s'il réussissait à le baptiser et à le faire entrer dans les ordres.

L'Ingénu avait une mémoire excellente. La fermeté des organes de Basse-Bretagne, fortifiée par le climat du Canada, avait rendu sa tête si vigoureuse que, quand on frappait dessus, à peine le sentait-il ; et, quand on gravait dedans, rien ne s'effaçait ; il n'avait jamais rien oublié. Sa conception était d'autant plus vive et plus nette que, son enfance n'ayant point été chargée des inutilités et des sottises qui accablent la nôtre, les choses entraient dans sa cervelle sans nuage. Le prieur résolut enfin de lui faire lire le Nouveau Testament. L'Ingénu le dévora avec beaucoup de plaisir ; mais, ne sachant ni dans quel temps ni dans quel pays toutes les aventures rapportées dans ce livre étaient arrivées, il ne douta point que le lieu de la scène ne fût en Basse-Bretagne, et il jura qu'il couperait le nez et les oreilles à Caïphe et à Pilate [2] si jamais il rencontrait ces marauds-là.

1. Transmettre sa fonction de prieur et les revenus qui y sont attachés.
2. Le grand prêtre juif et le gouverneur romain, tous deux responsables de la mort de Jésus.

Son oncle, charmé de ces bonnes dispositions, le mit au fait en peu de temps ; il loua son zèle, mais il lui apprit que ce zèle était inutile, attendu que ces gens-là étaient morts il y avait environ seize cent quatre-vingt-dix années. L'Ingénu sut bientôt presque tout le livre par cœur. Il proposait quelquefois des difficultés qui mettaient le prieur fort en peine. Il était obligé souvent de consulter l'abbé de Saint-Yves qui, ne sachant que répondre, fit venir un jésuite bas-breton pour achever la conversion du Huron.

Enfin la grâce opéra ; l'Ingénu promit de se faire chrétien ; il ne douta pas qu'il ne dût commencer par être circoncis : « Car, disait-il, je ne vois pas dans le livre qu'on m'a fait lire un seul personnage qui ne l'ait été ; il est donc évident que je dois faire le sacrifice de mon prépuce : le plus tôt c'est le mieux. » Il ne délibéra point. Il envoya chercher le chirurgien du village et le pria de lui faire l'opération, comptant réjouir infiniment Mlle de Kerkabon et toute la compagnie quand une fois la chose serait faite. Le frater [1], qui n'avait point encore fait cette opération, en avertit la famille, qui jeta les hauts cris. La bonne Kerkabon trembla que son neveu, qui paraissait résolu et expéditif, ne se fît lui-même l'opération très maladroitement, et qu'il n'en résultât de tristes effets auxquels les dames s'intéressent toujours par bonté d'âme.

Le prieur redressa les idées du Huron ; il lui remontra que la circoncision n'était plus de mode, que le baptême était beaucoup plus doux et plus salutaire, que la loi de grâce n'était pas comme la loi de rigueur. L'Ingénu, qui avait beaucoup de bon sens et de droiture, disputa, mais reconnut son erreur, ce qui est assez rare en Europe aux gens qui disputent ; enfin il promit de se faire baptiser quand on voudrait.

Il fallait auparavant se confesser, et c'était là le plus

---

1. C'est-à-dire le frère. Nom donné aux médecins et chirurgiens peu qualifiés.

difficile. L'Ingénu avait toujours en poche le livre que son oncle lui avait donné. Il n'y trouvait pas qu'un seul apôtre se fût confessé, et cela le rendait très rétif. Le prieur lui ferma la bouche en lui montrant, dans l'épître de saint Jacques le Mineur, ces mots qui font tant de peine aux hérétiques : *Confessez vos péchés les uns aux autres* [1]. Le Huron se tut, et se confessa à un récollet. Quand il eut fini, il tira le récollet du confessionnal, et, saisissant son homme d'un bras vigoureux, il se mit à sa place et le fit mettre à genoux devant lui : « Allons, mon ami, il est dit : *Confessez-vous les uns aux autres* ; je t'ai conté mes péchés, tu ne sortiras pas d'ici que tu ne m'aies conté les tiens. » En parlant ainsi, il appuyait son large genou contre la poitrine de son adverse partie. Le récollet pousse des hurlements qui font retentir l'église. On accourt au bruit, on voit le catéchumène [2] qui gourmait le moine au nom de saint Jacques le Mineur. La joie de baptiser un Bas-Breton huron et anglais était si grande qu'on passa par-dessus ces singularités. Il y eut même beaucoup de théologiens qui pensèrent que la confession n'était pas nécessaire, puisque le baptême tenait lieu de tout.

On prit jour avec l'évêque de Saint-Malo, qui, flatté, comme on peut le croire, de baptiser un Huron, arriva dans un pompeux équipage, suivi de son clergé. Mlle de Saint-Yves, en bénissant Dieu, mit sa plus belle robe et fit venir une coiffeuse de Saint-Malo, pour briller à la cérémonie. L'interrogant bailli accourut avec toute la contrée. L'église était magnifiquement parée ; mais, quand il fallut prendre le Huron pour le mener aux fonts baptismaux, on ne le trouva point.

L'oncle et la tante le cherchèrent partout. On crut qu'il était à la chasse, selon sa coutume. Tous les

---

1. *Épître de saint Jacques*, V, 16 : « Confessez donc vos péchés les uns aux autres, et priez les uns pour les autres afin que vous soyez guéris. »
2. Personne qu'on instruit dans la foi chrétienne pour le disposer à recevoir le baptême.

conviés à la fête parcoururent les bois et les villages voisins : point de nouvelles du Huron.

On commençait à craindre qu'il ne fût retourné en Angleterre. On se souvenait de lui avoir entendu dire qu'il aimait fort ce pays-là. Monsieur le prieur et sa sœur étaient persuadés qu'on n'y baptisait personne, et tremblaient pour l'âme de leur neveu. L'évêque était confondu et prêt à s'en retourner ; le prieur et l'abbé de Saint-Yves se désespéraient ; le bailli interrogeait tous les passants avec sa gravité ordinaire. Mlle de Kerkabon pleurait ; Mlle de Saint-Yves ne pleurait pas, mais elle poussait de profonds soupirs qui semblaient témoigner son goût pour les sacrements. Elles se promenaient le long des saules et des roseaux qui bordent la petite rivière de Rance, lorsqu'elles aperçurent au milieu de la rivière une grande figure assez blanche, les deux mains croisées sur la poitrine. Elles jetèrent un grand cri et se détournèrent. Mais, la curiosité l'emportant bientôt sur toute autre considération, elles se coulèrent doucement entre les roseaux, et quand elles furent bien sûres de n'être point vues, elles voulurent voir de quoi il s'agissait.

CHAPITRE IV

L'INGÉNU BAPTISÉ

Le prieur et l'abbé, étant accourus, demandèrent à l'Ingénu ce qu'il faisait là. « Eh parbleu ! messieurs, j'attends le baptême. Il y a une heure que je suis dans l'eau jusqu'au cou, et il n'est pas honnête de me laisser morfondre.

— Mon cher neveu, lui dit tendrement le prieur, ce n'est pas ainsi qu'on baptise en Basse-Bretagne ; reprenez vos habits et venez avec nous. » Mlle de Saint-Yves, en entendant ce discours, disait tout bas à sa compagne : « Mademoiselle, croyez-vous qu'il reprenne sitôt ses habits ? »

Le Huron cependant repartit au prieur : « Vous ne m'en ferez pas accroire cette fois-ci comme l'autre ; j'ai bien étudié depuis ce temps-là, et je suis très certain qu'on ne se baptise pas autrement. L'eunuque de la reine Candace [1] fut baptisé dans un ruisseau ; je vous défie de me montrer dans le livre que vous m'avez donné qu'on s'y soit jamais pris d'une autre façon. Je ne serai point baptisé du tout, ou je le serai dans la rivière. » On eut beau lui démontrer que les usages avaient changé, l'Ingénu était têtu, car il était breton et huron. Il revenait toujours à l'eunuque de la reine Candace. Et, quoique mademoiselle sa tante et Mlle de

1. Allusion aux *Actes des Apôtres*, VIII, 26-39. Le ministre de Candace, reine d'Égypte, fut baptisé dans une rivière, entre Jérusalem et Gaza.

Saint-Yves, qui l'avaient observé entre les saules, fussent en droit de lui dire qu'il ne lui appartenait pas de citer un pareil homme, elles n'en firent pourtant rien ; tant était grande leur discrétion. L'évêque vint lui-même lui parler, ce qui est beaucoup ; mais il ne gagna rien : le Huron disputa contre l'évêque.

« Montrez-moi, lui dit-il, dans le livre que m'a donné mon oncle, un seul homme qui n'ait pas été baptisé dans la rivière, et je ferai tout ce que vous voudrez. »

La tante, désespérée, avait remarqué que, la première fois que son neveu avait fait la révérence, il en avait fait une plus profonde à Mlle de Saint-Yves qu'à aucune autre personne de la compagnie ; qu'il n'avait pas même salué monsieur l'évêque avec ce respect mêlé de cordialité qu'il avait témoigné à cette belle demoiselle. Elle prit le parti de s'adresser à elle dans ce grand embarras ; elle la pria d'interposer son crédit pour engager le Huron à se faire baptiser de la même manière que les Bretons, ne croyant pas que son neveu pût jamais être chrétien s'il persistait à vouloir être baptisé dans l'eau courante.

Mlle de Saint-Yves rougit du plaisir secret qu'elle sentait d'être chargée d'une si importante commission. Elle s'approcha modestement de l'Ingénu, et lui serrant la main d'une manière tout à fait noble : « Est-ce que vous ne ferez rien pour moi ? » lui dit-elle ; et, en prononçant ces mots, elle baissait les yeux et les relevait avec une grâce attendrissante. « Ah ! tout ce que vous voudrez, mademoiselle, tout ce que vous me commanderez : baptême d'eau, baptême de feu, baptême de sang [1], il n'y a rien que je vous refuse. » Mlle de Saint-Yves eut la gloire de faire en deux paroles ce que

---

1. Voir le *Dictionnaire philosophique*, article « Baptême » : « Plusieurs autres sociétés chrétiennes appliquèrent un cautère au baptisé avec un fer rouge, déterminés à cette étonnante opération par ces paroles de saint Jean-Baptiste, rapportées par saint Luc : "Je baptise par l'eau, mais celui qui viendra après moi baptisera par le feu." » Le baptême de sang désigne le martyre.

ni les empressements du prieur, ni les interrogations réitérées du bailli, ni les raisonnements même de monsieur l'évêque n'avaient pu faire. Elle sentit son triomphe ; mais elle n'en sentait pas encore toute l'étendue.

Le baptême fut administré et reçu avec toute la décence, toute la magnificence, tout l'agrément possibles. L'oncle et la tante cédèrent à M. l'abbé de Saint-Yves et à sa sœur l'honneur de tenir l'Ingénu sur les fonts. Mlle de Saint-Yves rayonnait de joie de se voir marraine. Elle ne savait pas à quoi ce grand titre l'asservissait ; elle accepta cet honneur sans en connaître les fatales conséquences[1].

Comme il n'y eut jamais de cérémonie qui ne fût suivie d'un grand dîner, on se mit à table au sortir du baptême. Les goguenards de Basse-Bretagne dirent qu'il ne fallait pas baptiser son vin. Monsieur le prieur disait que le vin, selon Salomon, réjouit le cœur de l'homme[2]. Monsieur l'évêque ajoutait que le patriarche Juda devait lier son ânon à la vigne, et tremper son manteau dans le sang du raisin[3], et qu'il était bien triste qu'on n'en pût faire autant en Basse-Bretagne, à laquelle Dieu a dénié les vignes. Chacun tâchait de dire un bon mot sur le baptême de l'Ingénu, et des galanteries à la marraine. Le bailli, toujours interrogant, demandait au Huron s'il serait fidèle à ses promesses. « Comment voulez-vous que je manque à mes promesses, répondit le Huron, puisque je les ai faites entre les mains de Mlle de Saint-Yves ? »

Le Huron s'échauffa ; il but beaucoup à la santé de sa marraine. « Si j'avais été baptisé de votre main, dit-il, je sens que l'eau froide qu'on m'a versée sur

---

1. Selon le droit canonique, il était interdit à une marraine d'épouser son filleul.
2. *Ecclésiaste* : « Le vin et la musique réjouissent le cœur. »
3. C'est ainsi que Jacob mourant annonce la venue du Messie : « Il liera son ânon à la vigne, il liera, ô mon fils, son ânesse à la vigne. Il lavera sa robe dans le vin, et son manteau dans le sang des raisins » (*Genèse*, 49, 11).

le chignon m'aurait brûlé. » Le bailli trouva cela trop poétique, ne sachant pas combien l'allégorie est familière au Canada. Mais la marraine en fut extrêmement contente.

On avait donné le nom d'Hercule au baptisé. L'évêque de Saint-Malo demandait toujours quel était ce patron dont il n'avait jamais entendu parler. Le jésuite, qui était fort savant, lui dit que c'était un saint qui avait fait douze miracles. Il y en avait un treizième qui valait les douze autres, mais dont il ne convenait pas à un jésuite de parler ; c'était celui d'avoir changé cinquante filles en femmes en une seule nuit [1]. Un plaisant qui se trouva là releva ce miracle avec énergie. Toutes les dames baissèrent les yeux, et jugèrent à la physionomie de l'Ingénu qu'il était digne du saint dont il portait le nom.

---

1. Allusion à la légende d'Hercule, telle que la rapporte le *Dictionnaire* de Bayle : « Quelques-uns disent qu'en sept jours il dépucela les cinquante filles de Thestius ; d'autres veulent qu'il n'y ait eu qu'une seule nuit. »

CHAPITRE V

L'INGÉNU AMOUREUX

Il faut avouer que depuis ce baptême et ce dîner, Mlle de Saint-Yves souhaita passionnément que monsieur l'évêque le fît encore participant de quelque beau sacrement avec M. Hercule l'Ingénu. Cependant, comme elle était bien élevée et fort modeste, elle n'osait convenir tout à fait avec elle-même de ses tendres sentiments ; mais s'il lui échappait un regard, un mot, un geste, une pensée, elle enveloppait tout cela d'un voile de pudeur infiniment aimable. Elle était tendre, vive et sage.

Dès que monsieur l'évêque fut parti, l'Ingénu et Mlle de Saint-Yves se rencontrèrent sans avoir fait réflexion qu'ils se cherchaient. Ils se parlèrent sans avoir imaginé ce qu'ils se diraient. L'Ingénu lui dit d'abord qu'il l'aimait de tout son cœur, et que la belle Abacaba, dont il avait été fou dans son pays, n'approchait pas d'elle. Mademoiselle lui répondit, avec sa modestie ordinaire, qu'il fallait en parler au plus vite à monsieur le prieur son oncle et à mademoiselle sa tante, et que de son côté elle en dirait deux mots à son cher frère l'abbé de Saint-Yves, et qu'elle se flattait d'un consentement commun.

L'Ingénu lui répond qu'il n'avait besoin du consentement de personne ; qu'il lui paraissait extrêmement ridicule d'aller demander à d'autres ce qu'on devait faire ; que, quand deux parties sont d'accord, on n'a pas besoin d'un tiers pour les accommoder. « Je ne consulte personne, dit-il, quand j'ai envie de déjeuner,

Voir *Au fil du texte*, p. XVI.

ou de chasser, ou de dormir. Je sais bien qu'en amour il n'est pas mal d'avoir le consentement de la personne à qui on en veut ; mais, comme ce n'est ni de mon oncle ni de ma tante que je suis amoureux, ce n'est pas à eux que je dois m'adresser dans cette affaire ; et, si vous m'en croyez, vous vous passerez aussi de M. l'abbé de Saint-Yves. »

On peut juger que la belle Bretonne employa toute la délicatesse de son esprit à réduire son Huron aux termes de la bienséance. Elle se fâcha même, et bientôt se radoucit. Enfin on ne sait comment aurait fini cette conversation, si, le jour baissant, monsieur l'abbé n'avait ramené sa sœur à son abbaye. L'Ingénu laissa coucher son oncle et sa tante, qui étaient un peu fatigués de la cérémonie et de leur long dîner. Il passa une partie de la nuit à faire des vers en langue huronne pour sa bien-aimée : car il faut savoir qu'il n'y aucun pays de la terre où l'amour n'ait rendu les amants poètes.

Le lendemain, son oncle lui parla ainsi après le déjeuner, en présence de Mlle de Kerkabon, qui était tout attendrie : « Le ciel soit loué de ce que vous avez l'honneur, mon cher neveu, d'être chrétien et Bas-Breton ! mais cela ne suffit pas ; je suis un peu sur l'âge ; mon frère n'a laissé qu'un petit coin de terre qui est très peu de chose ; j'ai un bon prieuré : si vous voulez seulement vous faire sous-diacre, comme je l'espère, je vous résignerai mon prieuré, et vous vivrez fort à votre aise, après avoir été la consolation de ma vieillesse. »

L'Ingénu répondit : « Mon oncle, grand bien vous fasse ! vivez tant que vous pourrez. Je ne sais pas ce que c'est que d'être sous-diacre ni que de résigner ; mais tout me sera bon pourvu que j'aie Mlle de Saint-Yves à ma disposition. — Eh, mon Dieu ! mon neveu, que me dites-vous là ? Vous aimez donc cette belle demoiselle à la folie ? — Oui, mon oncle. — Hélas ! mon neveu, il est impossible que vous l'épousiez. — Cela est très possible, mon oncle ; car non seulement elle m'a serré la main en me quittant, mais elle m'a promis qu'elle me demanderait en mariage ; et assurément je l'épouserai. — Cela est impossible, vous dis-je : elle est votre marraine ; c'est un péché épouvantable à une marraine de serrer la main de son filleul ; il n'est pas permis d'épouser sa marraine ; les lois divines et humaines s'y opposent. — Morbleu ! mon oncle, vous vous moquez de moi ; pourquoi serait-il défendu d'épouser sa marraine, quand elle est jeune et jolie ? Je n'ai point vu dans le livre que vous m'avez donné qu'il fût mal d'épouser les filles qui ont aidé les gens à être baptisés. Je m'aperçois tous les jours qu'on fait ici une infinité de choses qui ne sont point dans votre livre, et qu'on n'y fait rien de tout ce qu'il dit. Je vous avoue que cela m'étonne et me fâche. Si on me prive de la belle Saint-Yves sous prétexte de mon baptême, je vous avertis que je l'enlève et que je me débaptise. »

Le prieur fut confondu ; sa sœur pleura. « Mon cher frère, dit-elle, il ne faut pas que notre neveu se damne ; notre saint-père le pape peut lui donner dispense, et alors il pourra être chrétiennement heureux avec ce qu'il aime. » L'Ingénu embrassa sa tante. « Quel est donc, dit-il, cet homme charmant qui favorise avec tant de bonté les garçons et les filles dans leurs amours ? Je veux lui aller parler tout à l'heure [1]. »

On lui expliqua ce que c'était que le pape, et l'Ingénu fut encore plus étonné qu'auparavant. « Il n'y a pas un mot de tout cela dans votre livre, mon cher oncle ; j'ai voyagé, je connais la mer ; nous sommes ici sur la côte de l'Océan, et je quitterais Mlle de Saint-Yves pour aller demander la permission de l'aimer à un homme qui demeure vers la Méditerranée, à quatre cents lieues d'ici, et dont je n'entends point la langue ! Cela est d'un ridicule incompréhensible ! Je vais sur-le-champ chez M. l'abbé de Saint-Yves, qui ne demeure qu'à une lieue de vous, et je vous réponds que j'épouserai ma maîtresse dans la journée. »

1. Tout de suite.

Comme il parlait encore, entra le bailli, qui, selon sa coutume, lui demanda où il allait. « Je vais me marier », dit l'Ingénu en courant ; et au bout d'un quart d'heure il était déjà chez sa belle et chère Basse-Brette, qui dormait encore. « Ah ! mon frère, disait Mlle de Kerkabon au prieur, jamais vous ne ferez un sous-diacre de notre neveu. »

Le bailli fut très mécontent de ce voyage : car il prétendait que son fils épousât la Saint-Yves ; et ce fils était encore plus sot et plus insupportable que son père.

CHAPITRE VI

L'INGÉNU COURT CHEZ SA MAÎTRESSE,
ET DEVIENT FURIEUX

À peine l'Ingénu était arrivé, qu'ayant demandé à une vieille servante où était la chambre de sa maîtresse, il avait poussé fortement la porte mal fermée et s'était élancé vers le lit. Mlle de Saint-Yves, se réveillant en sursaut, s'était écriée : « Quoi ! c'est vous ! ah ! c'est vous ! arrêtez-vous, que faites-vous ? » Il avait répondu : « Je vous épouse » ; et en effet il l'épousait, si elle ne s'était pas débattue avec toute l'honnêteté d'une personne qui a de l'éducation.

L'Ingénu n'entendait pas raillerie ; il trouvait toutes ces façons-là extrêmement impertinentes. « Ce n'était pas ainsi qu'en usait Mlle Abacaba, ma première maîtresse ; vous n'avez point de probité, vous m'avez promis mariage, et vous ne voulez point faire mariage : c'est manquer aux premières lois de l'honneur ; je vous apprendrai à tenir votre parole, et je vous remettrai dans le chemin de la vertu. »

L'Ingénu possédait une vertu mâle et intrépide, digne de son patron Hercule, dont on lui avait donné le nom à son baptême ; il allait l'exercer dans toute son étendue, lorsqu'aux cris perçants de la demoiselle plus discrètement vertueuse accourut le sage abbé de Saint-Yves, avec sa gouvernante, un vieux domestique dévot et un prêtre de la paroisse. Cette vue modéra le courage de l'assaillant. « Eh, mon Dieu ! mon cher voisin, lui dit l'abbé, que faites-vous là ? — Mon devoir, répliqua le jeune homme ; je remplis mes promesses, qui sont sacrées. »

Mlle de Saint-Yves se rajusta en rougissant. On emmena l'Ingénu dans un autre appartement. L'abbé lui remontra l'énormité[1] du procédé. L'Ingénu se défendit sur les privilèges de la loi naturelle, qu'il connaissait parfaitement. L'abbé voulut prouver que la loi positive devait avoir tout l'avantage, et que, sans les conventions faites entre les hommes, la loi de nature ne serait presque jamais qu'un brigandage naturel. « Il faut, lui disait-il, des notaires, des prêtres, des témoins, des contrats, des dispenses. » L'Ingénu lui répondit par la réflexion que les sauvages ont toujours faite : « Vous êtes donc de bien malhonnêtes gens, puisqu'il faut entre vous tant de précautions. »

L'abbé eut de la peine à résoudre cette difficulté. « Il y a, dit-il, je l'avoue, beaucoup d'inconstants et de fripons parmi nous, et il y en aurait autant chez les Hurons s'ils étaient rassemblés dans une grande ville ; mais aussi il y a des âmes sages, honnêtes, éclairées, et ce sont ces hommes-là qui ont fait les lois. Plus on est homme de bien, plus on doit s'y soumettre ; on donne l'exemple aux vicieux, qui respectent un frein que la vertu s'est donné elle-même. »

Cette réponse frappa l'Ingénu. On a déjà remarqué qu'il avait l'esprit juste. On l'adoucit par des paroles flatteuses ; on lui donna des espérances : ce sont les deux pièges où les hommes des deux hémisphères se prennent ; on lui présenta même Mlle de Saint-Yves, quand elle eut fait sa toilette. Tout se passa avec la plus grande bienséance. Mais, malgré cette décence, les yeux étincelants de l'Ingénu Hercule firent toujours baisser ceux de sa maîtresse, et trembler la compagnie.

On eut une peine extrême à le renvoyer chez ses parents. Il fallut encore employer le crédit de la belle Saint-Yves ; plus elle sentait son pouvoir sur lui, et plus elle l'aimait. Elle le fit partir, et en fut très affligée ;

---

1. Étymologiquement, caractère de ce qui est é-norme, c'est-à-dire hors de la règle. D'où monstruosité du procédé.

enfin, quand il fut parti, l'abbé, qui non seulement était le frère très aîné de Mlle de Saint-Yves, mais qui était aussi son tuteur, prit le parti de soustraire sa pupille aux empressements de cet amant redoutable. Il alla consulter le bailli, qui, destinant toujours son fils à la sœur de l'abbé, lui conseilla de mettre la pauvre fille dans une communauté. Ce fut un coup terrible : une indifférente qu'on mettrait au couvent jetterait les hauts cris ; mais une amante, et une amante aussi sage que tendre, c'était de quoi la mettre au désespoir.

L'Ingénu, de retour chez le prieur, raconta tout avec sa naïveté ordinaire. Il essuya les mêmes remontrances, qui firent quelque effet sur son esprit, et aucun sur ses sens ; mais le lendemain, quand il voulut retourner chez sa belle maîtresse pour raisonner avec elle sur la loi naturelle et sur la loi de convention, monsieur le bailli lui apprit avec une joie insultante qu'elle était dans un couvent. « Eh bien ! dit-il, j'irai raisonner dans ce couvent.

— Cela ne se peut », dit le bailli. Il lui expliqua fort au long ce que c'était qu'un couvent ou un convent ; que ce mot venait du latin *conventus*, qui signifie assemblée ; et le Huron ne pouvait comprendre pourquoi il ne pouvait pas être admis dans l'assemblée. Sitôt qu'il fut instruit que cette assemblée était une espèce de prison où l'on tenait les filles renfermées, chose horrible, inconnue chez les Hurons et chez les Anglais, il devint aussi furieux que le fut son patron Hercule lorsque Euryte, roi d'Œchalie, non moins cruel que l'abbé de Saint-Yves, lui refusa la belle Iole sa fille, non moins belle que la sœur de l'abbé. Il voulait aller mettre le feu au couvent, enlever sa maîtresse, ou se brûler avec elle. Mlle de Kerkabon, épouvantée, renonçait plus que jamais à toutes les espérances de voir son neveu sous-diacre, et disait en pleurant qu'il avait le diable au corps depuis qu'il était baptisé.

CHAPITRE VII

L'INGÉNU REPOUSSE LES ANGLAIS

L'Ingénu, plongé dans une sombre et profonde mélancolie, se promena vers le bord de la mer, son fusil à deux coups sur l'épaule, son grand coutelas au côté, tirant de temps en temps sur quelques oiseaux, et souvent tenté de tirer sur lui-même ; mais il aimait encore la vie, à cause de Mlle de Saint-Yves. Tantôt il maudissait son oncle, sa tante, et toute la Basse-Bretagne, et son baptême ; tantôt il les bénissait puisqu'ils lui avaient fait connaître celle qu'il aimait. Il prenait sa résolution d'aller brûler le couvent, et il s'arrêtait tout court, de peur de brûler sa maîtresse. Les flots de la Manche ne sont pas plus agités par les vents d'est et d'ouest que son cœur l'était par tant de mouvements contraires.

Il marchait à grands pas, sans savoir où, lorsqu'il entendit le son du tambour. Il vit de loin tout un peuple dont une moitié courait au rivage, et l'autre s'enfuyait.

Mille cris s'élèvent de tous côtés ; la curiosité et le courage le précipitent à l'instant vers l'endroit d'où partaient ces clameurs ; il y vole en quatre bonds. Le commandant de la milice, qui avait soupé avec lui chez le prieur, le reconnut aussitôt ; il court à lui, les bras ouverts : « Ah ! c'est l'Ingénu, il combattra pour nous. » Et les milices, qui mouraient de peur, se rassurèrent et crièrent aussi : « C'est l'Ingénu ! c'est l'Ingénu ! »

« Messieurs, dit-il, de quoi s'agit-il ? Pourquoi êtes-vous si effarés ? A-t-on mis vos maîtresses dans des

couvents ? » Alors cent voix confuses s'écrient : « Ne
voyez-vous pas les Anglais qui abordent [1] ? — Eh
bien ! répliqua le Huron, ce sont de braves gens ; ils
ne m'ont jamais proposé de me faire sous-diacre ;
ils ne m'ont point enlevé ma maîtresse. »

Le commandant lui fit entendre que les Anglais
venaient piller l'abbaye de la Montagne, boire le vin
de son oncle, et peut-être enlever Mlle de Saint-Yves ;
que le petit vaisseau sur lequel il avait abordé en Bretagne n'était venu que pour reconnaître la côte ; qu'ils
faisaient des actes d'hostilité sans avoir déclaré la guerre
au roi de France, et que la province était exposée.
« Ah ! si cela est, ils violent la loi naturelle ; laissez-
moi faire ; j'ai demeuré longtemps parmi eux, je sais
leur langue, je leur parlerai ; je ne crois pas qu'ils puissent avoir un si méchant dessein. »

Pendant cette conversation, l'escadre anglaise approchait ; voilà le Huron qui court vers elle, se jette dans
un petit bateau, arrive, monte au vaisseau amiral, et
demande s'il est vrai qu'ils viennent ravager le pays sans
avoir déclaré la guerre honnêtement. L'amiral et tout
son bord firent de grands éclats de rire, lui firent boire
du punch, et le renvoyèrent.

L'Ingénu, piqué, ne songea plus qu'à se bien battre
contre ses anciens amis, pour ses compatriotes et pour
monsieur le prieur. Les gentilshommes du voisinage
accouraient de toutes parts : il se joint à eux ; on avait
quelques canons ; il les charge, il les pointe, il les tire
l'un après l'autre. Les Anglais débarquent ; il court à
eux, il en tue trois de sa main, il blesse même l'amiral
qui s'était moqué de lui. Sa valeur anime le courage
de toute la milice ; les Anglais se rembarquent, et toute
la côte retentissait des cris de victoire : « Vive le roi !

---

1. Voltaire mêle ici les événements de 1689, au moment où la
France tentait de remettre Jacques II sur le trône, et ceux de la guerre
de Sept Ans, qui a opposé, de 1756 à 1763, la Grande-Bretagne et
la Prusse à la France, à l'Autriche et à leurs alliés. En 1758, un débar-
quement anglais avait échoué près de Saint-Malo.

vive l'Ingénu ! » Chacun l'embrassait, chacun s'empres-
sait d'étancher le sang de quelques blessures légères
qu'il avait reçues. « Ah ! disait-il, si Mlle de Saint-Yves
était là, elle me mettrait une compresse. »

Le bailli, qui s'était caché dans sa cave pendant le
combat, vint lui faire compliment comme les autres.
Mais il fut bien surpris quand il entendit Hercule
l'Ingénu dire à une douzaine de jeunes gens de bonne
volonté, dont il était entouré : « Mes amis, ce n'est rien
d'avoir délivré l'abbaye de la Montagne ; il faut délivrer une fille. » Toute cette bouillante jeunesse prit feu
à ces seules paroles. On le suivait déjà en foule, on courait au couvent. Si le bailli n'avait pas sur-le-champ
averti le commandant, si on n'avait pas couru après
la troupe joyeuse, c'en était fait. On ramena l'Ingénu
chez son oncle et sa tante, qui le baignèrent de larmes
de joie et de tendresse.

« Je vois bien que vous ne serez jamais ni sous-
diacre, ni prieur, lui dit l'oncle ; vous serez un officier
encore plus brave que mon frère le capitaine, et probablement aussi gueux. » Et Mlle de Kerkabon pleurait
toujours en l'embrassant, et en disant : « Il se fera tuer
comme mon frère ; il vaudrait bien mieux qu'il fût sous-
diacre. »

L'Ingénu, dans le combat, avait ramassé une grosse
bourse remplie de guinées, que probablement l'amiral
avait laissé tomber. Il ne douta pas qu'avec cette bourse
il ne pût acheter toute la Basse-Bretagne, et surtout faire
Mlle de Saint-Yves grande dame. Chacun l'exhorta de
faire le voyage de Versailles, pour y recevoir le prix de
ses services. Le commandant, les principaux officiers,
le comblèrent de certificats. L'oncle et la tante approu-
vèrent le voyage du neveu. Il devait être, sans difficulté,
présenté au roi : cela seul lui donnerait un prodigieux
relief dans la province. Ces deux bonnes gens ajoutè-
rent à la bourse anglaise un présent considérable de
leurs épargnes. L'Ingénu disait en lui-même : « Quand
je verrai le roi, je lui demanderai Mlle de Saint-Yves en
mariage, et certainement il ne me refusera pas. » Il

partit donc aux acclamations de tout le canton, étouffé
d'embrassements, baigné des larmes de sa tante, béni
par son oncle, et se recommandant à la belle Saint-
Yves.

CHAPITRE VIII

L'INGÉNU VA EN COUR.
IL SOUPE EN CHEMIN AVEC DES
HUGUENOTS

L'Ingénu prit le chemin de Saumur par le coche, parce qu'il n'y avait point alors d'autre commodité. Quand il fut à Saumur, il s'étonna de trouver la ville presque déserte, et de voir plusieurs familles qui déménageaient. On lui dit que, six ans auparavant, Saumur contenait plus de quinze mille âmes, et qu'à présent il n'y en avait pas six mille[1]. Il ne manqua pas d'en parler à souper dans son hôtellerie. Plusieurs protestants étaient à table : les uns se plaignaient amèrement, d'autres frémissaient de colère, d'autres disaient en pleurant : *Nos dulcia linquimus arva, nos patriam fugimus*[2]. L'Ingénu, qui ne savait pas le latin, se fit expliquer ces paroles, qui signifient : « Nous abandonnons nos douces campagnes, nous fuyons notre patrie. »

« Et pourquoi fuyez-vous votre patrie, messieurs ? — C'est qu'on veut que nous reconnaissions le pape. — Et pourquoi ne le reconnaîtriez-vous pas ? Vous n'avez donc point de marraines que vous vouliez épouser ? car on m'a dit que c'était lui qui en donnait la permission. — Ah ! monsieur, ce pape dit qu'il est

---

1. Saumur avait été ruinée par la révocation de l'édit de Nantes (1685).
2. Vers célèbre des *Bucoliques* de Virgile (1re Églogue, v. 3).

le maître du domaine des rois ! — Mais, messieurs, de quelle profession êtes-vous ? — Monsieur, nous sommes pour la plupart des drapiers et des fabricants. — Si votre pape dit qu'il est le maître de vos draps et de vos fabriques, vous faites très bien de ne le pas reconnaître ; mais pour les rois, c'est leur affaire : de quoi vous mêlez-vous ? » Alors un petit homme noir [1] prit la parole, et exposa très savamment les griefs de la compagnie. Il parla de la révocation de l'édit de Nantes avec tant d'énergie, il déplora d'une manière si pathétique le sort de cinquante mille familles fugitives et de cinquante mille autres converties par les dragons [2], que l'Ingénu à son tour versa des larmes. « D'où vient donc, disait-il, qu'un si grand roi, dont la gloire s'étend jusque chez les Hurons, se prive ainsi de tant de cœurs qui l'auraient aimé, et de tant de bras qui l'auraient servi ?

— C'est qu'on l'a trompé comme les autres grands rois, répondit l'homme noir. On lui a fait croire que, dès qu'il aurait dit un mot, tous les hommes penseraient comme lui, et qu'il nous ferait changer de religion, comme son musicien Lulli fait changer en un moment les décorations de ses opéras. Non seulement il perd déjà cinq à six cent mille sujets très utiles, mais il s'en fait des ennemis ; et le roi Guillaume [3], qui est actuellement maître de l'Angleterre, a composé plusieurs régiments de ces mêmes Français qui auraient combattu pour leur monarque.

Un tel désastre est d'autant plus étonnant que le pape régnant, à qui Louis XIV sacrifie une partie de son peuple, est son ennemi déclaré. Ils ont encore tous deux, depuis neuf ans, une querelle violente [4]. Elle a été

1. Un pasteur.
2. Soldats du roi chargés de contraindre par la force les protestants à la conversion. Les *dragonnades* sont restées tristement célèbres.
3. Roi de Hollande et roi d'Angleterre depuis la révolution de 1688.
4. Innocent XI et Louis XIV s'étaient violemment opposés à propos de l'attribution des charges ecclésiastiques vacantes.

poussée si loin que la France a espéré enfin de voir briser le joug qui la soumet depuis tant de siècles à cet étranger, et surtout de ne lui plus donner d'argent, ce qui est le premier mobile des affaires de ce monde. Il paraît donc évident qu'on a trompé ce grand roi sur ses intérêts comme sur l'étendue de son pouvoir, et qu'on a donné atteinte à la magnanimité de son cœur. »

L'Ingénu, attendri de plus en plus, demanda quels étaient les Français qui trompaient ainsi un monarque si cher aux Hurons. « Ce sont les jésuites, lui répondit-on ; c'est surtout le père de La Chaise [1], confesseur de Sa Majesté. Il faut espérer que Dieu les en punira un jour, et qu'ils seront chassés comme ils nous chassent. Y a-t-il un malheur égal aux nôtres ? Mons de Louvois [2] nous envoie de tous côtés des jésuites et des dragons.

— Oh bien ! messieurs, répliqua l'Ingénu, qui ne pouvait plus se contenir, je vais à Versailles recevoir la récompense due à mes services ; je parlerai à ce mons de Louvois : on m'a dit que c'est lui qui fait la guerre, de son cabinet. Je verrai le roi, je lui ferai connaître la vérité ; il est impossible qu'on ne se rende pas à cette vérité quand on la sent. Je reviendrai bientôt pour épouser Mlle de Saint-Yves, et je vous prie à la noce. » Ces bonnes gens le prirent alors pour un grand seigneur qui voyageait *incognito* par le coche. Quelques-uns le prirent pour le fou du roi.

Il y avait à table un jésuite déguisé qui servait d'espion au révérend père de La Chaise. Il lui rendait compte de tout, et le père de La Chaise en instruisait mons de Louvois. L'espion écrivit. L'Ingénu et la lettre arrivèrent presque en même temps à Versailles.

---

1. Jésuite, confesseur de Louis XIV, sur qui on lui supposait une grande influence.
2. Monsieur de Louvois, ministre de Louis XIV, réorganisateur de l'armée et responsable des Affaires étrangères de 1672 à 1689.

CHAPITRE IX

ARRIVÉE DE L'INGÉNU À VERSAILLES. SA RÉCEPTION À LA COUR

L'Ingénu débarque en pot de chambre* dans la cour des cuisines. Il demande aux porteurs de chaise à quelle heure on peut voir le roi. Les porteurs lui rient au nez, tout comme avait fait l'amiral anglais. Il les traita de même, il les battit ; ils voulurent le lui rendre, et la scène allait être sanglante s'il n'eût passé un garde du corps, gentilhomme breton, qui écarta la canaille. « Monsieur, lui dit le voyageur, vous me paraissez un brave homme ; je suis le neveu de M. le prieur de Notre-Dame de la Montagne ; j'ai tué des Anglais, je viens parler au roi : je vous prie de me mener dans sa chambre. » Le garde, ravi de trouver un brave de sa province, qui ne paraissait pas au fait des usages de la cour, lui apprit qu'on ne parlait pas ainsi au roi, et qu'il fallait être présenté par Mgr de Louvois. « Eh bien ! menez-moi donc chez ce Mgr de Louvois, qui sans doute me conduira chez Sa Majesté. — Il est encore plus difficile, répliqua le garde, de parler à Mgr de Louvois qu'à Sa Majesté. Mais je vais vous conduire chez M. Alexandre[1], le premier commis de la guerre ; c'est comme si vous parliez au ministre. » Ils vont donc chez ce M. Alexandre, premier commis, et ils ne purent être introduits ;

---

* « C'est une voiture de Paris à Versailles, laquelle ressemble à un petit tombereau couvert. » *(Note de Voltaire.)*
1. Personnage historique.

•❖ Voir *Au fil du texte*, p. XVII.

il était en affaire avec une dame de la cour, et il y avait ordre de ne laisser entrer personne. « Eh bien ! dit le garde, il n'y a rien de perdu ; allons chez le premier commis de M. Alexandre : c'est comme si vous parliez à M. Alexandre lui-même. »

Le Huron, tout étonné, le suit ; ils restent ensemble une demi-heure dans une petite antichambre. « Qu'est-ce donc que tout ceci ? dit l'Ingénu ; est-ce que tout le monde est invisible dans ce pays-ci ? Il est bien plus aisé de se battre en Basse-Bretagne contre les Anglais que de rencontrer à Versailles les gens à qui on a affaire. » Il se désennuya en racontant ses amours à son compatriote. Mais l'heure en sonnant rappela le garde du corps à son poste. Ils se promirent de se revoir le lendemain ; et l'Ingénu resta encore une autre demi-heure dans l'antichambre, en rêvant à Mlle de Saint-Yves, et à la difficulté de parler aux rois et aux premiers commis.

Enfin le patron[1] parut. « Monsieur, lui dit l'Ingénu, si j'avais attendu pour repousser les Anglais aussi longtemps que vous m'avez fait attendre mon audience, ils ravageraient actuellement la Basse-Bretagne tout à leur aise. » Ces paroles frappèrent le commis. Il dit enfin au Breton : « Que demandez-vous ? — Récompense, dit l'autre ; voici les titres. » Il lui étala tous ses certificats. Le commis lut, et lui dit que probablement on lui accorderait la permission d'acheter une lieutenance[2]. « Moi ! que je donne de l'argent pour avoir repoussé les Anglais ! que je paye le droit de me faire tuer pour vous, pendant que vous donnez ici vos audiences tranquillement ? Je crois que vous voulez rire. Je veux une compagnie de cavalerie pour rien. Je veux que le roi fasse sortir Mlle de Saint-Yves du couvent, et qu'il me la donne par mariage. Je veux parler au roi en faveur de cinquante mille familles

1. Au sens latin de « maître », « protecteur de ses clients ».
2. On achetait alors un grade militaire comme une autre charge.

que je prétends lui rendre. En un mot, je veux être utile : qu'on m'emploie et qu'on m'avance.

— Comment vous nommez-vous, monsieur, qui parlez si haut ? — Oh ! oh ! reprit l'Ingénu, vous n'avez donc pas lu mes certificats ? C'est donc ainsi qu'on en use ? Je m'appelle Hercule de Kerkabon ; je suis baptisé, je loge au Cadran bleu, et je me plaindrai de vous au roi. » Le commis conclut, comme les gens de Saumur, qu'il n'avait pas la tête bien saine, et n'y fit pas grande attention.

Ce même jour, le révérend père de La Chaise, confesseur de Louis XIV, avait reçu la lettre de son espion, qui accusait le Breton Kerkabon de favoriser dans son cœur les huguenots, et de condamner la conduite des jésuites. M. de Louvois, de son côté, avait reçu une lettre de l'interrogant bailli, qui dépeignait l'Ingénu comme un garnement qui voulait brûler les couvents et enlever les filles.

L'Ingénu, après s'être promené dans les jardins de Versailles, où il s'ennuya, après avoir soupé en Huron et en Bas-Breton, s'était couché dans la douce espérance de voir le roi le lendemain, d'obtenir Mlle de Saint-Yves en mariage, d'avoir au moins une compagnie de cavalerie, et de faire cesser la persécution contre les huguenots. Il se berçait de ces flatteuses idées, quand la maréchaussée entra dans sa chambre. Elle se saisit d'abord de son fusil à deux coups et de son grand sabre.

On fit un inventaire de son argent comptant, et on le mena dans le château que fit construire le roi Charles V, fils de Jean II, auprès de la rue Saint-Antoine, à la porte des Tournelles [1].

Quel était en chemin l'étonnement de l'Ingénu, je vous le laisse penser. Il crut d'abord que c'était un rêve. Il resta dans l'engourdissement ; puis tout à coup, transporté d'une fureur qui redoublait ses forces, il prend à la gorge deux de ses conducteurs qui étaient avec lui

1. La Bastille.

dans le carrosse, les jette par la portière, se jette après eux, et entraîne le troisième, qui voulait le retenir. Il tombe de l'effort, on le lie, on le remonte dans la voiture. « Voilà donc, disait-il, ce que l'on gagne à chasser les Anglais de la Basse-Bretagne ! Que dirais-tu, belle Saint-Yves, si tu me voyais dans cet état ? »

On arrive enfin au gîte qui lui était destiné. On le porte en silence dans la chambre où il devait être enfermé, comme un mort qu'on porte dans un cimetière. Cette chambre était déjà occupée par un vieux solitaire de Port-Royal [1], nommé Gordon [2], qui y languissait depuis deux ans. « Tenez, lui dit le chef des sbires, voilà de la compagnie que je vous amène » ; et sur-le-champ on referma les énormes verrous de la porte épaisse, revêtue de larges barres. Les deux captifs restèrent séparés de l'univers entier.

---

1. Les « solitaires ou Messieurs de Port-Royal » étaient des jansénistes, qui vivaient retirés dans l'étude et la méditation près du couvent de religieuses de Port-Royal.
2. Voltaire s'est peut-être souvenu de Thomas Gordon, philosophe anglais adversaire de l'intolérance, mort en 1750.

CHAPITRE X

L'INGÉNU ENFERMÉ À LA BASTILLE AVEC UN JANSÉNISTE

M. Gordon était un vieillard frais et serein, qui savait deux grandes choses : supporter l'adversité et consoler les malheureux. Il s'avança d'un air ouvert et compatissant vers son compagnon, et lui dit en l'embrassant : « Qui que vous soyez qui venez partager mon tombeau, soyez sûr que je m'oublierai toujours moi-même pour adoucir vos tourments dans l'abîme infernal où nous sommes plongés. Adorons la Providence qui nous y a conduits, souffrons en paix, et espérons. » Ces paroles firent sur l'âme de l'Ingénu l'effet des gouttes d'Angleterre [1] qui rappellent un mourant à la vie, et lui font entrouvrir des yeux étonnés.

Après les premiers compliments, Gordon, sans le presser de lui apprendre la cause de son malheur, lui inspira, par la douceur de son entretien, et par cet intérêt que prennent deux malheureux l'un à l'autre, le désir d'ouvrir son cœur et de déposer le fardeau qui l'accablait ; mais il ne pouvait deviner le sujet de son malheur : cela lui paraissait un effet sans cause, et le bonhomme Gordon était aussi étonné que lui-même.

« Il faut, dit le janséniste au Huron, que Dieu ait de grands desseins sur vous, puisqu'il vous a conduit du lac Ontario en Angleterre et en France, qu'il vous

---

1. Cordial énergique à base de sel ammoniac.

a fait baptiser en Basse-Bretagne, et qu'il vous a mis ici pour votre salut. — Ma foi, répondit l'Ingénu, je crois que le diable s'est mêlé seul de ma destinée. Mes compatriotes d'Amérique ne m'auraient jamais traité avec la barbarie que j'éprouve ; ils n'en ont pas d'idée. On les appelle *sauvages* ; ce sont des gens de bien grossiers, et les hommes de ce pays-ci sont des coquins raffinés. Je suis, à la vérité, bien surpris d'être venu de l'autre monde pour être enfermé dans celui-ci sous quatre verrous avec un prêtre ; mais je fais réflexion au nombre prodigieux d'hommes qui partent d'un hémisphère pour aller se faire tuer dans l'autre, ou qui font naufrage en chemin, et qui sont mangés des poissons : je ne vois pas les gracieux desseins de Dieu sur tous ces gens-là. »

On leur apporta à dîner par un guichet. La conversation roula sur la Providence, sur les lettres de cachet, et sur l'art de ne pas succomber aux disgrâces auxquelles tout homme est exposé dans ce monde. « Il y a deux ans que je suis ici, dit le vieillard, sans autre consolation que moi-même et des livres ; je n'ai pas eu un moment de mauvaise humeur.

— Ah ! monsieur Gordon, s'écria l'Ingénu, vous n'aimez donc pas votre marraine ? Si vous connaissiez comme moi Mlle de Saint-Yves, vous seriez au désespoir. » À ces mots il ne put retenir ses larmes, et il se sentit alors un peu moins oppressé. « Mais, dit-il, pourquoi donc les larmes soulagent-elles ? Il me semble qu'elles devraient faire un effet contraire. — Mon fils, tout est physique en nous, dit le bon vieillard ; toute sécrétion fait du bien au corps, et tout ce qui le soulage soulage l'âme : nous sommes les machines de la Providence. »

L'Ingénu, qui, comme nous l'avons dit plusieurs fois, avait un grand fonds d'esprit, fit de profondes réflexions sur cette idée, dont il semblait qu'il avait la semence en lui-même. Après quoi il demanda à son compagnon pourquoi sa machine était depuis deux ans sous quatre verrous. « Par la grâce efficace [1], répondit Gordon ; je passe pour janséniste : j'ai connu Arnauld et Nicole [2] ; les jésuites nous ont persécutés. Nous croyons que le pape n'est qu'un évêque comme un autre ; et c'est pour cela que le père de La Chaise a obtenu du roi, son pénitent, un ordre de me ravir, sans aucune formalité de justice, le bien le plus précieux des hommes, la liberté. — Voilà qui est bien étrange, dit l'Ingénu ; tous les malheureux que j'ai rencontrés ne le sont qu'à cause du pape.

« À l'égard de votre grâce efficace, je vous avoue que je n'y entends rien ; mais je regarde comme une grande grâce que Dieu m'ait fait trouver dans mon malheur un homme comme vous, qui verse dans mon cœur des consolations dont je me croyais incapable. »

Chaque jour la conversation devenait plus intéressante et plus instructive. Les âmes des deux captifs s'attachaient l'une à l'autre. Le vieillard savait beaucoup, et le jeune homme voulait beaucoup apprendre. Au bout d'un mois il étudia la géométrie ; il la dévorait. Gordon lui fit lire la *Physique* de Rohault [3], qui était encore à la mode, et il eut le bon esprit de n'y trouver que des incertitudes.

Ensuite il lut le premier volume de la *Recherche de la vérité* [4]. Cette nouvelle lumière l'éclaira. « Quoi ! dit-il, notre imagination et nos sens nous trompent à ce point ! quoi ! les objets ne forment point nos idées, et nous ne pouvons nous les donner nous-mêmes ! » Quand il eut lu le second volume, il ne fut plus si content, et il conclut qu'il est plus aisé de détruire que de bâtir.

1. Point théologique très discuté : selon les jansénistes, la grâce efficace n'est accordée par Dieu qu'à un petit nombre d'élus.
2. Célèbres théologiens jansénistes (1612-1694 et 1625-1695).
3. Auteur (1620-1674) d'un traité de physique (1671) inspiré par Descartes.
4. Ouvrage du père Nicolas Malebranche, publié en 1675. Malebranche essaie de concilier la foi et le rationalisme cartésien.

Son confrère, étonné qu'un jeune ignorant fît cette réflexion qui n'appartient qu'aux âmes exercées, conçut une grande idée de son esprit et s'attacha à lui davantage.

« Votre Malebranche, lui dit un jour l'Ingénu, me paraît avoir écrit la moitié de son livre avec sa raison, et l'autre avec son imagination et ses préjugés. »

Quelques jours après, Gordon lui demanda : « Que pensez-vous donc de l'âme, de la manière dont nous recevons nos idées, de notre volonté, de la grâce, du libre arbitre [1] ? — Rien, lui repartit l'Ingénu ; si je pensais quelque chose, c'est que nous sommes sous la puissance de l'Être éternel comme les astres et les éléments ; qu'il fait tout en nous, que nous sommes de petites roues de la machine immense dont il est l'âme ; qu'il agit par des lois générales et non par des vues particulières ; cela seul me paraît intelligible, tout le reste est pour moi un abîme de ténèbres.

— Mais, mon fils, ce serait faire Dieu auteur du péché !

— Mais, mon père, votre grâce efficace ferait Dieu auteur du péché aussi : car il est certain que tous ceux à qui cette grâce serait refusée pécheraient ; et qui nous livre au mal n'est-il pas l'auteur du mal ? »

Cette naïveté embarrassait fort le bonhomme ; il sentait qu'il faisait de vains efforts pour se tirer de ce bourbier, et il entassait tant de paroles qui paraissaient avoir du sens et qui n'en avaient point (dans le goût de la prémotion physique [2]) que l'Ingénu en avait pitié. Cette question tenait évidemment à l'origine du bien et du mal ; et alors il fallait que le pauvre Gordon passât en revue la boîte de Pandore, l'œuf d'Orosmade percé

---

1. La liberté de l'homme.
2. Selon la doctrine de la prémotion physique, Dieu agit directement, physiquement, sur la volonté de la créature. Allusion de Voltaire au livre de l'abbé Laurent-François Boursier (1679-1749) : L'Action de Dieu sur les créatures ou la Prémotion physique.

par Arimane, l'inimitié entre Typhon et Osiris, et enfin le péché originel [1] ; et ils couraient l'un et l'autre dans cette nuit profonde, sans jamais se rencontrer. Mais enfin ce roman de l'âme détournait leur vue de la contemplation de leur propre misère ; et par un charme étrange, la foule des calamités répandues sur l'univers diminuait la sensation de leurs peines : ils n'osaient se plaindre quand tout souffrait.

Mais dans le repos de la nuit, l'image de la belle Saint-Yves effaçait dans l'esprit de son amant toutes les idées de métaphysique et de morale. Il se réveillait les yeux mouillés de larmes ; et le vieux janséniste oubliait sa grâce efficace, et l'abbé de Saint-Cyran, et Jansénius [2], pour consoler un jeune homme qu'il croyait en péché mortel.

Après leurs lectures, après leurs raisonnements, ils parlaient encore de leurs aventures ; et après en avoir inutilement parlé, ils lisaient ensemble ou séparément. L'esprit du jeune homme se fortifiait de plus en plus. Il serait surtout allé très loin en mathématique, sans les distractions que lui donnait Mlle de Saint-Yves.

Il lut des histoires [3], elles l'attristèrent. Le monde lui parut trop méchant et trop misérable. En effet, l'histoire n'est que le tableau des crimes et des malheurs. La foule des hommes innocents et paisibles disparaît toujours sur ces vastes théâtres. Les personnages ne sont que des ambitieux pervers. Il semble que l'histoire ne plaise que comme la tragédie, qui languit si elle n'est animée par les passions, les forfaits et les grandes infortunes. Il faut armer Clio du poignard comme Melpomène [4].

1. Gordon évoque successivement les mythes grec, persan, égyptien et biblique de l'origine du mal.

2. Théologiens jansénistes. Saint-Cyran (1581-1643), directeur de conscience à Port-Royal, contribua beaucoup à répandre les idées de Jansénius (1585-1638), son ami, évêque d'Ypres et auteur de l'*Augustinus* (1640).

3. Des ouvrages historiques.

4. Clio est la muse de l'histoire, Melpomène celle de la tragédie.

Quoique l'histoire de France soit remplie d'horreurs ainsi que toutes les autres, cependant elle lui parut si dégoûtante dans ses commencements, si sèche dans son milieu, si petite enfin, même du temps de Henri IV, toujours si dépourvue de grands monuments, si étrangère à ces belles découvertes qui ont illustré d'autres nations, qu'il était obligé de lutter contre l'ennui pour lire tous ces détails de calamités obscures resserrées dans un coin du monde.

Gordon pensait comme lui. Tous deux riaient de pitié quand il était question des souverains de Fezensac, de Fezansaguet et d'Astarac[1]. Cette étude en effet ne serait bonne que pour leurs héritiers s'ils en avaient. Les beaux siècles de la république romaine le rendirent quelque temps indifférent pour le reste de la terre. Le spectacle de Rome victorieuse et législatrice des nations occupait son âme entière. Il s'échauffait en contemplant ce peuple qui fut gouverné sept cents ans par l'enthousiasme de la liberté et de la gloire.

Ainsi se passaient les jours, les semaines, les mois ; et il se serait cru heureux dans le séjour du désespoir, s'il n'avait point aimé.

Son bon naturel s'attendrissait encore sur le prieur de Notre-Dame de la Montagne et sur la sensible Kerkabon. « Que penseront-ils, répétait-il souvent, quand ils n'auront point de mes nouvelles ? Ils me croiront un ingrat. » Cette idée le tourmentait ; il plaignait ceux qui l'aimaient, beaucoup plus qu'il ne se plaignait lui-même.

---

1. Trois petits comtés du pays d'Armagnac.

CHAPITRE XI

COMMENT
L'INGÉNU DÉVELOPPE SON GÉNIE

La lecture agrandit l'âme, et un ami éclairé la console. Notre captif jouissait de ces deux avantages qu'il n'avait pas soupçonnés auparavant. « Je serais tenté, dit-il, de croire aux métamorphoses, car j'ai été changé de brute en homme. » Il se forma une bibliothèque choisie d'une partie de son argent dont on lui permettait de disposer. Son ami l'encouragea à mettre par écrit ses réflexions. Voici ce qu'il écrivit sur l'histoire ancienne :

Je m'imagine que les nations ont été longtemps comme moi, qu'elles ne se sont instruites que fort tard, qu'elles n'ont été occupées pendant des siècles que du moment présent qui coulait, très peu du passé et jamais de l'avenir. J'ai parcouru cinq ou six cents lieues du Canada, je n'y ai pas trouvé un seul monument ; personne n'y sait rien de ce qu'a fait son bisaïeul. Ne serait-ce pas là l'état naturel de l'homme ? L'espèce de ce continent-ci me paraît supérieure à celle de l'autre. Elle a augmenté son être depuis plusieurs siècles par les arts et par les connaissances. Est-ce parce qu'elle a de la barbe au menton, et que Dieu a refusé la barbe aux Américains ? Je ne le crois pas ; car je vois que les Chinois n'ont presque point de barbe, et qu'ils cultivent les arts depuis plus de cinq mille années. En effet, s'ils ont plus de quatre mille ans d'annales, il faut bien que la nation ait été rassemblée et florissante depuis plus de cinquante siècles.

Une chose me frappe surtout dans cette ancienne histoire de la Chine, c'est que presque tout y est vraisemblable et naturel. Je l'admire en ce qu'il n'y a rien de merveilleux.

Pourquoi toutes les autres nations se sont-elles donné des origines fabuleuses ? Les anciens chroniqueurs de l'histoire de France, qui ne sont pas fort anciens, font venir les Français d'un Francus, fils d'Hector[1]. Les Romains se disaient issus d'un Phrygien[2] quoiqu'il n'y eût pas dans leur langue un seul mot qui eût le moindre rapport à la langue de Phrygie. Les dieux avaient habité dix mille ans en Égypte et les diables en Scythie, où ils avaient engendré les Huns. Je ne vois, avant Thucydide[3], que des romans semblables aux Amadis[4], et beaucoup moins amusants. Ce sont partout des apparitions, des oracles, des prodiges, des sortilèges, des métamorphoses, des songes expliqués, et qui font la destinée des plus grands empires et des plus petits États : ici des bêtes qui parlent, là des bêtes qu'on adore, des dieux transformés en hommes, et des hommes transformés en dieux. Ah ! s'il nous faut des fables, que ces fables soient du moins l'emblème de la vérité ! J'aime les fables des philosophes, je ris de celles des enfants, et je hais celles des imposteurs.

Il tomba un jour sur une histoire de l'empereur Justinien[5]. On y lisait que des apédeutes[6] de Constantinople avaient donné, en très mauvais grec, un édit contre le plus grand capitaine du siècle[7], parce que ce héros

---

1. Héros troyen, fils du roi Priam.
2. Énée, fils de Vénus et du Troyen Anchise.
3. Historien grec (465-388 av. J.-C.).
4. Célèbre cycle romanesque du XIVe siècle.
5. Empereur de l'Empire romain d'Orient (482-565).
6. Mot forgé par Voltaire sur un adjectif grec signifiant « sans éducation ».
7. Il s'agit de Bélisaire (v. 494-565), général de Justinien, et héros éponyme d'un roman de Marmontel. Il fit disgracié malgré ses victoires parce que soupçonné de conspiration. La phrase qui suit, attribuée à Bélisaire, est une citation du roman de Marmontel.

avait prononcé ces paroles dans la chaleur de la conversation : *La vérité luit de sa propre lumière, et on n'éclaire pas les esprits avec les flammes des bûchers.* Les apédeutes assurèrent que cette proposition était hérétique, sentant l'hérésie, et que l'axiome contraire était catholique, universel et grec : *On n'éclaire les esprits qu'avec la flamme des bûchers, et la vérité ne saurait luire de sa propre lumière.* Ces linostoles [1] condamnèrent ainsi plusieurs discours du capitaine, et donnèrent un édit.

« Quoi ! s'écria l'Ingénu, des édits rendus par ces gens-là ! — Ce ne sont point des édits, répliqua Gordon, ce sont des contre-édits, dont tout le monde se moquait à Constantinople, et l'empereur tout le premier : c'était un sage prince qui avait su réduire les apédeutes linostoles à ne pouvoir faire que du bien. Il savait que ces messieurs-là et plusieurs autres pastophores [2] avaient lassé de contre-édits la patience des empereurs ses prédécesseurs en matière plus grave. — Il fit fort bien, dit l'Ingénu ; on doit soutenir les pastophores et les contenir. »

Il mit par écrit beaucoup d'autres réflexions qui épouvantèrent le vieux Gordon. « Quoi ! dit-il en lui-même, j'ai consumé cinquante ans à m'instruire, et je crains de ne pouvoir atteindre au bon sens naturel de cet enfant presque sauvage ! Je tremble d'avoir laborieusement fortifié des préjugés ; il n'écoute que la simple nature. »

Le bonhomme avait quelques-uns de ces petits livres de critique, de ces brochures périodiques où des hommes incapables de rien produire dénigrent les productions des autres, où les Visé [3] insultent aux Racine,

1. Autre mot forgé par Voltaire, signifiant « habillé de lin ». Désigne les docteurs de la Sorbonne.
2. Au sens propre, les prêtres grecs chargés de porter les statuettes des divinités dans les temples. Désigne ici les prêtres en général.
3. Jean Donneau de Visé (1640-1710), auteur de second rang, critiqua Racine. Il est aussi le fondateur d'un célèbre journal, *Le Mercure galant.*

et les Faydit [1] aux Fénelon. L'Ingénu en parcourut quelques-uns. « Je les compare, disait-il, à certains moucherons qui vont déposer leurs œufs dans le derrière des plus beaux chevaux : cela ne les empêche pas de courir. » À peine les deux philosophes daignèrent-ils jeter les yeux sur ces excréments de la littérature.

Ils lurent bientôt ensemble les éléments de l'astronomie ; l'Ingénu fit venir des sphères [2] : ce grand spectacle le ravissait. « Qu'il est dur, disait-il, de ne commencer à connaître le ciel que lorsqu'on me ravit le droit de le contempler ! Jupiter et Saturne roulent dans ces espaces immenses ; des millions de soleils éclairent des milliards de mondes ; et dans le coin de terre où je suis jeté, il se trouve des êtres qui me privent, moi être voyant et pensant, de tous ces mondes où ma vue pourrait atteindre, et de celui où Dieu m'a fait naître ! La lumière faite pour tout l'univers est perdue pour moi. On ne me la cachait pas dans l'horizon septentrional où j'ai passé mon enfance et ma jeunesse. Sans vous, mon cher Gordon, je serais ici dans le néant. »

---

1. Faydit (1640-1709) s'en prit aux *Aventures de Télémaque* de Fénelon.
2. Représentation matérielle des planètes.

CHAPITRE XII

CE QUE L'INGÉNU
PENSE DES PIÈCES DE THÉÂTRE

Le jeune Ingénu ressemblait à un de ces arbres vigoureux qui, nés dans un sol ingrat, étendent en peu de temps leurs racines et leurs branches quand ils sont transplantés dans un terrain favorable ; et il était bien extraordinaire qu'une prison fût ce terrain.

Parmi les livres qui occupaient le loisir des deux captifs, il se trouva des poésies, des traductions de tragédies grecques, quelques pièces du théâtre français. Les vers qui parlaient d'amour portèrent à la fois dans l'âme de l'Ingénu le plaisir et la douleur. Ils lui parlaient tous de sa chère Saint-Yves. La fable des *Deux Pigeons* [1] lui perça le cœur : il était bien loin de pouvoir revenir à son colombier.

Molière l'enchanta. Il lui faisait connaître les mœurs de Paris et du genre humain. « À laquelle de ses comédies donnez-vous la préférence ? — Au *Tartuffe* [2], sans difficulté. — Je pense comme vous, dit Gordon ; c'est un tartuffe qui m'a plongé dans ce cachot, et peut-être ce sont des tartuffes qui ont fait votre malheur. Comment trouvez-vous ces tragédies grecques ? — Bonnes pour les Grecs », dit l'Ingénu. Mais quand il lut l'*Iphigénie* moderne, *Phèdre*, *Andromaque*, *Athalie* [3], il fut en extase, il soupira, il versa des larmes,

1. Fable de La Fontaine, apprécié de Voltaire.
2. Comédie de Molière.
3. Tragédies de Racine, que Voltaire préfère aux tragiques grecs.

il les sut par cœur sans avoir envie de les apprendre.

« Lisez *Rodogune*[1], lui dit Gordon : on dit que c'est le chef-d'œuvre du théâtre ; les autres pièces qui vous ont fait tant de plaisir sont peu de chose en comparaison. » Le jeune homme, dès la première page, lui dit : « Cela n'est pas du même auteur. — À quoi le voyez-vous ? — Je n'en sais rien encore ; mais ces vers-là ne vont ni à mon oreille ni à mon cœur. — Oh ! ce n'est rien que les vers », répliqua Gordon. L'Ingénu répondit : « Pourquoi donc en faire ? »

Après avoir lu très attentivement la pièce, sans autre dessein que celui d'avoir du plaisir, il regardait son ami avec des yeux secs et étonnés, et ne savait que dire. Enfin, pressé de rendre compte de ce qu'il avait senti, voici ce qu'il répondit : « Je n'ai guère entendu le commencement ; j'ai été révolté du milieu ; la dernière scène m'a beaucoup ému, quoiqu'elle me paraisse peu vraisemblable ; je ne me suis intéressé pour personne, et je n'ai pas retenu vingt vers, moi qui les retiens tous quand ils me plaisent.

— Cette pièce passe pourtant pour la meilleure que nous ayons. — Si cela est, répliqua-t-il, elle est peut-être comme bien des gens qui ne méritent pas leurs places. Après tout, c'est ici une affaire de goût : le mien ne doit pas encore être formé ; je peux me tromper ; mais vous savez que je suis assez accoutumé à dire ce que je pense, ou plutôt ce que je sens. Je soupçonne qu'il y a souvent de l'illusion, de la mode, du caprice, dans les jugements des hommes. J'ai parlé d'après la nature : il se peut que chez moi la nature soit très imparfaite ; mais il se peut aussi qu'elle soit quelquefois peu consultée par la plupart des hommes. » Alors il récita des vers d'*Iphigénie*, dont il était plein, et quoiqu'il ne déclamât pas bien, il y mit tant de vérité et d'onction qu'il fit pleurer le vieux janséniste. Il lut ensuite *Cinna*[2], il ne pleura point, mais il admira. « Je suis

1. Tragédie de Corneille.
2. *Idem.*

fâché pourtant, dit-il, que cette brave fille reçoive tous les jours des rouleaux [1] de l'homme qu'elle veut faire assassiner. Je lui dirais volontiers ce que j'ai lu dans *Les Plaideurs* [2] : Eh ! rendez donc l'argent !

---

1. Des rouleaux de pièces d'or. Allusion au discours d'Auguste :
   « Et que si nos malheurs et la nécessité
   M'ont fait traiter son père avec sévérité,
   Mon épargne depuis en sa faveur ouverte
   Doit avoir adouci l'aigreur de cette perte » (II, 1).
2. Comédie de Racine.

CHAPITRE XIII

LA BELLE SAINT-YVES
VA À VERSAILLES

Pendant que notre infortuné s'éclairait plus qu'il ne se consolait ; pendant que son génie, étouffé depuis si longtemps, se déployait avec tant de rapidité et de force ; pendant que la nature, qui se perfectionnait en lui, le vengeait des outrages de la fortune, que devinrent monsieur le prieur et sa bonne sœur, et la belle recluse Saint-Yves ? Le premier mois on fut inquiet, et au troisième on fut plongé dans la douleur : les fausses conjectures, les bruits mal fondés alarmèrent ; au bout de six mois on le crut mort. Enfin, M. et Mlle de Kerkabon apprirent, par une ancienne lettre qu'un garde du roi avait écrite en Bretagne, qu'un jeune homme semblable à l'Ingénu était arrivé un soir à Versailles, mais qu'il avait été enlevé pendant la nuit, et que depuis ce temps personne n'en avait entendu parler.

« Hélas ! dit Mlle de Kerkabon, notre neveu aura fait quelque sottise et se sera attiré de fâcheuses affaires. Il est jeune, il est Bas-Breton, il ne peut savoir comme on doit se comporter à la cour. Mon cher frère, je n'ai jamais vu Versailles ni Paris ; voici une belle occasion, nous retrouverons peut-être notre pauvre neveu : c'est le fils de notre frère, notre devoir est de le secourir. Qui sait si nous ne pourrons point parvenir enfin à le faire sous-diacre, quand la fougue de la jeunesse sera amortie ? Il avait beaucoup de disposition pour les

sciences [1]. Vous souvenez-vous comme il raisonnait
sur l'Ancien et sur le Nouveau Testament ? Nous
sommes responsables de son âme ; c'est nous qui
l'avons fait baptiser ; sa chère maîtresse Saint-Yves
passe les journées à pleurer. En vérité, il faut aller à
Paris. S'il est caché dans quelqu'une de ces vilaines mai-
sons de joie dont on m'a fait tant de récits, nous l'en
tirerons. » Le prieur fut touché des discours de sa sœur.
Il alla trouver l'évêque de Saint-Malo, qui avait baptisé
le Huron, et lui demanda sa protection et ses conseils.
Le prélat approuva le voyage. Il donna au prieur des
lettres de recommandation pour le père de La Chaise,
confesseur du roi, qui avait la première dignité du
royaume ; pour l'archevêque de Paris Harlay [2], et
pour l'évêque de Meaux Bossuet [3].

Enfin le frère et la sœur partirent ; mais quand ils
furent arrivés à Paris, ils se trouvèrent égarés comme
dans un vaste labyrinthe sans fil et sans issue. Leur fortune était médiocre ; il leur fallait tous les jours des
voitures pour aller à la découverte, et ils ne décou-
vraient rien.

Le prieur se présenta chez le révérend père de
La Chaise : il était avec Mlle du Tron [4], et ne pouvait
donner audience à des prieurs. Il alla à la porte de
l'archevêque : le prélat était enfermé avec la belle
Mme de Lesdiguières [5] pour les affaires de l'Église. Il
courut à la maison de campagne de l'évêque de Meaux :
celui-ci examinait avec Mlle de Mauléon [6] l'amour

1. Pour les études.
2. François de Harlay de Champvallon (1625-1695) était connu
pour ses aventures galantes. Voltaire lui en voulait d'avoir refusé à
Molière une sépulture chrétienne.
3. Il était le plus grand théologien et orateur sacré du temps
(1627-1704).
4. Nièce du premier valet de chambre de Louis XIV.
5. L'amie de Harlay de Champvallon, qui mourut effectivement
dans ses bras.
6. Voltaire était persuadé qu'un contrat de mariage secret avait
lié Bossuet et cette demoiselle.

mystique de Mme Guyon[1]. Cependant il parvint à se faire entendre de ces deux prélats ; tous deux lui déclarèrent qu'ils ne pouvaient se mêler de son neveu, attendu qu'il n'était pas sous-diacre.

Enfin il vit le jésuite ; celui-ci le reçut à bras ouverts, lui protesta qu'il avait toujours eu pour lui une estime particulière, ne l'ayant jamais connu. Il jura que la Société[2] avait toujours été attachée aux Bas-Bretons. « Mais, dit-il, votre neveu n'aurait-il pas le malheur d'être huguenot ? — Non, assurément, mon Révérend Père. — Serait-il point janséniste ? — Je puis assurer à Votre Révérence qu'à peine est-il chrétien. Il y a environ onze mois que nous l'avons baptisé. — Voilà qui est bien, voilà qui est bien, nous aurons soin de lui. Votre bénéfice est-il considérable ? — Oh ! fort peu de chose, et mon neveu nous coûte beaucoup. — Y a-t-il quelques jansénistes dans le voisinage ? Prenez bien garde, mon cher monsieur le prieur, ils sont plus dangereux que les huguenots et les athées. — Mon Révérend Père, nous n'en avons point ; on ne sait ce que c'est que le jansénisme à Notre-Dame de la Montagne. — Tant mieux ; allez, il n'y a rien que je ne fasse pour vous. » Il congédia affectueusement le prieur, et n'y pensa plus.

Le temps s'écoulait, le prieur et la bonne sœur se désespéraient.

Cependant le maudit bailli pressait le mariage de son grand benêt de fils avec la belle Saint-Yves, qu'on avait fait sortir exprès du couvent. Elle aimait toujours son cher filleul autant qu'elle détestait le mari qu'on lui présentait. L'affront d'avoir été mise dans un couvent augmentait sa passion. L'ordre d'épouser le fils du

---

1. Célèbre mystique (1648-1717), dont la doctrine, le quiétisme, avait connu un large retentissement et séduit, entre autres, Fénelon. Bossuet, sensible à ce que ce courant avait de dangereux pour le pouvoir de l'Église, fut un des artisans de la condamnation du quiétisme en 1696.
2. La Société de Jésus.

bailli y mettait le comble. Les regrets, la tendresse et l'horreur bouleversaient son âme. L'amour, comme on sait, est bien plus ingénieux et plus hardi dans une jeune fille que l'amitié ne l'est dans un vieux prieur et dans une tante de quarante-cinq ans passés. De plus, elle s'était bien formée dans son couvent par les romans qu'elle avait lus à la dérobée.

La belle Saint-Yves se souvenait de la lettre qu'un garde du corps avait écrite en Basse-Bretagne, et dont on avait parlé dans la province. Elle résolut d'aller elle-même prendre des informations à Versailles, de se jeter aux pieds des ministres si son mari était en prison, comme on le disait, et d'obtenir justice pour lui. Je ne sais quoi l'avertissait secrètement qu'à la cour on ne refuse rien à une jolie fille. Mais elle ne savait pas ce qu'il en coûtait.

Sa résolution prise, elle est consolée, elle est tranquille, elle ne rebute plus son sot prétendu ; elle accueille le détestable beau-père, caresse son frère, répand l'allégresse dans la maison ; puis, le jour destiné à la cérémonie, elle part secrètement à quatre heures du matin avec ses petits présents de noce et tout ce qu'elle a pu rassembler. Ses mesures étaient si bien prises qu'elle était déjà à plus de dix lieues lorsqu'on entra dans sa chambre vers le midi. La surprise et la consternation furent grandes. L'interrogant bailli fit ce jour-là plus de questions qu'il n'en avait fait dans toute la semaine ; le mari resta plus sot qu'il ne l'avait jamais été. L'abbé de Saint-Yves en colère prit le parti de courir après sa sœur. Le bailli et son fils voulurent l'accompagner. Ainsi la destinée conduisait à Paris presque tout ce canton de la Basse-Bretagne.

La belle Saint-Yves se doutait bien qu'on la suivrait. Elle était à cheval ; elle s'informait adroitement des courriers s'ils n'avaient point rencontré un gros abbé, un énorme bailli et un jeune benêt, qui couraient sur le chemin de Paris. Ayant appris au troisième jour qu'ils n'étaient pas loin, elle prit une route différente, et eut assez d'habileté et de bonheur pour arriver à

Versailles tandis qu'on la cherchait inutilement dans Paris.

Mais comment se conduire à Versailles ? Jeune, belle, sans conseil, sans appui, inconnue, exposée à tout, comment oser chercher un garde du roi ? Elle imagina de s'adresser à un jésuite du bas étage ; il y en avait pour toutes les conditions de la vie, comme Dieu, disaient-ils, a donné différentes nourritures aux diverses espèces d'animaux. Il avait donné au roi son confesseur, que tous les solliciteurs de bénéfices appelaient le *chef de l'Église gallicane*, ensuite venaient les confesseurs des princesses ; les ministres n'en avaient point : ils n'étaient pas si sots. Il y avait les jésuites du grand commun [1], et surtout les jésuites des femmes de chambre, par lesquelles on savait les secrets des maîtresses, et ce n'était pas un petit emploi. La belle Saint-Yves s'adressa à un de ces derniers, qui s'appelait le père Tout-à-tous [2]. Elle se confessa à lui, lui exposa ses aventures, son état, son danger, et le conjura de la loger chez quelque bonne dévote qui la mît à l'abri des tentations.

Le père Tout-à-tous l'introduisit chez la femme d'un officier du gobelet [3], l'une de ses plus affidées pénitentes [4]. Dès qu'elle y fut, elle s'empressa de gagner la confiance et l'amitié de cette femme ; elle s'informa du garde breton, et le fit prier de venir chez elle. Ayant su de lui que son amant avait été enlevé après avoir parlé à un premier commis, elle court chez ce commis : la vue d'une belle femme l'adoucit, car il faut convenir que Dieu n'a créé les femmes que pour apprivoiser les hommes.

---

1. Le commun regroupait les officiers subalternes de la maison du roi. Ils appartenaient selon leur rang au grand ou petit commun.
2. Nom tiré de l'*Épître aux Corinthiens* de saint Paul, et plus directement d'un ouvrage de d'Alembert, *Sur la destruction des jésuites*.
3. Les officiers du gobelet étaient chargés de ravitailler la table royale en vin, pain, fruits et linge.
4. C'est-à-dire l'une des plus dévouées.

Le plumitif[1] attendri lui avoua tout. « Votre amant est à la Bastille depuis près d'un an, et sans vous il y serait peut-être toute sa vie. » La tendre Saint-Yves s'évanouit. Quand elle eut repris ses sens, le plumitif lui dit : « Je suis sans crédit pour faire du bien ; tout mon pouvoir se borne à faire du mal quelquefois. Croyez-moi, allez chez M. de Saint-Pouange[2] qui fait le bien et le mal, cousin et favori de Mgr de Louvois. Ce ministre a deux âmes : M. de Saint-Pouange en est une ; Mme du Belloy[3], l'autre ; mais elle n'est pas à présent à Versailles, il ne vous reste que de fléchir le protecteur que je vous indique. »

La belle Saint-Yves, partagée entre un peu de joie et d'extrêmes douleurs, entre quelque espérance et de tristes craintes, poursuivie par son frère, adorant son amant, essuyant ses larmes et en versant encore, tremblante, affaiblie, et reprenant courage, courut vite chez M. de Saint-Pouange.

1. Homme de plume, commis de bureau.
2. Personnage historique, commis de la guerre jusqu'en 1701. Mais Voltaire vise sans doute à travers lui le comte de Saint-Florentin, secrétaire d'État jusqu'en 1775, l'un de ses interlocuteurs lors de l'affaire Calas, connu comme Saint-Pouange pour ses mœurs légères.
3. Erreur ou travestissement prudent ? La maîtresse de Louvois s'appelait Mme du Fresnoy.

CHAPITRE XIV

PROGRÈS DE L'ESPRIT DE L'INGÉNU

L'Ingénu faisait des progrès rapides dans les sciences, ◆━
et surtout dans la science de l'homme. La cause du développement rapide de son esprit était due à son éducation sauvage presque autant qu'à la trempe de son âme. Car n'ayant rien appris dans son enfance, il n'avait point appris de préjugés. Son entendement, n'ayant point été courbé par l'erreur, était demeuré dans toute sa rectitude. Il voyait les choses comme elles sont, au lieu que les idées qu'on nous donne dans l'enfance nous les font voir toute notre vie comme elles ne sont point. « Vos persécuteurs sont abominables, disait-il à son ami Gordon. Je vous plains d'être opprimé, mais je vous plains d'être janséniste. Toute secte me paraît le ralliement de l'erreur. Dites-moi s'il y a des sectes en géométrie. — Non, mon cher enfant, lui dit en soupirant le bon Gordon ; tous les hommes sont d'accord sur la vérité quand elle est démontrée, mais ils sont trop partagés sur les vérités obscures. — Dites sur les faussetés obscures. S'il y avait eu une seule vérité cachée dans vos amas d'arguments qu'on ressasse depuis tant de siècles, on l'aurait découverte sans doute ; et l'univers aurait été d'accord au moins sur ce point-là. Si cette vérité était nécessaire comme le soleil l'est à la terre, elle serait brillante comme lui. C'est une absurdité, c'est un outrage au genre humain, c'est un attentat contre l'Être infini et suprême de dire : "Il y a une vérité essentielle à l'homme, et Dieu l'a cachée." »

◆◆ Voir *Au fil du texte*, p. XVIII.

Tout ce que disait ce jeune ignorant, instruit par la nature, faisait une impression profonde sur l'esprit du vieux savant infortuné. « Serait-il bien vrai, s'écria-t-il, que je me fusse rendu malheureux pour des chimères ? Je suis bien plus sûr de mon malheur que de la grâce efficace. J'ai consumé mes jours à raisonner sur la liberté de Dieu et du genre humain, mais j'ai perdu la mienne ; ni saint Augustin ni Prosper [1] ne me tireront de l'abîme où je suis. »

L'Ingénu, livré à son caractère, dit enfin : « Voulez-vous que je vous parle avec une confiance hardie ? Ceux qui se font persécuter par ces vaines disputes de l'école me semblent peu sages ; ceux qui persécutent me paraissent des monstres. »

Les deux captifs étaient fort d'accord sur l'injustice de leur captivité. « Je suis cent fois plus à plaindre que vous, disait l'Ingénu ; je suis né libre comme l'air ; j'avais deux vies, la liberté et l'objet de mon amour : on me les ôte. Nous voici tous deux dans les fers, sans en savoir la raison, et sans pouvoir la demander. J'ai vécu huron vingt ans ; on dit que ce sont des barbares parce qu'ils se vengent de leurs ennemis ; mais ils n'ont jamais opprimé leurs amis. À peine ai-je mis le pied en France que j'ai versé mon sang pour elle ; j'ai peut-être sauvé une province, et pour récompense je suis englouti dans ce tombeau des vivants, où je serais mort de rage sans vous. Il n'y a donc point de lois dans ce pays ! On condamne les hommes sans les entendre ! Il n'en est pas ainsi en Angleterre [2]. Ah ! ce n'était pas contre les Anglais que je devais me battre. » Ainsi sa philosophie naissante ne pouvait dompter la nature outragée dans le premier de ses droits, et laissait un libre cours à sa juste colère.

---

1. Saint Prosper, né en Aquitaine en 403, était un ferveur défenseur des idées de saint Augustin (354-430).
2. En 1689, l'Angleterre reconnaissait les droits du citoyen. Au moment où Voltaire écrit, le pays est devenu un symbole politique.

Son compagnon ne le contredit point. L'absence augmente toujours l'amour qui n'est pas satisfait, et la philosophie ne le diminue pas. Il parlait aussi souvent de sa chère Saint-Yves que de morale et de métaphysique. Plus ses sentiments s'épuraient, et plus il aimait. Il lut quelques romans nouveaux ; il en trouva peu qui lui peignissent la situation de son âme. Il sentait que son cœur allait toujours au-delà de ce qu'il lisait. « Ah ! disait-il, presque tous ces auteurs-là n'ont que de l'esprit et de l'art. » Enfin le bon prêtre janséniste devenait insensiblement le confident de sa tendresse. Il ne connaissait l'amour auparavant que comme un péché dont on s'accuse en confession. Il apprit à le connaître comme un sentiment aussi noble que tendre, qui peut élever l'âme autant que l'amollir, et produire même quelquefois des vertus. Enfin, pour dernier prodige, un Huron convertissait un janséniste.

CHAPITRE XV

LA BELLE SAINT-YVES RÉSISTE
À DES PROPOSITIONS DÉLICATES

La belle Saint-Yves, plus tendre encore que son amant, alla donc chez M. de Saint-Pouange, accompagnée de l'amie chez qui elle logeait, toutes deux cachées dans leurs coiffes. La première chose qu'elle vit à la porte ce fut l'abbé de Saint-Yves, son frère, qui en sortait. Elle fut intimidée ; mais la dévote amie la rassura. « C'est précisément parce qu'on a parlé contre vous qu'il faut que vous parliez. Soyez sûre que dans ce pays les accusateurs ont toujours raison si on ne se hâte de les confondre. Votre présence d'ailleurs, ou je me trompe fort, fera plus d'effet que les paroles de votre frère. »

Pour peu qu'on encourage une amante passionnée, elle est intrépide. La Saint-Yves se présente à l'audience. Sa jeunesse, ses charmes, ses yeux tendres, mouillés de quelques pleurs, attirèrent tous les regards. Chaque courtisan du sous-ministre oublia un moment l'idole du pouvoir pour contempler celle de la beauté. Le Saint-Pouange la fit entrer dans un cabinet ; elle parla avec attendrissement et avec grâce. Saint-Pouange se sentit touché. Elle tremblait, il la rassura. « Revenez ce soir, lui dit-il ; vos affaires méritent qu'on y pense et qu'on en parle à loisir. Il y a ici trop de monde. On expédie les audiences trop rapidement. Il faut que je vous entretienne à fond de tout ce qui vous regarde. » Ensuite, ayant fait l'éloge de sa beauté et de ses sentiments, il lui recommanda de venir à sept heures du soir.

Elle n'y manqua pas ; la dévote amie l'accompagna encore, mais elle se tint dans le salon, et lut le *Péda-gogue chrétien*[1], pendant que le Saint-Pouange et la belle Saint-Yves étaient dans l'arrière-cabinet. « Croiriez-vous bien, mademoiselle, lui dit-il d'abord, que votre frère est venu me demander une lettre de cachet contre vous ? En vérité j'en expédierais plutôt une pour le renvoyer en Basse-Bretagne. — Hélas ! monsieur, on est donc bien libéral de lettres de cachet dans vos bureaux, puisqu'on en vient solliciter du fond du royaume, comme des pensions ? Je suis bien loin d'en demander une contre mon frère. J'ai beaucoup à me plaindre de lui, mais je respecte la liberté des hommes ; je demande celle d'un homme que je veux épouser, d'un homme à qui le roi doit la conservation d'une province, qui peut le servir utilement, et qui est fils d'un officier tué à son service. De quoi est-il accusé ? Comment a-t-on pu le traiter si cruellement sans l'entendre ? »

Alors le sous-ministre lui montra la lettre du jésuite espion et celle du perfide bailli. « Quoi ! il y a de pareils monstres sur la terre ! et on veut me forcer ainsi à épou-ser le fils ridicule d'un homme ridicule et méchant ! et c'est sur de pareils avis qu'on décide ici de la destinée des citoyens ! » Elle se jeta à genoux, elle demanda avec des sanglots la liberté du brave homme qui l'adorait. Ses charmes dans cet état parurent dans leur plus grand avantage. Elle était si belle que le Saint-Pouange, per-dant toute honte, lui insinua qu'elle réussirait si elle commençait par lui donner les prémices de ce qu'elle réservait à son amant. La Saint-Yves, épouvantée et confuse, feignit longtemps de ne le pas entendre ; il fal-lut s'expliquer plus clairement. Un mot lâché d'abord avec retenue en produisait un plus fort, suivi d'un autre plus expressif. On offrit non seulement la révocation

1. Ouvrage de piété de Philippe Outreman, paru en deux tomes, en 1641 et 1645.

de la lettre de cachet, mais des récompenses, de l'argent, des honneurs, des établissements, et plus on promettait, plus le désir de n'être pas refusé augmentait.

La Saint-Yves pleurait, elle était suffoquée, à demi renversée sur un sopha, croyant à peine ce qu'elle voyait, ce qu'elle entendait. Le Saint-Pouange, à son tour, se jeta à ses genoux. Il n'était pas sans agréments, et aurait pu ne pas effaroucher un cœur moins prévenu [1]. Mais Saint-Yves adorait son amant et croyait que c'était un crime horrible de le trahir pour le servir. Saint-Pouange redoublait les prières et les promesses. Enfin, la tête lui tourna au point qu'il lui déclara que c'était le seul moyen de tirer de sa prison l'homme auquel elle prenait un intérêt si violent et si tendre. Cet étrange entretien se prolongeait. La dévote de l'antichambre, en lisant son *Pédagogue chrétien*, disait : « Mon Dieu ! que peuvent-ils faire là depuis deux heures ? Jamais Mgr de Saint-Pouange n'a donné une si longue audience ; peut-être qu'il a tout refusé à cette pauvre fille, puisqu'elle le prie encore. »

Enfin sa compagne sortit de l'arrière-cabinet, tout éperdue, sans pouvoir parler, réfléchissant profondément sur le caractère des grands et des demi-grands qui sacrifient si légèrement la liberté des hommes et l'honneur des femmes.

Elle ne dit pas un mot pendant tout le chemin. Arrivée chez l'amie, elle éclata, elle lui conta tout. La dévote fit de grands signes de croix : « Ma chère amie, il faut consulter dès demain le père Tout-à-tous, notre directeur ; il a beaucoup de crédit auprès de M. de Saint-Pouange ; il confesse plusieurs servantes de sa maison ; c'est un homme pieux et accommodant, qui dirige aussi des femmes de qualité. Abandonnez-vous à lui, c'est ainsi que j'en use ; je m'en suis toujours bien trouvée. Nous autres, pauvres femmes, nous avons besoin d'être conduites par un homme. — Eh bien, donc ! ma chère amie, j'irai trouver demain le père Tout-à-tous. »

_____
1. Qui a des préventions en faveur de quelqu'un ou contre lui.

CHAPITRE XVI

ELLE CONSULTE UN JÉSUITE

Dès que la belle et désolée Saint-Yves fut avec son ⌘
bon confesseur, elle lui confia qu'un homme puissant
et voluptueux lui proposait de faire sortir de prison celui
qu'elle devait épouser légitimement, et qu'il demandait
un grand prix de son service ; qu'elle avait une répu-
gnance horrible pour une telle infidélité, et que, s'il ne
s'agissait que de sa propre vie, elle la sacrifierait plutôt que de succomber.

« Voilà un abominable pécheur ! lui dit le père Tout-
à-tous. Vous devriez bien me dire le nom de ce vilain
homme ; c'est à coup sûr quelque janséniste ; je le
dénoncerai à Sa Révérence le père de La Chaise, qui
le fera mettre dans le gîte où est à présent la chère personne que vous devez épouser. »

La pauvre fille, après un long embarras et de grandes
irrésolutions, lui nomma enfin Saint-Pouange.

« Mgr de Saint-Pouange ! s'écria le jésuite ; ah ! ma
fille, c'est tout autre chose ; il est cousin du plus grand
ministre que nous ayons jamais eu, homme de bien,
protecteur de la bonne cause, bon chrétien ; il ne peut
avoir eu une telle pensée, il faut que vous ayez mal
entendu. — Ah ! mon père, je n'ai entendu que trop
bien ; je suis perdue quoi que je fasse ; je n'ai que le
choix du malheur et de la honte ; il faut que mon amant
reste enseveli tout vivant, ou que je me rende indigne
de vivre. Je ne puis le laisser périr, et je ne puis le
sauver. »

⌘ Voir *Au fil du texte*, p. XIX.

Le père Tout-à-tous tâcha de la calmer par ces douces paroles :

« Premièrement, ma fille, ne dites jamais ce mot, *mon amant* ; il a quelque chose de mondain qui pourrait offenser Dieu. Dites : *mon mari* ; car, bien qu'il ne le soit pas encore, vous le regardez comme tel, et rien n'est plus honnête.

« Secondement, bien qu'il soit votre époux en idée, en espérance, il ne l'est pas en effet : ainsi vous ne commettriez pas un adultère, péché énorme qu'il faut toujours éviter autant qu'il est possible.

« Troisièmement, les actions ne sont pas d'une malice de coulpe [1] quand l'intention est pure ; et rien n'est plus pur que de délivrer votre mari.

« Quatrièmement, vous avez des exemples dans la sainte antiquité qui peuvent merveilleusement servir à votre conduite. Saint Augustin rapporte que, sous le proconsulat de Septimius Acindynus, en l'an 340 de notre salut, un pauvre homme, ne pouvant payer à César ce qui appartenait à César, fut condamné à la mort, comme il est juste, malgré la maxime : *Où il n'y a rien le roi perd ses droits*. Il s'agissait d'une livre d'or ; le condamné avait une femme en qui Dieu avait mis la beauté et la prudence. Un vieux richard promit de donner une livre d'or, et même plus, à la dame, à condition qu'il commettrait avec elle le péché immonde. La dame ne crut point mal faire en sauvant la vie à son mari. Saint Augustin approuve fort sa généreuse résignation. Il est vrai que le vieux richard la trompa, et peut-être même son mari n'en fut pas moins pendu ; mais elle avait fait tout ce qui était en elle pour sauver sa vie.

« Soyez sûre, ma fille, que, quand un jésuite vous cite saint Augustin, il faut bien que ce saint ait pleine-

---

1. Dans le langage des directeurs de conscience, la malice désigne ce que le péché a de malfaisant et la coulpe, la souillure, qui fait perdre la grâce (Littré). Une mauvaise action n'entraîne pas la perte de la grâce si l'intention est bonne.

ment raison[1]. Je ne vous conseille rien ; vous êtes sage ; il est à présumer que vous serez utile à votre mari. Mgr de Saint-Pouange est un honnête homme, il ne vous trompera pas ; c'est tout ce que je puis vous dire ; je prierai Dieu pour vous, et j'espère que tout se passera à sa plus grande gloire[2]. »

La belle Saint-Yves, non moins effrayée des discours du jésuite que des propositions du sous-ministre, s'en retourna éperdue chez son amie. Elle était tentée de se délivrer par la mort de l'horreur de laisser dans une captivité affreuse l'amant qu'elle adorait, et de la honte de le délivrer au prix de ce qu'elle avait de plus cher, et qui ne devait appartenir qu'à cet amant infortuné.

---

1. Saint Augustin est la principale référence des jansénistes.
2. Les jésuites avaient pour devise : « Pour la plus grande gloire de Dieu. »

CHAPITRE XVII

ELLE SUCCOMBE PAR VERTU

Elle priait son amie de la tuer ; mais cette femme, non moins indulgente que le jésuite, lui parla plus clairement encore. « Hélas ! dit-elle, les affaires ne se font guère autrement dans cette cour si aimable, si galante et si renommée. Les places les plus médiocres et les plus considérables n'ont souvent été données qu'au prix qu'on exige de vous. Écoutez, vous m'avez inspiré de l'amitié et de la confiance ; je vous avouerai que, si j'avais été aussi difficile que vous l'êtes, mon mari ne jouirait pas du petit poste qui le fait vivre ; il le sait, et loin d'en être fâché, il voit en moi sa bienfaitrice, et il se regarde comme ma créature. Pensez-vous que tous ceux qui ont été à la tête des provinces, ou même des armées, aient dû leurs honneurs et leur fortune à leurs seuls services ? Il en est qui en sont redevables à mesdames leurs femmes. Les dignités de la guerre ont été sollicitées par l'amour ; et la place a été donnée au mari de la plus belle.

« Vous êtes dans une situation bien plus intéressante : il s'agit de rendre votre amant au jour et de l'épouser ; c'est un devoir sacré qu'il vous faut remplir. On n'a point blâmé les belles et les grandes dames dont je vous parle ; on vous applaudira, on dira que vous ne vous êtes permis une faiblesse que par un excès de vertu.

— Ah ! quelle vertu ! s'écria la belle Saint-Yves ; quel labyrinthe d'iniquités ! quel pays ! et que j'apprends à connaître les hommes ! Un père de La Chaise et un bailli ridicule font mettre mon amant en prison ; ma famille me persécute ; on ne me tend la main dans mon désastre que pour me déshonorer. Un jésuite a perdu un brave homme, un autre jésuite veut me perdre ; je ne suis entourée que de pièges, et je touche au moment de tomber dans la misère ! Il faut que je me tue ou que je parle au roi ; je me jetterai à ses pieds sur son passage, quand il ira à la messe ou à la comédie.

— On ne vous laissera pas approcher, lui dit sa bonne amie ; et, si vous aviez le malheur de parler, mons de Louvois et le révérend père de La Chaise pourraient vous enterrer dans le fond d'un couvent pour le reste de vos jours. »

Tandis que cette brave personne augmentait ainsi les perplexités de cette âme désespérée et enfonçait le poignard dans son cœur, arrive un exprès de M. de Saint-Pouange avec une lettre et deux beaux pendants d'oreilles. Saint-Yves rejeta le tout en pleurant, mais l'amie s'en chargea.

Dès que le messager fut parti, notre confidente lit la lettre dans laquelle on propose un petit souper aux deux amies pour le soir. Saint-Yves jure qu'elle n'ira point. La dévote veut lui essayer les deux boucles de diamants ; Saint-Yves ne le put souffrir, elle combattit la journée entière. Enfin, n'ayant en vue que son amant, vaincue, entraînée, ne sachant où on la mène, elle se laisse conduire au souper fatal. Rien n'avait pu la déterminer à se parer de ses pendants d'oreilles ; la confidente les apporta, elle les lui ajusta malgré elle avant qu'on se mît à table. Saint-Yves était si confuse, si troublée, qu'elle se laissait tourmenter ; et le patron en tirait un augure très favorable. Vers la fin du repas, la confidente se retira discrètement. Le patron montra alors la révocation de la lettre de cachet, le brevet d'une gratification considérable, celui d'une compagnie, et n'épargna pas les promesses. « Ah ! lui dit Saint-Yves, que je vous aimerais si vous ne vouliez pas être tant aimé ! »

Enfin, après une longue résistance, après des sanglots, des cris, des larmes, affaiblie du combat, éperdue, languissante, il fallut se rendre. Elle n'eut d'autre ressource que de se promettre de ne penser qu'à l'Ingénu tandis que le cruel jouirait impitoyablement de la nécessité où elle était réduite.

CHAPITRE XVIII

ELLE DÉLIVRE SON AMANT
ET UN JANSÉNISTE

Au point du jour, elle vole à Paris, munie de l'ordre du ministre. Il est difficile de peindre ce qui se passait dans son cœur pendant ce voyage. Qu'on imagine une âme vertueuse et noble, humiliée de son opprobre, enivrée de tendresse, déchirée des remords d'avoir trahi son amant, pénétrée du plaisir de délivrer ce qu'elle adore. Ses amertumes, ses combats, son succès, partageaient toutes ses réflexions. Ce n'était plus cette fille simple dont une éducation provinciale avait rétréci les idées. L'amour et le malheur l'avaient formée. Le sentiment avait fait autant de progrès en elle que la raison en avait fait dans l'esprit de son amant infortuné. Les filles apprennent à sentir plus aisément que les hommes n'apprennent à penser. Son aventure était plus instructive que quatre ans de couvent.

Son habit était d'une simplicité extrême. Elle voyait avec horreur les ajustements sous lesquels elle avait paru devant son funeste bienfaiteur ; elle avait laissé ses boucles de diamants à sa compagne sans même les regarder. Confuse et charmée, idolâtre de l'Ingénu et se haïssant elle-même, elle arrive enfin à la porte.

De cet affreux château, palais de la vengeance,
Qui renferma souvent le crime et l'innocence [1].

1. Citation de *La Henriade*, IV, 456.

Quand il fallut descendre du carrosse, les forces lui manquèrent ; on l'aida ; elle entra, le cœur palpitant, les yeux humides, le front consterné. On la présente au gouverneur ; elle veut lui parler, sa voix expire ; elle montre son ordre en articulant à peine quelques paroles. Le gouverneur aimait son prisonnier ; il fut très aise de sa délivrance. Son cœur n'était pas endurci comme celui de quelques honorables geôliers ses confrères, qui, ne pensant qu'à la rétribution attachée à la garde de leurs captifs, fondant leurs revenus sur leurs victimes, et vivant du malheur d'autrui, se faisaient en secret une joie affreuse des larmes des infortunés.

Il fait venir le prisonnier dans son appartement. Les deux amants se voient, et tous deux s'évanouissent. La belle Saint-Yves resta longtemps sans mouvement et sans vie : l'autre rappela bientôt son courage. « C'est apparemment là madame votre femme, lui dit le gouverneur ; vous ne m'aviez point dit que vous fussiez marié. On me mande que c'est à ses soins généreux que vous devez votre délivrance. — Ah ! je ne suis pas digne d'être sa femme », dit la belle Saint-Yves d'une voix tremblante, et elle retomba encore en faiblesse.

Quand elle eut repris ses sens, elle présenta, toujours tremblante, le brevet de la gratification et la promesse par écrit d'une compagnie. L'Ingénu, aussi étonné qu'attendri, s'éveillait d'un songe pour retomber dans un autre. « Pourquoi ai-je été enfermé ici ? comment avez-vous pu m'en tirer ? où sont les monstres qui m'y ont plongé ? Vous êtes une divinité qui descendez du ciel à mon secours. »

La belle Saint-Yves baissait la vue, regardait son amant, rougissait, et détournait, le moment d'après, ses yeux mouillés de pleurs. Elle lui apprit enfin tout ce qu'elle savait et tout ce qu'elle avait éprouvé, excepté ce qu'elle aurait voulu se cacher pour jamais, et ce qu'un autre que l'Ingénu, plus accoutumé au monde et plus instruit des usages de la cour, aurait deviné facilement.

« Est-il possible qu'un misérable comme ce bailli ait

eu le pouvoir de me ravir ma liberté ? Ah ! je vois bien
qu'il en est des hommes comme des plus vils animaux ;
tous peuvent nuire. Mais est-il possible qu'un moine,
un jésuite confesseur du roi, ait contribué à mon infor-
tune autant que ce bailli, sans que je puisse imaginer
sous quel prétexte ce détestable fripon m'a persécuté ?
M'a-t-il fait passer pour un janséniste ? Enfin, comment vous êtes-vous souvenue de moi ! Je ne le méri-
tais pas, je n'étais alors qu'un sauvage. Quoi ! vous
avez pu, sans conseil, sans secours, entreprendre le
voyage de Versailles ! Vous y avez paru, et on a brisé
mes fers ! Il est donc dans la beauté et dans la vertu
un charme invincible qui fait tomber les portes de fer
et qui amollit les cœurs de bronze ! »

À ce mot de *vertu*, des sanglots échappèrent à la belle
Saint-Yves. Elle ne savait pas combien elle était vertueuse dans le crime qu'elle se reprochait.

Son amant continua ainsi : « Ange qui avez rompu
mes liens, si vous avez eu (ce que je ne comprends pas
encore) assez de crédit pour me faire rendre justice,
faites-la donc rendre aussi à un vieillard qui m'a le premier appris à penser, comme vous m'avez appris à
aimer. La calamité nous a unis ; je l'aime comme un
père, je ne peux vivre ni sans vous ni sans lui.

— Moi ! que je sollicite le même homme qui... !
— Oui, je veux tout vous devoir, et je ne veux devoir
jamais rien qu'à vous : écrivez à cet homme puissant,
comblez-moi de vos bienfaits, achevez ce que vous avez
commencé, achevez vos prodiges. » Elle sentait qu'elle
devait faire tout ce que son amant exigeait. Elle voulut écrire, sa main ne pouvait obéir. Elle recommença
trois fois sa lettre, la déchira trois fois ; elle écrivit
enfin, et les deux amants sortirent après avoir embrassé
le vieux martyr de la grâce efficace.

L'heureuse et désolée Saint-Yves savait dans quelle
maison logeait son frère ; elle y alla ; son amant prit
un appartement dans la même maison.

À peine y furent-ils arrivés que son protecteur lui
envoya l'ordre de l'élargissement du bonhomme Gor-

don, et lui demanda un rendez-vous pour le lendemain. Ainsi, à chaque action honnête et généreuse qu'elle faisait, son déshonneur en était le prix. Elle regardait avec exécration cet usage de vendre le malheur et le bonheur des hommes. Elle donna l'ordre de l'élargissement à son amant, et refusa le rendez-vous d'un bienfaiteur qu'elle ne pouvait plus voir sans expirer de douleur et de honte. L'Ingénu ne pouvait se séparer d'elle que pour aller délivrer un ami. Il y vola. Il remplit ce devoir en réfléchissant sur les étranges événements de ce monde, et en admirant la vertu courageuse d'une jeune fille à qui deux infortunés devaient plus que la vie.

CHAPITRE XIX

L'INGÉNU, LA BELLE SAINT-YVES
ET LEURS PARENTS SONT RASSEMBLÉS

La généreuse et respectable infidèle était avec son frère l'abbé de Saint-Yves, le bon prieur de la Montagne et la dame de Kerkabon. Tous étaient également étonnés, mais leurs situations et leurs sentiments étaient bien différents. L'abbé de Saint-Yves pleurait ses torts aux pieds de sa sœur, qui lui pardonnait. Le prieur et sa tendre sœur pleuraient aussi, mais de joie. Le vilain bailli et son insupportable fils ne troublaient point cette scène touchante : ils étaient partis au premier bruit de l'élargissement de leur ennemi ; ils couraient ensevelir dans leur province leur sottise et leur crainte.

Les quatre personnages, agités de cent mouvements divers, attendaient que le jeune homme revînt avec l'ami qu'il devait délivrer. L'abbé de Saint-Yves n'osait lever les yeux devant sa sœur ; la bonne Kerkabon disait : « Je reverrai donc mon cher neveu. — Vous le reverrez, dit la charmante Saint-Yves, mais ce n'est plus le même homme ; son maintien, son ton, ses idées, son esprit, tout est changé ; il est devenu aussi respectable qu'il était naïf et étranger à tout. Il sera l'honneur et la consolation de votre famille ; que ne puis-je être aussi l'honneur de la mienne ! — Vous n'êtes point non plus la même, dit le prieur, que vous est-il donc arrivé qui ait fait en vous un si grand changement ? »

Au milieu de cette conversation, l'Ingénu arrive, tenant par la main son janséniste. La scène alors devint plus neuve et plus intéressante. Elle commença par les tendres embrassements de l'oncle et de la tante. L'abbé de Saint-Yves se mettait presque aux genoux de l'Ingénu, qui n'était plus l'*ingénu*. Les deux amants se parlaient par des regards qui exprimaient tous les sentiments dont ils étaient pénétrés. On voyait éclater la satisfaction, la reconnaissance, sur le front de l'un ; l'embarras était peint dans les yeux tendres et un peu égarés de l'autre. On était étonné qu'elle mêlât de la douleur à tant de joie.

Le vieux Gordon devint en peu de moments cher à toute la famille. Il avait été malheureux avec le jeune prisonnier, et c'était un grand titre. Il devait sa délivrance aux deux amants, cela seul le réconciliait avec l'amour ; l'âpreté de ses anciennes opinions sortait de son cœur ; il était changé en homme, ainsi que le Huron. Chacun raconta ses aventures avant le souper. Les deux abbés, la tante, écoutaient comme des enfants qui entendent des histoires de revenants, et comme des hommes qui s'intéressaient tous à tant de désastres. « Hélas ! dit Gordon, il y a peut-être plus de cinq cents personnes vertueuses qui sont à présent dans les mêmes fers que Mlle de Saint-Yves a brisés : leurs malheurs sont inconnus. On trouve assez de mains qui frappent sur la foule des malheureux, et rarement une secourable. » Cette réflexion si vraie augmentait sa sensibilité et sa reconnaissance ; tout redoublait le triomphe de la belle Saint-Yves ; on admirait la grandeur et la fermeté de son âme. L'admiration était mêlée de ce respect qu'on sent malgré soi pour une personne qu'on croit avoir du crédit à la cour. Mais l'abbé de Saint-Yves disait quelquefois : « Comment ma sœur a-t-elle pu faire pour obtenir sitôt ce crédit ? »

On allait se mettre à table de très bonne heure. Voilà que la bonne amie de Versailles arrive sans rien savoir de tout ce qui s'était passé ; elle était en carrosse à six chevaux, et on voit bien à qui appartenait l'équipage. Elle entre avec l'air imposant d'une personne de cour qui a de grandes affaires, salue très légèrement la

compagnie, et, tirant la belle Saint-Yves à l'écart :
« Pourquoi vous faire tant attendre ? Suivez-moi ;
voilà vos diamants que vous aviez oubliés. » Elle ne
put dire ces paroles si bas que l'Ingénu ne les enten-
dît ; il vit les diamants ; le frère fut interdit ; l'oncle
et la tante n'éprouvèrent qu'une surprise de bonnes gens
qui n'avaient jamais vu une telle magnificence. Le jeune
homme, qui s'était formé par un an de réflexions, en
fit malgré lui, et parut troublé un moment. Son amante
s'en aperçut ; une pâleur mortelle se répandit sur son
beau visage, un frisson la saisit, elle se soutenait à peine.
« Ah ! madame, dit-elle à la fatale amie, vous m'avez
perdue ! vous me donnez la mort ! » Ces paroles per-
cèrent le cœur de l'Ingénu ; mais il avait déjà appris
à se posséder ; il ne les releva point, de peur d'inquiéter
sa maîtresse devant son frère ; mais il pâlit comme elle.

Saint-Yves, éperdue de l'altération qu'elle apercevait
sur le visage de son amant, entraîne cette femme hors
de la chambre dans un petit passage, jette les diamants
à terre devant elle. « Ah ! ce ne sont pas eux qui m'ont
séduite, vous le savez ; mais celui qui les a donnés ne
me reverra jamais. » L'amie les ramassait, et Saint-
Yves ajoutait : « Qu'il les reprenne ou qu'il vous les
donne ; allez, ne me rendez plus honteuse de moi-
même. » L'ambassadrice enfin s'en retourna, ne pouvant comprendre les remords dont elle était témoin.

La belle Saint-Yves, oppressée, éprouvant dans son
corps une révolution qui la suffoquait, fut obligée de
se mettre au lit ; mais pour n'alarmer personne elle ne
parla point de ce qu'elle souffrait, et, ne prétextant que
sa lassitude, elle demanda la permission de prendre du
repos ; mais ce fut après avoir rassuré la compagnie
par des paroles consolantes et flatteuses, et jeté sur son
amant des regards qui portaient le feu dans son âme.

Le souper, qu'elle n'animait pas, fut triste dans le
commencement, mais de cette tristesse intéressante qui
fournit des conversations attachantes et utiles, si supérieures à la frivole joie qu'on recherche, et qui n'est
d'ordinaire qu'un bruit importun.

Gordon fit en peu de mots l'histoire du jansénisme et du molinisme [1], des persécutions dont un parti accablait l'autre, et de l'opiniâtreté de tous les deux. L'Ingénu en fit la critique, et plaignit les hommes qui, non contents de tant de discorde que leurs intérêts allument, se font de nouveaux maux pour des intérêts chimériques, et pour des absurdités inintelligibles. Gordon racontait, l'autre jugeait ; les convives écoutaient avec émotion et s'éclairaient d'une lumière nouvelle. On parla de la longueur de nos infortunes et de la brièveté de la vie. On remarqua que chaque profession a un vice et un danger qui lui sont attachés, et que, depuis le prince jusqu'au dernier des mendiants, tout semble accuser la nature. Comment se trouve-t-il tant d'hommes qui, pour si peu d'argent, se font les persécuteurs, les satellites, les bourreaux des autres hommes ? Avec quelle indifférence inhumaine un homme en place signe la destruction d'une famille, et avec quelle joie plus barbare des mercenaires l'exécutent !

« J'ai vu dans ma jeunesse, dit le bonhomme Gordon, un parent du maréchal de Marillac [2], qui, étant poursuivi dans sa province pour la cause de cet illustre malheureux, se cachait dans Paris sous un nom supposé. C'était un vieillard de soixante et douze ans. Sa femme, qui l'accompagnait, était à peu près de son âge. Ils avaient eu un fils libertin qui, à l'âge de quatorze ans, s'était enfui de la maison paternelle ; devenu soldat, puis déserteur, il avait passé par tous les degrés de la débauche et de la misère ; enfin, ayant pris un nom de terre, il était dans les gardes du cardinal de Richelieu (car ce prêtre, ainsi que Mazarin, avait des gardes) ; il avait obtenu un bâton d'exempt dans cette compagnie de satellites [3]. Cet aventurier fut chargé

---

1. Doctrine du théologien jésuite Molina (1536-1600).
2. Adversaire de Richelieu, décapité en 1632.
3. Une charge d'officier de police dans ce corps d'hommes de main.

d'arrêter le vieillard et son épouse, et s'en acquitta avec toute la dureté d'un homme qui voulait plaire à son maître. Comme il les conduisait, il entendit ces deux victimes déplorer la longue suite des malheurs qu'elles avaient éprouvés depuis leur berceau. Le père et la mère comptaient parmi leurs plus grandes infortunes les égarements et la perte de leur fils. Il les reconnut ; il ne les conduisit pas moins en prison, en les assurant que Son Éminence devait être servie de préférence à tout. Son Éminence récompensa son zèle.

« J'ai vu un espion du père de La Chaise trahir son propre frère, dans l'espérance d'un petit bénéfice qu'il n'eut point ; et je l'ai vu mourir, non de remords, mais de douleur d'avoir été trompé par le jésuite.

« L'emploi de confesseur, que j'ai longtemps exercé, m'a fait connaître l'intérieur des familles ; je n'en ai guère vu qui ne fussent plongées dans l'amertume, tandis qu'au dehors couvertes du masque du bonheur elles paraissaient nager dans la joie, et j'ai toujours remarqué que les grands chagrins étaient le fruit de notre cupidité effrénée.

— Pour moi, dit l'Ingénu, je pense qu'une âme noble, reconnaissante et sensible peut vivre heureuse ; et je compte bien jouir d'une félicité sans mélange avec la belle et généreuse Saint-Yves. Car je me flatte, ajouta-t-il, en s'adressant à son frère avec le sourire de l'amitié, que vous ne me refuserez pas, comme l'année passée, et que je m'y prendrai d'une manière plus décente. » L'abbé se confondit en excuses du passé et en protestations d'un attachement éternel.

L'oncle Kerkabon dit que ce serait le plus beau jour de sa vie. La bonne tante, en s'extasiant et en pleurant de joie, s'écriait : « Je vous l'avais bien dit que vous ne seriez jamais sous-diacre ; ce sacrement-ci vaut mieux que l'autre ; plût à Dieu que j'en eusse été honorée ! mais je vous servirai de mère. » Alors ce fut à qui renchérirait sur les louanges de la tendre Saint-Yves.

Son amant avait le cœur trop plein de ce qu'elle avait fait pour lui, il l'aimait trop pour que l'aventure des

diamants eût fait sur son cœur une impression domi-
nante. Mais ces mots qu'il avait trop entendus : *vous
me donnez la mort*, l'effrayaient encore en secret et cor-
rompaient toute sa joie, tandis que les éloges de sa belle
maîtresse augmentaient encore son amour. Enfin on
n'était plus occupé que d'elle ; on ne parlait que du
bonheur que ces deux amants méritaient ; on s'arran-
geait pour vivre tous ensemble dans Paris, on faisait
des projets de fortune et d'agrandissement, on se livrait
à toutes ces espérances que la moindre lueur de félicité
fait naître si aisément. Mais l'Ingénu, dans le fond de
son cœur, éprouvait un sentiment secret qui repous-
sait cette illusion. Il relisait ces promesses signées Saint-
Pouange, et les brevets signés Louvois ; on lui dépeignit ces deux hommes tels qu'ils étaient, ou qu'on les
croyait être. Chacun parla des ministres et du minis-
tère avec cette liberté de table regardée en France
comme la plus précieuse liberté qu'on puisse goûter sur
la terre.

« Si j'étais roi de France, dit l'Ingénu, voici le ministre de la guerre que je choisirais : je voudrais un homme
de la plus haute naissance, par la raison qu'il donne
des ordres à la noblesse. J'exigerais qu'il eût été lui-
même officier, qu'il eût passé par tous les grades, qu'il
fût au moins lieutenant général des armées, et digne
d'être maréchal de France ; car n'est-il pas nécessaire
qu'il ait servi lui-même pour mieux connaître les détails
du service ? et les officiers n'obéiront-ils pas avec cent
fois plus d'allégresse à un homme de guerre qui aura
comme eux signalé son courage, qu'à un homme de
cabinet qui ne peut que deviner tout au plus les opérations d'une campagne, quelque esprit qu'il puisse
avoir ? je ne serais pas fâché que mon ministre fût généreux, quoique mon garde du trésor royal en fût quelquefois un peu embarrassé. J'aimerais qu'il eût un travail facile, et que même il se distinguât par cette gaieté
d'esprit, partage d'un homme supérieur aux affaires,
qui plaît tant à la nation et qui rend tous les devoirs
moins pénibles. » Il désirait qu'un ministre eût ce carac-

tère parce qu'il avait toujours remarqué que cette belle humeur est incompatible avec la cruauté.

Mons de Louvois n'aurait peut-être pas été satisfait des souhaits de l'Ingénu : il avait une autre sorte de mérite.

Mais, pendant qu'on était à table, la maladie de cette fille malheureuse prenait un caractère funeste ; son sang s'était allumé, une fièvre dévorante s'était déclarée, elle souffrait, et ne se plaignait point, attentive à ne pas troubler la joie des convives.

Son frère, sachant qu'elle ne dormait pas, alla au chevet de son lit ; il fut surpris de l'état où elle était. Tout le monde accourut ; l'amant se présentait à la suite du frère. Il était sans doute le plus alarmé et le plus attendri de tous ; mais il avait appris à joindre la discrétion à tous les dons heureux que la nature lui avait prodigués, et le sentiment prompt des bienséances commençait à dominer dans lui.

On fit venir aussitôt un médecin du voisinage. C'était un de ceux qui visitent leurs malades en courant, qui confondent la maladie qu'ils viennent de voir avec celle qu'ils voient, qui mettent une pratique aveugle dans une science à laquelle toute la maturité d'un discernement sain et réfléchi ne peut ôter son incertitude et ses dangers. Il redoubla le mal par sa précipitation à prescrire un remède alors à la mode. De la mode jusque dans la médecine ! Cette manie était trop commune dans Paris.

La triste Saint-Yves contribuait encore plus que son médecin à rendre sa maladie dangereuse. Son âme tuait son corps. La foule des pensées qui l'agitaient portait dans ses veines un poison plus dangereux que celui de la fièvre la plus brûlante.

CHAPITRE XX

LA BELLE SAINT-YVES MEURT,
ET CE QUI EN ARRIVE

On appela un autre médecin : celui-ci, au lieu d'aider
la nature et de la laisser agir dans une jeune personne
dans qui tous les organes rappelaient la vie, ne fut
occupé que de contrecarrer son confrère. La maladie
devint mortelle en deux jours. Le cerveau, qu'on croit
le siège de l'entendement, fut attaqué aussi violemment
que le cœur, qui est, dit-on, le siège des passions.

Quelle mécanique incompréhensible a soumis les
organes au sentiment et à la pensée ? comment une seule
idée douloureuse dérange-t-elle le cours du sang, et
comment le sang à son tour porte-t-il ses irrégularités
dans l'entendement humain ? quel est ce fluide inconnu
et dont l'existence est certaine, qui, plus prompt, plus
actif que la lumière, vole en moins d'un clin d'œil dans
tous les canaux de la vie, produit les sensations, la
mémoire, la tristesse ou la joie, la raison ou le vertige,
rappelle avec horreur ce qu'on voudrait oublier, et fait
d'un animal pensant ou un objet d'admiration, ou un
sujet de pitié et de larmes ?

C'était là ce que disait le bon Gordon ; et cette
réflexion si naturelle, que rarement font les hommes,
ne dérobait rien à son attendrissement ; car il n'était
pas de ces malheureux philosophes qui s'efforcent
d'être insensibles. Il était touché du sort de cette jeune
fille, comme un père qui voit mourir lentement son
enfant chéri. L'abbé de Saint-Yves était désespéré, le

prieur et sa sœur répandaient des ruisseaux de larmes. Mais qui pourrait peindre l'état de son amant ? Nulle langue n'a des expressions qui répondent à ce comble des douleurs ; les langues sont trop imparfaites.

La tante, presque sans vie, tenait la tête de la mourante dans ses faibles bras, son frère était à genoux au pied du lit. Son amant pressait sa main, qu'il baignait de pleurs, et éclatait en sanglots ; il la nommait sa bienfaitrice, son espérance, sa vie, la moitié de lui-même, sa maîtresse, son épouse. À ce mot d'*épouse*, elle soupira, le regarda avec une tendresse inexprimable, et soudain jeta un cri d'horreur ; puis, dans un de ces intervalles où l'accablement et l'oppression des sens, et les souffrances suspendues, laissent à l'âme sa liberté et sa force, elle s'écria : « Moi, votre épouse ! Ah ! cher amant, ce nom, ce bonheur, ce prix, n'étaient plus faits pour moi ; je meurs, et je le mérite. Ô dieu de mon cœur ! ô vous que j'ai sacrifié à des démons infernaux, c'en est fait, je suis punie, vivez heureux. » Ces paroles tendres et terribles ne pouvaient être comprises ; mais elles portaient dans tous les cœurs l'effroi et l'attendrissement ; elle eut le courage de s'expliquer. Chaque mot fit frémir d'étonnement, de douleur et de pitié tous les assistants. Tous se réunissaient à détester l'homme puissant qui n'avait réparé une horrible injustice que par un crime, et qui avait forcé la plus respectable innocence à être sa complice.

« Qui ? vous, coupable ! lui dit son amant ; non, vous ne l'êtes pas ; le crime ne peut être que dans le cœur, le vôtre est à la vertu et à moi. »

Il confirmait ce sentiment par des paroles qui semblaient ramener à la vie la belle Saint-Yves. Elle se sentit consolée, et s'étonnait d'être aimée encore. Le vieux Gordon l'aurait condamnée dans le temps qu'il n'était que janséniste ; mais étant devenu sage, il l'estimait et il pleurait.

Au milieu de tant de larmes et de craintes, pendant que le danger de cette fille si chère remplissait tous les cœurs, que tout était consterné, on annonce un courrier de la cour. Un courrier ! et de qui ? et pourquoi ? C'était de la part du confesseur du roi pour le prieur de la Montagne ; ce n'était pas le père de La Chaise qui écrivait, c'était le frère Vadbled [1], son valet de chambre, homme très important dans ce temps-là, lui qui mandait aux archevêques les volontés du révérend père, lui qui donnait audience, lui qui promettait des bénéfices, lui qui faisait quelquefois expédier des lettres de cachet. Il écrivait à l'abbé de la Montagne *que Sa Révérence était informée des aventures de son neveu, que sa prison n'était qu'une méprise, que ces petites disgrâces arrivaient fréquemment, qu'il ne fallait pas y faire attention, et qu'enfin il convenait que lui prieur vînt lui présenter son neveu le lendemain, qu'il devait amener avec lui le bonhomme Gordon, que lui frère Vadbled les introduirait chez Sa Révérence et chez mons de Louvois, lequel leur dirait un mot dans son antichambre.*

Il ajoutait que l'histoire de l'Ingénu et son combat contre les Anglais avaient été contés au roi, que sûrement le roi daignerait le remarquer quand il passerait dans la galerie, et peut-être même lui ferait un signe de tête. La lettre finissait par l'espérance dont on le flattait que toutes les dames de la cour s'empresseraient de faire venir son neveu à leurs toilettes [2], que plusieurs d'entre elles lui diraient : « Bonjour, monsieur l'Ingénu » ; et qu'assurément il serait question de lui au souper du roi. La lettre était signée : *Votre affectionné Vadbled, frère jésuite.*

Le prieur ayant lu la lettre tout haut, son neveu, furieux, et commandant un moment à sa colère, ne dit rien au porteur ; mais, se tournant vers le compagnon de ses infortunes, il lui demanda ce qu'il pensait de ce

---

1. Le père Vatebled était un proche du père de La Chaise.
2. De le recevoir tandis qu'elles se feraient coiffer.

style. Gordon lui répondit : « C'est donc ainsi qu'on traite les hommes comme des singes ! On les bat et on les fait danser. » L'Ingénu, reprenant son caractère, qui revient toujours dans les grands mouvements de l'âme, déchira la lettre par morceaux et les jeta au nez du courrier : « Voilà ma réponse. » Son oncle, épouvanté, crut voir le tonnerre et vingt lettres de cachet tomber sur lui. Il alla vite écrire et excuser, comme il put, ce qu'il prenait pour l'emportement d'un jeune homme, et qui était la saillie [1] d'une grande âme.

Mais des soins plus douloureux s'emparaient de tous les cœurs. La belle et infortunée Saint-Yves sentait déjà ✆ sa fin approcher ; elle était dans le calme, mais dans ce calme affreux de la nature affaissée qui n'a plus la force de combattre. « Ô mon cher amant ! dit-elle d'une voix tombante, la mort me punit de ma faiblesse ; mais j'expire avec la consolation de vous savoir libre. Je vous ai adoré en vous trahissant, et je vous adore en vous disant un éternel adieu. »

Elle ne se parait pas d'une vaine fermeté ; elle ne concevait pas cette misérable gloire de faire dire à quelques voisins : « Elle est morte avec courage. » Qui peut perdre à vingt ans son amant, sa vie, et ce qu'on appelle l'*honneur*, sans regrets et sans déchirements ? Elle sentait toute l'horreur de son état, et le faisait sentir par ces mots et par ces regards mourants qui parlent avec tant d'empire. Enfin elle pleurait comme les autres dans les moments où elle eut la force de pleurer.

Que d'autres cherchent à louer les morts fastueuses de ceux qui entrent dans la destruction avec insensibilité : c'est le sort de tous les animaux. Nous ne mourons comme eux avec indifférence que quand l'âge ou la maladie nous rend semblables à eux par la stupidité de nos organes. Quiconque fait une grande perte a de grands regrets ; s'il les étouffe, c'est qu'il porte la vanité jusque dans les bras de la mort.

_____

1. Le mouvement.

✆ Voir *Au fil du texte*, p. XX.

Lorsque le moment fatal fut arrivé, tous les assistants jetèrent des larmes et des cris. L'Ingénu perdit l'usage de ses sens. Les âmes fortes ont des sentiments bien plus violents que les autres quand elles sont tendres. Le bon Gordon le connaissait assez pour craindre qu'étant revenu à lui il ne se donnât la mort. On écarta toutes les armes ; le malheureux jeune homme s'en aperçut ; il dit à ses parents et à Gordon, sans pleurer, sans gémir, sans s'émouvoir : « Pensez-vous donc qu'il y ait quelqu'un sur la terre qui ait le droit et le pouvoir de m'empêcher de finir ma vie ? » Gordon se garda bien de lui étaler ces lieux communs fastidieux par lesquels on essaie de prouver qu'il n'est pas permis d'user de sa liberté pour cesser d'être quand on est horriblement mal, qu'il ne faut pas sortir de sa maison quand on ne peut plus y demeurer, que l'homme est sur la terre comme un soldat à son poste : comme s'il importait à l'Être des êtres que l'assemblage de quelques parties de matière fût dans un lieu ou dans un autre ; raisons impuissantes qu'un désespoir ferme et réfléchi dédaigne d'écouter, et auxquelles Caton [1] ne répondit que par un coup de poignard.

Le morne et terrible silence de l'Ingénu, ses yeux sombres, ses lèvres tremblantes, les frémissements de son corps, portaient dans l'âme de tous ceux qui le regardaient ce mélange de compassion et d'effroi qui enchaîne toutes les puissances de l'âme, qui exclut tout discours, et qui ne se manifeste que par des mots entrecoupés. L'hôtesse et sa famille étaient accourues ; on tremblait de son désespoir, on le gardait à vue, on observait tous ses mouvements. Déjà le corps glacé de la belle Saint-Yves avait été porté dans une salle basse, loin des yeux de son amant, qui semblait la chercher encore, quoiqu'il ne fût plus en état de rien voir.

---

1. Caton d'Utique, incarnation du stoïcisme romain, se suicida en 46 av. J.-C. après sa défaite devant César.

Au milieu de ce spectacle de la mort, tandis que le corps est exposé à la porte de la maison, que deux prêtres à côté d'un bénitier récitent des prières d'un air distrait, que des passants jettent quelques gouttes d'eau bénite sur la bière par oisiveté, que d'autres poursuivent leur chemin avec indifférence, que les parents pleurent et qu'un amant est prêt de s'arracher la vie, le Saint-Pouange arrive avec l'amie de Versailles.

Son goût passager, n'ayant été satisfait qu'une fois, était devenu de l'amour. Le refus de ses bienfaits l'avait piqué. Le père de La Chaise n'aurait jamais pensé à venir dans cette maison ; mais Saint-Pouange, ayant tous les jours devant les yeux l'image de la belle Saint-Yves, brûlant d'assouvir une passion qui par une seule jouissance avait enfoncé dans son cœur l'aiguillon des désirs, ne balança pas à venir lui-même chercher celle qu'il n'aurait pas peut-être voulu revoir trois fois si elle était venue d'elle-même.

Il descend de carrosse ; le premier objet qui se présente à lui est une bière ; il détourne les yeux avec ce simple dégoût d'un homme nourri dans les plaisirs, qui pense qu'on doit lui épargner tout spectacle qui pourrait le ramener à la contemplation de la misère humaine. Il veut monter. La femme de Versailles demande par curiosité qui on va enterrer ; on prononce le nom de Mlle de Saint-Yves. À ce nom, elle pâlit et poussa un cri affreux ; Saint-Pouange se retourne ; la surprise et la douleur saisissent son âme. Le bon Gordon était là, les yeux remplis de larmes. Il interrompt ses tristes prières pour apprendre à l'homme de cour toute cette horrible catastrophe. Il lui parle avec cet empire que donnent la douleur et la vertu. Saint-Pouange n'était point né méchant ; le torrent des affaires et des amusements avait emporté son âme, qui ne se connaissait pas encore. Il ne touchait point à la vieillesse, qui endurcit d'ordinaire le cœur des ministres ; il écoutait Gordon les yeux baissés, et il en essuyait quelques pleurs qu'il était étonné de répandre : il connut le repentir.

« Je veux voir absolument, dit-il, cet homme extraordinaire dont vous m'avez parlé ; il m'attendrit presque
autant que cette innocente victime dont j'ai causé la
mort. » Gordon le suit jusqu'à la chambre où le prieur,
la Kerkabon, l'abbé de Saint-Yves et quelques voisins
rappelaient à la vie le jeune homme retombé en défail-
lance.

« J'ai fait votre malheur, lui dit le sous-ministre ;
j'emploierai ma vie à le réparer. » La première idée qui
vint à l'Ingénu fut de le tuer et de se tuer lui-même
après. Rien n'était plus à sa place ; mais il était sans
armes et veillé de près. Saint-Pouange ne se rebuta point
des refus accompagnés du reproche, du mépris et de
l'horreur qu'il avait mérités, et qu'on lui prodigua. Le
temps adoucit tout. Mons de Louvois vint enfin à bout
de faire un excellent officier de l'Ingénu, qui a paru
sous un autre nom à Paris et dans les armées, avec
l'approbation de tous les honnêtes gens, et qui a été
à la fois un guerrier et un philosophe intrépide.

Il ne parlait jamais de cette aventure sans gémir ; et
cependant sa consolation était d'en parler. Il chérit la
mémoire de la tendre Saint-Yves jusqu'au dernier
moment de sa vie. L'abbé de Saint-Yves et le prieur
eurent chacun un bon bénéfice ; la bonne Kerkabon
aima mieux voir son neveu dans les honneurs militaires
que dans le sous-diaconat. La dévote de Versailles garda
les boucles de diamants, et reçut encore un beau présent. Le père Tout-à-tous eut des boîtes de chocolat,
de café, de sucre candi, de citrons confits, avec les
Méditations du révérend père Croiset et *la Fleur des
saints* reliées en maroquin [1]. Le bon Gordon vécut
avec l'Ingénu jusqu'à sa mort dans la plus intime amitié ; il eut un bénéfice aussi, et oublia pour jamais la

1. Les *Méditations ou Retraite spirituelle pour un jour de chaque
mois* du R.P. Croiset (parues en 1710 !) et le *Flos sanctorum* du jésuite
espagnol Pedro Ribadeneira sont de célèbres ouvrages de
piété.

grâce efficace et le concours concomitant[1]. Il prit pour sa devise : *malheur est bon à quelque chose*. Combien d'honnêtes gens dans le monde ont pu dire : *malheur n'est bon à rien !*

1. La grâce concomitante est celle que Dieu donne dans le cadre des actions pour les rendre méritoires (Littré).

LES CLÉS DE L'ŒUVRE

Pour approfondir votre lecture, LIRE vous propose une sélection commentée :
• de morceaux « classiques » devenus incontournables, signalés par ●◆ (droit au but).
• d'extraits représentatifs de l'œuvre, signalés par ᴄ◆ (en flânant).

AU FIL DU TEXTE

Par Chantal Chemla,
professeur de lettres classiques.

- Lectures croisées
- Pistes de recherches
- Parcours critique
- Un livre/un film

AU FIL DU TEXTE

I - DÉCOUVRIR

La phrase clé

« Tous les hommes sont d'accord sur la vérité, quand elle est démontrée, mais ils sont trop partagés sur les vérités obscures. »

L'Ingénu, chap. XIV, p. 113.

• LA DATE

Pendant que, en France, commence la publication de l'*Encyclopédie*, c'est à Berlin que, en février 1752, en même temps que *Le Siècle de Louis XIV*, paraît *Micromégas*. En effet, après la mort de Mme du Châtelet, en 1749, Voltaire est allé s'installer à Berlin, où l'appelait Frédéric II. On trouve dans le conte de Voltaire des allusions assez nombreuses à la Prusse, et en particulier aux officiers de la garde royale (pp. 36-41).

C'est quinze ans plus tard, en 1767, que *L'Ingénu* fut publié simultanément à Genève et à Paris, tandis que Voltaire, qui n'avait pas signé l'ouvrage et en niait publiquement la paternité, se trouvait à Ferney. Dans les années précédentes se sont produits un certain nombre d'événements dont on trouve la trace dans le conte : le traité de Paris, en 1763, par lequel la France perd le Canada au profit de l'Angleterre, et surtout les différentes « affaires » dont Voltaire s'est occupé, particulièrement l'affaire du chevalier de La Barre, condamné pour avoir mutilé un crucifix, et chez qui on avait retrouvé un exemplaire du *Dictionnaire philosophique*, ouvrage interdit.

• LE TITRE

« Micromégas », le nom du héros a été forgé par l'auteur, à partir de deux éléments grecs : *mikros* (petit), *megas* (grand). Ce nom est symbolique, il résume en un mot la philosophie du livre : rien n'a de valeur absolue.

Quant à « L'Ingénu », c'est le surnom du héros, qui se présente ainsi : « On m'a toujours appelé *l'Ingénu*, […] parce que je dis toujours naïvement ce que je pense, comme je fais tout ce que je veux. » « Ingénu » se dit en effet d'une personne « qui laisse voir avec naïveté ses sentiments » (Littré) ; mais ce sens n'est que le second, car le mot est emprunté au latin *ingenuus*, terme de droit romain désignant un homme « né libre et qui n'a jamais été dans une servitude légitime, par opposition à affranchi » (Littré). Le héros de Voltaire est donc un homme libre, en même temps qu'un candide.

Les deux contes ont un sous-titre du même type, c'est-à-dire qu'il ne donne pas le contenu philosophique de l'œuvre (comme pour *Zadig, ou la Destinée, Candide, ou l'Optimisme*), mais qu'il précise le genre littéraire : *Micromégas, histoire philosophique*, et *L'Ingénu, histoire véritable*. Dans les deux cas, il s'agit donc d'*histoires*. Or Voltaire, dans son *Dictionnaire philosophique*, écrit, dans l'article « Histoire » : « L'histoire est le récit des faits donnés pour vrais, au contraire de la Fable qui est le récit des faits donnés pour faux » (cité par Littré). Les deux récits sont donc présentés par l'auteur comme des histoires vraies.

• COMPOSITION

Le point de vue de l'auteur

Le pacte de lecture

Dès les premières lignes de *Micromégas*, l'auteur intervient pour donner sa caution : « un jeune homme de beaucoup d'esprit, que j'ai eu l'honneur de connaître… » (p. 25) ; « j'en ai lu le manuscrit dans la bibliothèque de l'illustre archevêque de …, qui m'a laissé voir ses livres » (p. 34).

Tout au long de l'œuvre, l'auteur-narrateur dévoile sa présence, de manière plus ou moins discrète. Tantôt il parle à la première personne, se présentant comme le narrateur : « je suis obligé d'avouer… ce n'est pas que je prétende que… je ne veux contredire personne… » (p. 27) ; « Je rapporterai ici… » (p. 28) ; « Je ne prétends choquer ici la vanité de personne, mais je suis obligé de prier les importants de faire ici une petite remarque avec moi » (p. 41). Ici, il se donne explicitement la qualité d'historien et prétend à l'objectivité : « Je vais raconter ingénument comme la chose se passa, sans rien y mettre du mien, ce qui n'est pas un petit effort pour un historien » (p. 39). Ailleurs, il s'adresse à ses lecteurs, et emploie un « nous » complice : « nous autres, sur notre petit tas de boue » (p. 27) ; « nous et nos confrères les autres habitants de ce globe » (p. 37). Enfin, tout au long du récit, des parenthèses dévoilent plus ou moins clairement la présence d'un narrateur qui donne son avis, ou qui précise un point, par exemple : « Il avait huit lieues de haut : j'entends, par huit lieues, vingt-quatre mille pas géométriques de cinq pieds chacun » (p. 25).

Dans *L'Ingénu*, Voltaire a recours à la fiction classique du manuscrit retrouvé, dont il se présente comme l'éditeur. Le narrateur s'efface, et l'auteur écrit avec une apparente objectivité, qui ne donne que plus de force à l'ironie présente dans l'œuvre tout entière. Il se donne pour un historien. Dans cette œuvre, le narrateur a un point de vue omniscient, puisqu'il connaît les faits et gestes de chacun des personnages, ainsi que les mobiles qui les animent.

Les objectifs d'écriture

Micromégas appartient au genre romanesque des « voyages extraordinaires ». Mais, alors que dans la plupart des œuvres entrant dans cette catégorie, un homme de notre univers découvre avec étonnement des mondes inconnus sur la Terre ou sur d'autres planètes, ici, ce sont deux habitants d'autres mondes qui viennent découvrir la Terre. Ce sont les visiteurs qui appartiennent au domaine imaginaire, tandis que ce qu'ils observent est la réalité. En ce sens, on peut mettre en parallèle *Micromégas* et *L'Ingénu*. Ce sont deux *extraterrestres* qui débarquent en France, à ceci près que le premier est un habitant d'une autre planète, tandis que le second ne vient *que* d'un autre continent. Mais ils semblent aussi surpris l'un que l'autre par ce qu'ils découvrent.

Autre point commun entre les deux contes : Voltaire prend bien soin de dater le récit avec précision. Dans *Micromégas*, les voyageurs « arrivèrent à terre sur le bord septentrional de la mer Baltique, le cinq juillet mil sept cent trente-sept, nouveau style ». Ce mélange de réalité et de fantaisie est caractéristique de la satire. Car le but de Voltaire, c'est sans doute de faire rire par un récit fantaisiste, qui met en scène des personnages sérieux et solennels, les savants membres de l'expédition de Maupertuis. Quant à *L'Ingénu*, l'action commence exactement « en l'année 1689, le 15 juillet au soir ». C'est dire que, comme dans un roman, il faut distinguer le temps de la publication et le temps de la fiction. Voltaire écrit sous le règne de Louis XV, mais l'histoire qu'il raconte se déroule sous celui de Louis XIV ; elle commence quatre ans après la révocation de l'édit de Nantes, l'année même de la promulgation du « Bill of rights » (Déclaration des droits), qui crée en Angleterre une monarchie constitutionnelle. Le décalage chronologique permet la critique de la société contemporaine qu'on devine à travers celle du XVIIe siècle. Comme dans les romans historiques, des personnes célèbres jouent un rôle et côtoient les héros fictifs : Louvois, Bossuet, Fénelon, le père de La Chaise, M. Alexandre…

Structure de l'œuvre

1. *Micromégas* est composé de dix chapitres, dont les trois premiers sont consacrés au voyage interplanétaire, tandis que les sept autres racontent la découverte que les deux voyageurs font de la Terre.

• Le voyage : Micromégas, banni de la Cour pour avoir écrit un livre jugé subversif, « se mit à voyager de planète en planète pour achever de se former *l'esprit et le cœur* ». Après une course digne d'un dessein animé, notre héros arrive sur Saturne, où il recrute un compagnon de voyage, et tous deux continuent leur route, et passent par Jupiter et Mars avant d'arriver sur la Terre.

Ce voyage se fait donc vers des mondes de plus en plus petits, et aboutit à une rencontre avec des hommes, qui sont les êtres les plus minuscules qui puissent être perçus par les deux voyageurs – encore ceux-ci ont-ils besoin de l'aide d'instruments grossissants et amplificateurs.

• La seconde partie est une sorte de remontée du plus petit vers le plus grand ; nous passons en effet du plan physique au plan intellectuel, et les hommes, ces misérables créatures, « ces êtres imperceptibles », ont une intelligence hors de proportion avec leur taille.

2. *L'Ingénu*, récit plus long que *Micromégas*, a aussi une composition beaucoup plus complexe. En cela, c'est sans doute le conte de Voltaire le plus proche d'une structure romanesque : dans les douze premiers chapitres, nous avons un déroulement traditionnel pour un conte, c'est-à-dire que nous suivons le héros, d'abord en Bretagne, puis dans son voyage pour se rendre à Versailles, enfin à la Bastille. À partir du chapitre XIII, nous nous intéressons au sort de Mlle de Saint-Yves – avec une parenthèse au chapitre XIV : retour à la Bastille – et, au chapitre XVIII, toute la compagnie se retrouve à Paris, jusqu'au chapitre XX où l'histoire trouve son dénouement avec la mort de l'héroïne. Les deux principaux héros se partagent l'intérêt du lecteur.

La structure romanesque apparaît aussi dans la façon dont l'auteur se sert de péripéties extérieures pour faire rebondir l'action : ainsi, lorsque, à la fin du chapitre VI, les amants sont séparés, et que Mlle de Saint-Yves est enfermée dans un couvent, on est dans une impasse, tout est bloqué. Mais l'attaque des Anglais arrive à propos pour permettre la poursuite de l'intrigue.

Notons enfin ceci : alors que, dans *Micromégas*, les titres de chapitres sont relativement vagues, dans *L'Ingénu*, ce sont généralement des phrases, qui, mises bout à bout, constituent une sorte de résumé de l'intrigue.

II - LIRE

Pour approfondir votre lecture, LIRE vous propose une sélection commentée :
- *de morceaux « classiques » devenus incontournables, signalés par ◆▷ (droit au but).*
- *d'extraits représentatifs de l'œuvre, signalés par ↪ (en flânant).*

MICROMÉGAS

◆◇ 1 - *Incipit*	
de « Dans une de ces planètes qui tournent… » à « … paraître à la cour de huit cents années ».	pp. 25-27

C'est un début particulièrement adapté à la nature de l'œuvre, puisqu'il peut ouvrir aussi bien un conte qu'un récit véridique.

Certains éléments en effet rappellent le début traditionnel du conte. Le lieu, pour être nommé, n'en est pas moins vague et fantaisiste (« dans une de ces planètes… »). Le héros est présenté par une formule traditionnelle, proche du classique « Il était une fois » : « il y avait un jeune homme de beaucoup d'esprit ». Il est défini par son trait de caractère dominant. On songe au début de *Candide* : « Il y avait en Westphalie […] un jeune garçon à qui la nature avait donné les mœurs les plus douces. »

Pourtant le récit semble appartenir à la catégorie des histoires vraies, puisque le narrateur dit avoir connu personnellement son héros. Cette fois, nous voilà apparemment dans un roman « réaliste ».

Le portrait du héros est caractérisé par deux qualités, sa taille et son « esprit ». La définition de sa taille est faite avec beaucoup de précision, en usant d'une quantité de mesures, affectées de leur conversion en diverses unités. Les calculs évoqués dans une phrase de dix lignes donnent le vertige, et sont suivis d'une courte conclusion humoristique : « Rien n'est plus simple et plus ordinaire dans la nature. » Le portrait intellectuel de Micromégas est plus intéressant. Ce jeune homme distingué semble avoir deux modèles, l'un dans la fiction, l'autre dans la réalité. Comme pour Gargantua, la durée de sa vie est proportionnelle à sa taille : son enfance se prolonge jusqu'à quatre cent cinquante ans, le procès traîne deux cent vingt ans, et on le condamne à huit cents années d'exil. Mais son destin ressemble à celui de Voltaire : élevé par les Jésuites, il écrit un livre qui lui attire les foudres des autorités religieuses et l'oblige à s'exiler, ce qui lui est une occasion de voyager, et de connaître du pays.

Sans aller jusqu'à parler d'identification à son héros, on voit, dès le début du récit, que Voltaire pourrait bien faire de Micromégas son porte-parole.

☞ 2 - *Un académicien de Saturne* de « Il lia une étroite amitié... » à « ... la figure ridicule que je fais dans ce monde ».	pp. 28-30

D'une galaxie à l'autre, Micromégas débarque dans la planète Saturne, peuplée de « nains qui n'ont que mille toises de haut ou environ » (la taille des êtres est proportionnelle à l'éloignement de leur planète par rapport à la Terre). Dans la tradition du roman de découverte, il trouve un interlocuteur qui va lui faire les honneurs de sa planète. Et ce n'est pas le premier venu, puisqu'il s'agit du « secrétaire de l'Académie de Saturne ». Dans le portrait de ce personnage, on a reconnu Fontenelle, dont Voltaire fait ici une caricature non dépourvue d'une certaine sympathie. C'est un vulgarisateur, ou, selon la définition de Voltaire, quelqu'un « qui n'avait à la vérité rien inventé, mais qui rendait un fort bon compte des inventions des autres ».

L'essentiel du texte est constitué par un dialogue entre les deux personnages. On peut remarquer que le Saturnien n'a pas de nom, et n'en aura pas dans tout le conte. Pour le désigner, Voltaire utilise uniquement des périphrases, et il est amusant de voir comme les dénominations perdent de leur solennité à mesure que le texte progresse et comme ce distingué personnage perd de son assurance et devient un homme ordinaire : « Le secrétaire de l'Académie de Saturne... monsieur le secrétaire... le secrétaire... l'académicien... le Saturnien... le petit homme de Saturne. » Parallèlement à ce decrescendo, on voit cet homme important être décontenancé par les remontrances de Micromégas, qui, avec une certaine brusquerie, rejette son style fleuri et finit par lui imposer une façon de parler claire et directe. On reconnaît dans l'« assemblée de blondes et de brunes » la « beauté blonde » et la « beauté brune » qui, chez Fontenelle, évoquent le jour et la nuit (*Entretiens sur la pluralité des Mondes*, Premier soir).

Ayant purgé son style de ses artifices, le Saturnien donne des renseignements précis sur ses compatriotes. Là encore, il y a proportionnalité entre la taille et les capacités de perception : soixante-douze sens pour un Saturnien, plus de mille pour un Sirien. Cette inégalité physique n'empêche pas que tous les êtres, quelles que soient leurs facultés, souffrent de la même insatisfaction, et que tous trouvent la vie trop brève, durât-elle quinze mille ans, comme pour les Siriens. N'oublions pas que c'est au milieu du xviiie siècle que la France découvre le *spleen* (ou *spline*), ces « vapeurs anglaises » (Diderot).

3 - Premier contact avec la Terre	
de « Le nain, qui jugeait quelquefois… » à « … un petit effort pour un historien ».	pp. 37-39

Arrivés sur la Terre, et plus exactement « sur le bord septentrional de la mer Baltique », « le cinq juillet mil sept cent trente-sept », au moment de l'expédition scientifique de Maupertuis, les deux voyageurs ne peuvent percevoir la moindre trace de vie sur cette minuscule planète.

Le passage comporte deux parties : une discussion théorique sur la méthode scientifique et une observation qui montre la supériorité de l'expérience sur la théorie.

Les deux compagnons s'affrontent dans un débat assez vif, comme en témoigne la succession des « mais… » qui introduisent chaque repartie, où leurs personnalités se révèlent : le Saturnien fait montre de précipitation dans ses jugements, se fiant à ses sens, alors que Micromégas, plus réfléchi, a une attitude cartésienne : « éviter soigneusement la précipitation et la prévention » et ne pas se fier aux sens dont la faiblesse des organes fausse la perception (*Discours de la méthode*). On peut remarquer que l'argumentation du Saturnien pour rejeter l'hypothèse d'une planète habitée repose sur l'imperfection de la Terre : « ce globe-ci est si mal construit, cela est si irrégulier et d'une forme qui me paraît si ridicule ! ». N'est-ce pas raisonner de la même manière que ceux qui veulent prouver l'existence de Dieu par les merveilles de la nature ? Et le raisonnement selon lequel la Terre ne peut être habitée parce que « des gens de bon sens ne voudraient pas y demeurer » paraît un sophisme que Micromégas s'empresse de relever : « Ce ne sont peut-être pas non plus des gens de bon sens qui l'habitent. »

Cette discussion où chacun reste sur ses positions montre l'hostilité de Voltaire pour les débats métaphysiques, forcément stériles, puisqu'ils s'attaquent à ce qui échappe à toute observation et à toute connaissance. Si enfin les deux voyageurs cessent d'ergoter pour se livrer à des observations précises, c'est grâce au hasard qui leur fournit des instruments d'optique adaptés. Là encore, on note une différence d'attitude entre les deux personnages, puisque, alors que Micromégas observe « fort patiemment », et qu'il arrive à la conclusion « qu'il n'y avait pas moyen de croire qu'une âme fût logée là » – l'expression implique qu'il a tourné la question dans tous les sens avant de lui donner une réponse –, le Saturnien continue à juger témérairement, il est tout de suite « convaincu », il « s'imagina bien vite » que les seuls habitants de la Terre sont des baleines, tel l'Anglais qui, ayant vu une rousse en débarquant à Calais, croyait que toutes les Françaises sont rousses.

C'est ici que le conte s'ancre apparemment dans la réalité, puisque nos visiteurs venus d'autres mondes rencontrent un groupe de savants bien réels. Voltaire s'amuse ici à livrer à ses lecteurs une exclusivité, la vérité sur la prétendue tempête dont aurait été victime l'expédition de Maupertuis : on ne nous avait pas tout dit, car « on ne sait jamais dans ce monde le dessous des cartes ».

4 - *Des « atomes intelligents » ou des « assassins ridicules » ?* de « Ô atomes intelligents, dans qui l'Être éternel... » à « ... un quart d'heure auparavant ».	pp. 47-49

Émerveillé par les connaissances mathématiques de ces êtres minuscules à qui il refusait une âme, Micromégas est tout prêt à les prendre pour de purs esprits occupés uniquement « à aimer et à penser ». Mais il va être vite détrompé, et apprendre que le mal règne partout sur la Terre et que les hommes s'entre-tuent depuis toujours au cours de guerres sanglantes, pour des motifs futiles. Nous retrouvons ici un thème récurrent dans l'œuvre de Voltaire, celui de l'existence du mal, et de sa forme suprême, la guerre. Ce fléau est présenté d'abord dans ses effets, et le vocabulaire utilisé est extrêmement violent, appartenant au champ lexical de la tuerie et du massacre. Les responsables de cette calamité sont les souverains, que Voltaire accable de ses sarcasmes.

Dans la deuxième partie du texte, Micromégas fait passer aux philosophes un véritable examen. Si, dans un premier temps, Voltaire exerce son ironie sur les domaines de recherche des « atomes pensants » – disséquer des mouches, mesurer des lignes, assembler des nombres, voilà des occupations bien puériles pour des personnes si respectables ! –, il rend hommage aux connaissances acquises grâce aux travaux scientifiques, connaissances sur lesquelles tout le monde s'accorde (l'auteur souligne l'unanimité des réponses). Cette précision provoque une fois de plus chez le Saturnien un de ces revirements dont il est coutumier, faute d'une réflexion suffisante pour fonder ses jugements.

Ainsi, dans ce passage, Voltaire souligne-t-il la disproportion entre la taille minuscule des hommes et leur intelligence, aussi immense que leur capacité à se détruire. Eux aussi, comme le héros du conte, pourraient porter le nom de « Micromégas », car ils sont à la fois petits et grands.

---

5 - Dispute de métaphysiciens
de « Enfin Micromégas leur dit… »
à « … Ah ! dit-il, je m'en étais bien douté ».   pp. 49-52

Après s'être livrés, pour Micromégas, à une superbe démonstration d'unanimité dans les connaissances scientifiques, les philosophes, interrogés sur la nature de l'âme, vont donner le lamentable spectacle de la confusion et du ridicule. C'est qu'il ne s'agit plus maintenant de physique, c'est-à-dire une science, mais de métaphysique – dont Voltaire disait qu'elle « contient deux choses, la première tout ce que les personnes de bon sens savent ; la deuxième, ce qu'elles ne sauront jamais » (*Lettre à Frédéric*, 1737). Voltaire fait une satire des différentes écoles philosophiques, en simplifiant caricaturalement leurs doctrines : l'entéléchie, d'Aristote (avec force citations en grec) ; les idées innées, de Descartes ; la Vision en Dieu, de Malebranche ; l'harmonie préétablie, de Leibniz. C'est un véritable festival de marionnettes philosophiques, un spectacle burlesque et pitoyable, momentanément interrompu par l'intervention du « petit partisan de Locke », modeste et réservé, dont le vocabulaire reflète l'honnêteté intellectuelle : « Je ne sais pas… je doute fort... il ne m'appartient pas... je n'affirme rien, je me contente de croire qu'il y a plus de choses possibles qu'on ne pense. » Mais nous ne resterons pas sur cette bonne impression, et la vedette incontestable de ce défilé est le Sorbonnagre prétentieux et anthropocentriste, qui pousse à l'extrême la suffisance humaine. Il va provoquer chez les deux explorateurs du cosmos un rire homérique – bien que ce passage évoque plutôt Rabelais et son *Gargantua*.

La conclusion du texte est aussi celle du conte : « le bout des choses », c'est un livre tout blanc ; il est donc vain de chercher à discuter sur ce qu'on ne peut pas connaître. De même, dans *Zadig*, le héros ne peut « déchiffrer un seul caractère » du « livre des destinées » que lui présente l'ermite. Ce n'est d'ailleurs pas la seule ressemblance entre les deux contes, car la présentation des doctrines philosophiques évoque le souper de *Zadig*, où les croyances religieuses sont exposées de la même manière.

L'INGÉNU

●◆ 6 - *Un Huron découvre la France* de « Un jour saint Dunstan... » à « ... au prieuré de Notre-Dame de la Montagne ».	pp. 55-57

C'est le début du conte, mais n'oublions pas que Voltaire a annoncé une histoire vraie. C'est pourquoi cet incipit est très différent des débuts de contes traditionnels (voir ci-dessus *Micromégas*). En fait le récit proprement dit commence au troisième paragraphe, les deux premiers étant consacrés à l'histoire du lieu, et, comme souvent en Bretagne, cette histoire se rapporte à la légende d'un saint. Faut-il préciser que Voltaire est un hagiographe extrêmement fantaisiste, et que saint Dunstan, s'il est un saint authentique, n'était pas irlandais, mais anglais, et qu'il n'a jamais mis les pieds en France, n'ayant fait la traversée ni sur une montagne ni sur une embarcation d'aucune sorte ? Mais cette légende, pour être apocryphe, est bien dans la veine de la tradition religieuse bretonne, dont Renan dira plus tard : « C'est surtout par le culte des saints qu'elle était caractérisée. Entre tant de particularités que la Bretagne possède en propre, l'hagiographie locale est sûrement la plus singulière » (*Souvenirs d'enfance et de jeunesse*, II).

Après cette introduction à la manière de la *Légende dorée*, l'histoire commence par les éléments traditionnels d'un début de roman :

le lieu (Notre-Dame de la Montagne), avec la précision que nous sommes au bord de la mer (élément important pour les événements qui vont suivre) ; la date et l'heure (15 juillet 1689 au soir) ; nous faisons connaissance avec deux des principaux personnages, l'abbé de Kerkabon et sa sœur.

L'auteur use d'une technique romanesque classique pour donner, à la faveur d'une conversation entre le frère et la sœur, des renseignements sur le passé, autant d'indices qui vont créer une attente chez le lecteur et exciter son esprit de déduction au moment de l'apparition du héros.

Celui-ci entre en scène de manière très spectaculaire, théâtrale, pourrait-on dire. Tout en lui le désigne comme le héros, tout en lui dénote l'homme libre des grands espaces américains : son costume, sa physionomie, ses manières, et même son humeur vagabonde, puisqu'il est là par le hasard de sa fantaisie. Qui plus est, c'est un Huron, c'est-à-dire un représentant de ce peuple dont le père Sagard-Théodat avait vanté les vertus dans son *Grand Voyage au pays des Hurons* (voir dans le dossier historique et littéraire, pp. 201-208).

Sans hésiter, Mlle de Kerkabon invite à dîner ce charmant jeune homme. Est-ce la voix du sang qui parle ? Le conte se place-t-il dans la tradition des récits de voyage, qui veut que l'étranger, depuis Ulysse, soit accueilli à la table familiale ? Ou bien tout simplement Mlle de Kerkabon est-elle séduite par la bonne mine de ce jeune sauvage ?

∽ 7 - *Dans mes bras, mon neveu !*
de « L'Ingénu, selon sa coutume, s'éveilla... »
à « ... des parents ou non en Basse-Bretagne ».   pp. 63-65

Reçu chez le prieur, fêté par « la bonne compagnie du canton », l'Ingénu se tire avec les honneurs des questions que lui posent les convives, et en particulier le bailli. Cet interrogatoire est l'occasion de donner au lecteur quelques renseignements sur le passé du héros, et de préparer le coup de théâtre.

C'est le lendemain matin que l'Ingénu, pour témoigner sa reconnaissance à ses hôtes, leur offre « une espèce de petit talisman qu'il portait toujours à son cou ». Nous voici plongés au cœur de l'univers romanesque, avec le *coup du portrait*. La reconnaissance se fait en deux temps : d'abord, le prieur de Kerkabon reconnaît son frère et sa belle-sœur dans les portraits détenus par l'Ingénu. Puis il s'avise que l'Ingénu n'a pas vraiment le type Huron, et qu'il pourrait bien être européen. Par recoupements, on établit que le jeune homme est le neveu des Kerkabon, le fils de ce frère dont ils pleurent la perte.

L'humour apparaît dans les conséquences que l'Ingénu tire de cette découverte : d'abord indifférent, il ne s'associe pas à la liesse familiale ; mais il annule son voyage de retour en Angleterre, avec un raisonnement assez insolite : « Je n'ai plus besoin de rien au monde, puisque je suis le neveu d'un prieur. »

∞ 8 - *L'amour à la huronne*	
de « Il faut avouer que depuis ce baptême… » à « … ma maîtresse dans la journée ».	pp. 76-78

Depuis qu'il a été reconnu Bas-Breton, l'Ingénu a été converti et baptisé, en dépit de ses réticences, dues à une lecture attentive qu'il a faite des Saintes Écritures, qu'il ne reconnaît pas dans les rites qu'on lui impose. Mais ses scrupules ont été balayés par l'intervention de Mⁱⁱᵉ de Saint-Yves, à qui il ne saurait rien refuser.

En effet, l'Ingénu est amoureux de la jeune fille, depuis qu'il l'a vue. Mais en Huronie l'amour n'a pas les mêmes lois qu'en Bretagne et ne s'embarrasse pas des règles de la bienséance. Le jeune homme va aller de déconvenue en déconvenue en découvrant les multiples obstacles auxquels se heurtent ses désirs.

Tout le passage utilise le ressort comique de l'opposition entre les mœurs de la France, nation policée et raffinée, patrie des Précieuses, et celles de l'Amérique, peuplée de « sauvages », qui considèrent l'amour comme un des besoins fondamentaux de l'existence, tels que manger ou dormir, et qui n'y mettent pas plus de formes. En outre, le verbe « épouser » n'a apparemment pas le même sens en Huronie et en France, si l'on s'en rapporte à la manière expéditive dont l'Ingénu en use avec la jeune fille.

Ainsi, dès les premières lignes du passage, on voit Mⁱⁱᵉ de Saint-Yves, « bien élevée et fort modeste », dissimuler son amour et se comporter en jeune fille convenable, qui ne saurait répondre à une déclaration sans y avoir été dûment autorisée par sa famille. L'Ingénu, lui, va droit au but : fort des droits que lui octroient ses sentiments, il utilise dans sa déclaration des termes qui pourraient choquer la délicatesse d'une femme moins compréhensive que Mⁱⁱᵉ de Saint-Yves, puisqu'il évoque le souvenir de « la belle Acaba, dont il avait été fou dans son pays » ; quant à respecter les formes de la galanterie, c'est tout juste s'il accorde de l'importance au « consentement de la personne à qui on en veut ».

Comment s'étonner, dès lors, de l'incompréhension totale du jeune homme, lorsqu'il apprend que le baptême auquel il a consenti pour les beaux yeux de Mlle de Saint-Yves a dressé entre lui et l'objet de son amour un obstacle insurmontable, puisque, lui dit-on, « il n'est pas permis d'épouser sa marraine ; les lois divines et humaines s'y opposent » ?

De fait, ce que Voltaire dénonce ici par le truchement de son héros, c'est l'immixtion de l'Église, et surtout du pape, dans la vie privée : « cela est d'un ridicule incompréhensible ! ». C'est ainsi que, à partir d'un texte léger et drôle sur la manière dont un « sauvage » fait sa cour à une belle, Voltaire traite d'un problème beaucoup plus grave et porte des attaques contre « l'infâme ».

➠◆ 9 - *Un Huron à Versailles*
     de « L'Ingénu débarque en pot de chambre… »
     à « … si tu me voyais dans cet état ? ».
	pp. 90-93

Déçu dans ses espérances, l'Ingénu, trompé par des arguments captieux, livre aux Anglais une bataille dont il sort couvert de gloire. Sur le conseil de son oncle le prieur, il part pour Versailles demander au roi la récompense de ses exploits et la main de sa bien-aimée. Mais, en route, justifiant son surnom, il ne se méfie pas, à la table d'hôte, d'un « jésuite déguisé qui servait d'espion au révérend père de La Chaise », et il est dénoncé comme ennemi des jésuites et partisan des huguenots, ce qui provoquera son arrestation.

Le court séjour de l'Ingénu à Versailles donne à Voltaire l'occasion de faire une brève et percutante satire des mœurs de la Cour, de « la difficulté de parler aux rois et aux premiers commis », du rôle exorbitant des bureaucrates subalternes et de leur insolence vis-à-vis des braves qui risquent leur vie au service du souverain, de l'influence des femmes, de la galanterie et de l'intrigue.

Sa connaissance de la société française étant encore bien sommaire, le malheureux Huron se retrouve à la Bastille avant d'avoir compris ce qui lui arrive.

Ce passage peut être rapproché des chapitres v et vi de *Candide*, où l'on rencontre à peu près la même situation : une conversation au cours d'un dîner, où les convives laissent échapper des propos imprudents, un espion de la puissance ecclésiastique, et, au bout du compte, une arrestation arbitraire, avec, on peut le noter, le même genre d'euphémisme : « des appartements d'une extrême fraîcheur, dans lesquels on n'était jamais incommodé du soleil », pour les cachots de l'Inquisition, et « le château que fit construire le roi Charles V, fils de Jean II, auprès de la rue Saint-Antoine, à la porte des Tournelles », pour la Bastille. Même forme d'humour dans ces vers inspirés à Voltaire par son propre séjour à la Bastille ; un sbire s'adresse à lui d'un ton doucereux :

> « Le roi, mon fils, plein de reconnaissance,
> Veut de vos soins vous donner récompense,
> Et vous accorde, en dépit des rivaux,
> Un logement dans un de ses châteaux.
> Les gens de bien qui sont à votre porte
> Avec respect vous serviront d'escorte. »

➤ 10 - *À la Bastille*	
de « L'Ingénu faisait des progrès rapides... » à « ... laissait un libre cours à sa juste colère ».	pp. 113-114

À la Bastille, l'Ingénu partage la cellule d'un vieux janséniste nommé Gordon, et il va connaître à la fois les joies de l'amitié et celles de la science. Ce vieillard va jouer auprès du jeune homme le rôle du guide, du mentor. Mais la situation est assez originale, puisque le maître va recevoir de l'élève autant qu'il lui donne. En effet, si l'Ingénu a beaucoup à apprendre, n'ayant reçu aucune instruction, son esprit, vierge, mais plein de bon sens, pose les questions pertinentes, et fait des réflexions qui ont la fraîcheur de la naïveté, mais qui mettent dans l'embarras le bon Gordon.

Le chapitre XIV est le dernier consacré par Voltaire à la captivité proprement dite de son héros, et c'est une sorte de bilan. Après avoir appris tout ce que les livres pouvaient lui enseigner, après avoir demandé des explications à son compagnon, l'Ingénu donne son avis sur la philosophie. Contrairement à la géométrie, les « vérités obscures » de la métaphysique n'emportent pas l'adhésion universelle. Et c'en est assez pour que l'Ingénu refuse d'y croire. La chaleur de ses convictions plonge son compagnon de détention dans un doute d'autant plus douloureux qu'il lui apparaît qu'il a gâché sa vie : « J'ai consumé mes jours à raisonner sur la liberté de Dieu et du genre humain, mais j'ai perdu la mienne. »

L'Ingénu a aussi une réflexion politique ; il est en mesure de comparer les trois sociétés dans lesquelles il a vécu, la huronne, l'anglaise et la française ; et la comparaison n'est pas à l'avantage de la France. Le jeune homme constate avec amertume qu'il a été victime d'une propagande abusive, que les barbares ne sont pas ceux que l'on dit, et que la perfidie n'est pas du côté des Anglais. C'est la France qui l'a privé de sa liberté et de son amour, alors qu'il s'était vaillamment battu pour elle.

Devant cette « juste colère », Gordon est ébranlé ; le janséniste intransigeant est amené à faire réflexion sur ce qui a été jusque-là pour lui des valeurs indiscutables, et le chapitre se termine sur une note d'humour : « Enfin, pour dernier prodige, un Huron convertissait un janséniste. »

⌗ **11 - *Un cas de conscience***
de « Dès que la belle et désolée Saint-Yves... »   pp. 119-121
à « ... appartenir qu'à cet amant infortuné ».

Cependant, Mlle de Saint-Yves a quitté la Bretagne pour se rendre elle aussi à Versailles, dans l'espoir de sauver son amant. On peut remarquer que la situation dans ce roman ressemble un peu à ce théâtre de boulevard où tout le monde, sans s'être concerté, se retrouve dans un même lieu (situation typique chez Labiche ou Feydeau). Comme on peut s'y attendre dans un roman du XVIIIe siècle, l'homme qui peut d'un mot sauver l'Ingénu exige pour prix de son intervention le sacrifice de l'honneur de la jeune fille. Éperdue devant ce dilemme, Mlle de Saint-Yves se résout à consulter le père Tout-à-Tous, un jésuite.

Le texte est habilement construit sur un retournement du jésuite : d'abord, le confesseur ignore le nom du « vilain homme », et il le condamne sans appel. Mais apprenant l'identité du vil suborneur, il change de discours, cherche une échappatoire en assurant que la jeune fille a mal entendu, puis se lance dans un raisonnement qui est un chef-d'œuvre de casuistique en quatre points, plein de contradictions : ce jeune homme doit être considéré comme votre mari, pour des raisons de bienséance ; toutefois, il ne l'est pas, et, par conséquent, vous pouvez le tromper sans commettre d'adultère. Mais comme vous le considérez comme tel, vous devez le sauver, et ne reculer devant rien pour y parvenir. Pour donner plus de force à son argumentation sur la direction d'intention, le jésuite se réfère à saint Augustin, et cite des précédents douteux. Bref, il réussit à donner une apparence honorable et vertueuse à ce qu'il devrait condamner formellement comme un péché mortel.

À la fin de cet entretien, Mlle de Saint-Yves n'est pas plus éclairée sur la conduite qu'elle doit tenir, mais elle se sent plus que jamais enfermée dans son angoisse.

☞ 12 - *La mort de l'héroïne*
de « La belle et infortunée Saint-Yves… » à
« … quoiqu'il ne fût plus en état de rien voir ». | pp. 139-140

Pour sauver son amant, Mlle de Saint-Yves s'est résolue à sacrifier son honneur, mais son âme pure n'a pu accepter cette souillure. Dans la plus pure tradition des héroïnes romanesques, elle va se consumer de désespoir jusqu'à la mort.

Un des intérêts de ce texte est que Voltaire y développe une théorie sur le roman : on y trouve une critique des auteurs qui font mourir leurs héros dans la sérénité et la paix. Il revendique en quelque sorte un réalisme littéraire, car la jeune agonisante est calme, mais d'un calme désespéré, et elle a parfaitement conscience qu'elle est victime de l'excès de son amour : elle s'est sacrifiée, elle meurt comme une victime, mais non « sans regrets et sans déchirements ».

La deuxième partie du texte est consacrée à la douleur de l'Ingénu, qui est encore pour Voltaire l'occasion d'exprimer des idées hardies. Il fait une discrète apologie du droit au suicide, en attaquant les morceaux de rhétorique pleins de « lieux communs fastidieux » qui prétendent ôter à l'homme cette ultime liberté.

● LES THÈMES CLÉS

On trouve dans les deux contes la plupart des thèmes récurrents dans l'œuvre de Voltaire :

• politique :
– comparaison entre la France et l'Angleterre, à l'avantage de cette dernière (pp. 58, 62, 66) ;
– satire de la guerre (pp. 47-48) ;
– arbitraire du pouvoir, lettres de cachet (pp. 92, 112, 113) ;
– rôle des femmes et des commis dans les décisions politiques ;
– condamnation de la révocation de l'édit de Nantes (pp. 87-89) ;

• société :
– satire de la vie de province (pp. 56-58) ;
– critique de l'éducation ;

- satire (traditionnelle) des femmes (p. 33), des médecins (pp. 135-136) ;
- satire du chauvinisme des Français (p. 59) ;

  • religion (plus violemment dans *L'Ingénu*, écrit en pleine période de lutte contre « l'infâme ») :
- satire du clergé : vie libertine des ecclésiastiques (pp. 108-109) ;
- satire des jansénistes (pp. 95-98), mais surtout des jésuites (pp. 89, 119-121) ;
- critiques contre le pouvoir du pape (p. 78) ;
- critiques contre la religion telle qu'elle est pratiquée, en contradiction avec les Saintes Écritures (pp. 69-73, 78, 141) ;
- attaques contre le fanatisme (p. 26) ;

  • philosophie :
- attaques contre la métaphysique (pp. 48-52).

Les personnages

Dans *Micromégas*, seul le héros principal a droit à un nom. Le « nain de Saturne », nous l'avons vu, est un faire-valoir, une caricature. Dans *L'Ingénu*, l'intérêt du lecteur se porte, comme dans *Candide*, sur un couple d'amoureux.

Entre les deux héros, Micromégas et l'Ingénu, il existe un certain nombre de ressemblances. D'abord, ce sont des héros venus d'ailleurs, autre planète ou outre continent, on pourrait presque dire que, pour l'époque, il n'y a pas grande différence. Il semble même que l'arrivée de l'Ingénu cause une plus grande émotion aux Bas-Bretons que celle d'un extraterrestre aux savants de l'expédition de Maupertuis. Par ailleurs, nos deux personnages ont en eux une part de leur créateur. Micromégas est un poète persécuté par les autorités religieuses, l'Ingénu une victime de l'arbitraire politique. Le premier est exilé, le second embastillé. Tous deux observent, réfléchissent, et utilisent leur intelligence.

Toutefois, il y a entre eux une différence fondamentale : Micromégas est un observateur du monde terrestre, mais un observateur dont l'intelligence, proportionnelle à la taille, juge avec condescendance les faiblesses humaines. Son voyage intersidéral est destiné à lui faire voir du pays, à comparer les différents univers. Il apprend, mais ne se transforme pas. Le personnage de l'Ingénu est beaucoup plus complexe. En effet, il se présente comme un Huron, mais très vite – dès le chapitre II – on apprend qu'en réalité il est un Breton de bonne souche né au Canada et élevé par les Hurons. Et le voilà, à peu de chose près, avec le même statut que Tarzan ou

Mowgli, retrouvant son milieu originel après une jeunesse passée au milieu d'êtres sauvages (animaux ou hommes). Dans un premier temps, comme un enfant, il s'amuse de ce qui lui arrive, consent à tout, et se retrouve victime de conséquences imprévues – par exemple, il se laisse baptiser pour les beaux yeux de Mlle de Saint-Yves, qui doit être sa marraine, ce qui va se retourner contre lui. D'autre part, il n'est pas seulement l'œil neuf qui dénonce les défauts de la société française au XVIIIe siècle ; lui-même connaît une évolution, il se polit au contact du monde, il en apprend les usages, et surtout il s'initie à la connaissance. Son enrichissement intellectuel le ravit : « J'ai été changé de brute en homme », déclare-t-il au chapitre XI (p. 100). On peut donc le considérer comme le héros d'un vrai roman d'apprentissage.

Mlle de Saint-Yves elle aussi apparaît comme une véritable héroïne : la jeune provinciale pas très dégourdie des premières pages va être un exemple probant de « comment l'esprit vient aux filles ». Sa passion pour l'Ingénu lui fait trouver en elle des ressources insoupçonnées pour s'enfuir et réussir à atteindre Versailles et retrouver la trace de l'homme qu'elle aime. Pour le sauver, elle sacrifie, après un long et douloureux combat, son honneur et sa vertu, et elle en mourra (différente en cela de Cunégonde, qui, dans *Candide*, survit sans état d'âme aux pires turpitudes).

III - POURSUIVRE

• LECTURES CROISÉES

On n'a que l'embarras du choix, car les thèmes traités ici par Voltaire se trouvent dans toute la littérature de son époque : les autres *Contes* de Voltaire, bien sûr (voir le dossier historique et littéraire, à la fin de ce volume), mais aussi la fameuse « Prière à Dieu » (*Traité de la tolérance*, chap. XXIII).

– Sur le thème du géant, la référence obligée, c'est, bien sûr, Swift et ses *Voyages de Gulliver*, avec le voyage à Lilliput pour le pittoresque contraste entre géant et nains – et pour la guerre entre Petit-Boutiens et Gros-Boutiens –, mais surtout, dans le voyage à Brobdingnag, le chapitre VI, où Gulliver décrit au roi la situation politique et sociale en Europe, et le passage correspondant au chapitre V du voyage chez les Houyhnhnms, où sont exposées les causes des guerres.

– Sur le thème de la guerre, on peut rapprocher *Micromégas* d'autres passages de l'œuvre de Voltaire, dans *Candide*, ou dans le *Dictionnaire philosophique* (article « Guerre »), sans oublier la célèbre « Prière à Dieu », où l'on retrouve les mêmes arguments, voire les mêmes mots qu'ici.

– On peut aussi évoquer, à propos de la chronologie de la vie de Micromégas (pp. 26-27), le chapitre XIII de *Gargantua*. Et c'est encore à Rabelais qu'on songe, devant le désir de science que montre l'Ingénu dans sa prison. Sa soif de connaissance fait penser à la lettre de Gargantua à Pantagruel (*Pantagruel*, chap. VIII).

– Deux hommes enfermés dans une prison, par l'arbitraire politique : un savant vieillard et un jeune ingénu, qui ne sait même pas quel crime il expie ; et le vieillard enseigne au jeune homme ce qu'il sait. Cette situation, transposée sur le mode dramatique au XIXe siècle, dans un roman-feuilleton, c'est, bien sûr, Edmond Dantès dans son cachot du château d'If, recevant l'enseignement de l'abbé Faria :

« Le vieux prisonnier était un de ces hommes dont la conversation, comme celles des gens qui ont beaucoup souffert, contient des enseignements nombreux et renferme un intérêt soutenu ; mais elle n'était pas égoïste, et ce malheureux ne parlait jamais de ses malheurs.

Dantès écoutait chacune de ses paroles avec admiration : les unes correspondaient à des idées qu'il avait déjà et à des connaissances qui étaient du ressort de son état de marin, les autres touchaient à des choses inconnues, et, comme ces aurores boréales qui éclairent les navigateurs dans les latitudes australes, montraient au jeune homme des paysages et des horizons nouveaux, illuminés de lueurs fantastiques. Dantès comprit le bonheur qu'il y aurait pour une organisation intelligente à suivre cet esprit élevé sur les hauteurs morales, philosophiques ou sociales sur lesquelles il avait l'habitude de se jouer.

"Vous devriez m'apprendre un peu de ce que vous savez, dit Dantès, ne fût-ce que pour ne pas vous ennuyer avec moi. Il me semble maintenant que vous devez préférer la solitude à un compagnon sans éducation et sans portée comme moi. Si vous consentez à ce que je vous demande, je m'engage à ne plus vous parler de fuir."

L'abbé sourit.

"Hélas ! mon enfant, dit-il, la science humaine est bien bornée, et quand je vous aurai appris les mathématiques, la physique, l'histoire et les trois ou quatre langues vivantes que je parle, vous saurez ce que je sais : or toute cette science, je serai deux ans à peine à la verser de mon esprit dans le vôtre.

— Deux ans ! dit Dantès, vous croyez que je pourrais apprendre toutes ces choses en deux ans ?

— Dans leur application, non ; dans leurs principes, oui ; apprendre n'est pas savoir ; il y a les sachants et les savants : c'est la mémoire qui fait les uns, c'est la philosophie qui fait les autres.

— Mais ne peut-on apprendre la philosophie ?

— La philosophie ne s'apprend pas ; la philosophie est la réunion des sciences acquises au génie qui les applique : la philosophie, c'est le nuage éclatant sur lequel le Christ a posé le pied pour remonter au ciel.

— Voyons, dit Dantès, que m'apprendrez-vous d'abord ? J'ai hâte de commencer, j'ai soif de science.

— Tout !" dit l'abbé.

En effet, dès le soir, les deux prisonniers arrêtèrent un plan d'éducation qui commença de s'exécuter le lendemain. Dantès avait une mémoire prodigieuse, une facilité de conception extrême : la disposition mathématique de son esprit le rendait apte à tout comprendre par le calcul, tandis que la poésie du marin corrigeait tout ce que

pouvait avoir de trop matériel la démonstration réduite à la séche-
resse des chiffres ou à la rectitude des lignes ; il savait déjà,
d'ailleurs, l'italien et un peu de romaïque, qu'il avait appris dans ses
voyages d'Orient. Avec ces deux langues, il comprit bientôt le
mécanisme de toutes les autres, et, au bout de six mois, il commençait à parler l'espagnol, l'anglais et l'allemand.

Comme il l'avait dit à l'abbé Faria, soit que la distraction que lui
donnait l'étude lui tînt lieu de liberté, soit qu'il fût, comme nous
l'avons vu déjà, rigide observateur de sa parole, il ne parlait plus de
fuir, et les journées s'écoulaient pour lui rapides et instructives. Au
bout d'un an, c'était un autre homme. »

A. Dumas, *Le Comte de Monte-Cristo*, Pocket Classiques,
nᵒˢ 6198, 6199, 6200.

– On peut aussi comparer le Huron de Voltaire et le Chactas de
Chateaubriand, et la mort d'Atala à celle de Mˡˡᵉ de Saint-Yves :
la Française meurt de son déshonneur, Atala de n'avoir pas voulu
transgresser le vœu de sa mère. Le père Tout-à-Tous pousse
Mˡˡᵉ de Saint-Yves sur le chemin de sa perte, le père Aubry tente
de sauver Atala ou, du moins, de lui apporter le réconfort. Les
deux jeunes femmes, à l'agonie, regrettent la vie et l'amour.

• PISTES DE RECHERCHES

– La mode de l'astronomie dans la littérature des xvɪɪᵉ et xvɪɪɪᵉ siè-
cles.
– La casuistique des jésuites vue par Voltaire et par Pascal, dans *Les
Provinciales*.
– Les principes d'éducation développés dans *L'Ingénu*.

• PARCOURS CRITIQUE

Les jugements sur Voltaire n'ont cessé de se multiplier depuis le
xvɪɪɪᵉ siècle. Voici quelques exemples :

« Voltaire prêche la tolérance, la relativité des connaissances,
des réformes modérées et n'a que sarcasmes pour les chercheurs de
quintessence, que haine pour les fanatiques, que mépris pour ceux
qui exploitent les faiblesses et l'ignorance de leurs semblables »
(Jean Sareil, *Essai sur Candide*, Droz, 1967).

« Voltaire prétend à l'érudition, comme il aspire à la respectabi-
lité. Il adore se déguiser en savant ecclésiastique » (René Pomeau,
Voltaire, « Écrivains de toujours », Seuil, 1981).

« *L'Ingénu* est un vrai roman, peut-être le plus romanesque qu'ait écrit Voltaire, et sûrement le plus émouvant » (Henri Lemaître, in *Littérature française*, Bordas, 1970).

• **UN LIVRE / UN FILM**

Il n'existe pas, à notre connaissance, d'adaptation cinématographique de ces deux contes de Voltaire, mais on pourra faire quelques rapprochements avec :
– *Le Voyage dans la Lune*, de Georges Méliès (1902) ;
– *Les Voyages de Gulliver*, dont il existe plusieurs versions, notamment un film de Jack Sher (1960) et un téléfilm de Charles Sturridge (1995), intéressants pour leurs effets spéciaux ;
– *Que la fête commence !*, de Bertrand Tavernier (1975), pour la peinture de la Cour au temps de la régence ;
– *Les Dieux sont tombés sur la tête*, de Jamie Uys (1981), où l'on voit un ingénu Bochiman découvrir la civilisation.

DOSSIER HISTORIQUE ET LITTÉRAIRE

I - REPÈRES BIOGRAPHIQUES

1694 Le 21 novembre, naissance de François Marie Arouet, à Paris. Maître François Arouet, son père, est conseiller du roi, ancien notaire au Châtelet de Paris.

1701 13 juillet : mort de Mme Arouet, mère de Voltaire.

1703- Lahontan, *Nouveaux Voyages de M. de Lahontan*
1704   *dans l'Amérique septentrionale*, *Mémoires de l'Amérique septentrionale*, et *Dialogues de M. le baron de Lahontan et d'un sauvage dans l'Amérique*.

1704 Octobre : Voltaire entre au collège des Jésuites de Louis-le-Grand, établissement prestigieux qui accueille les enfants des plus nobles familles.

1711 Le jeune Arouet entame des études de droit.

1713 En septembre, séjour à La Haye comme secrétaire du marquis de Châteauneuf, frère de l'abbé de Châteauneuf, son parrain. Premières amours du jeune homme, qui rêve de convertir Olympe, une jeune et jolie protestante. On le renvoie en hâte à Paris.

1714 Voltaire entre dans l'étude d'un procureur, maître Alain.

1715 Mort de Louis XIV. Exil à Sully-sur-Loire, pour des vers satiriques contre le Régent.

1717 Le 16 mai, début d'un séjour à la Bastille qui durera onze mois. Voltaire est accusé encore une fois d'avoir écrit contre le Régent.

1718 *Œdipe* remporte un grand succès. Arouet devient Voltaire.

1721 Montesquieu, *Lettres persanes*.

1722 1er janvier : mort du père de Voltaire. Depuis 1719 Voltaire voyage beaucoup, séjournant de château en château.

1724   Lafitau, *Mœurs des sauvages américains comparées aux mœurs des premiers temps*.

1725   Le 5 septembre : Voltaire assiste au mariage de Louis XV, à l'occasion duquel sont jouées trois de ses pièces.

1726   Janvier : querelle avec le chevalier de Rohan, qui fait bâtonner l'insolent. Trois mois plus tard, Voltaire est mis à la Bastille. En mai, il est autorisé à quitter la France et part pour l'Angleterre.

1727   Voltaire est à Londres. Il y noue de nombreuses relations, découvre l'*Essai sur l'entendement* de Locke, admire Shakespeare et publie l'*Essay on civil wars* et l'*Essay on epick poetry*.

1728   Dédie *La Henriade* à la reine d'Angleterre. Retour en France.

1729- Voltaire se lance dans les spéculations financières, qui
1730   vont lui assurer l'aisance et l'indépendance.

1731   Impression de *L'Histoire de Charles XII*.

1732   Immense succès de *Zaïre*.

1733   Polémiques liées à la publication du *Temple du goût*, œuvre de critique littéraire favorable aux classiques du XVIIᵉ siècle. *Lettres philosophiques*, *Remarques sur Pascal*. Début de la liaison avec Mᵐᵉ du Châtelet.

1734   La publication des *Lettres philosophiques* entraîne un mandat d'arrêt : Voltaire doit s'enfuir en Lorraine, et s'installe bientôt à Cirey chez Mᵐᵉ du Châtelet.

1735   Le 2 mars, Voltaire obtient la permission de revenir à Paris.

1736   *Alzire*. Août : Frédéric, prince royal de Prusse, écrit à Voltaire. Novembre : *Le Mondain*. Le mois suivant, craignant pour sa sécurité, Voltaire se réfugie en Hollande.

1737   Janvier, février : séjours à Amsterdam et à Leyde. Impression des *Éléments de la philosophie de Newton*.

1738   Séjour à Cirey. *Discours en vers sur l'homme*.

1739　Voltaire et Mme du Châtelet voyagent beaucoup, entre la Belgique, Cirey et Paris. En juin, Voltaire envoie à Frédéric II le *Voyage du baron de Gangan* (texte perdu), « fadaise philosophique » qui pourrait bien être la première forme de *Micromégas*. Saisie de l'édition des premiers chapitres du *Siècle de Louis XIV*.

1740　Le 11 septembre, Voltaire rencontre pour la première fois Frédéric II, près de Clèves. En novembre, Voltaire séjourne à Rémusberg et à Berlin.

1742　Le 19 août, première de *Mahomet* à Paris. La pièce fait scandale et est retirée après trois représentations. En septembre, Voltaire se rend à Aix-la-Chapelle, pour une mission diplomatique officieuse auprès de Frédéric II : il est chargé d'obtenir son alliance dans la guerre de Succession d'Autriche (1740-1748).

1743　Le 20 février, *Mérope* remporte un grand succès. En mars, Voltaire échoue à l'Académie. En octobre, il est chargé d'une nouvelle mission diplomatique auprès de Frédéric II, qui tente de l'attirer près de lui.

1744　Charlevoix, *Histoire de la Nouvelle France*.

1745　Voltaire séjourne à Versailles à l'occasion du mariage du Dauphin, pour lequel est jouée sa *Princesse de Navarre*. Le 27 mars, Voltaire devient historiographe du roi. Compose le *Poème de Fontenoy*. Début de la liaison de Voltaire avec sa nièce, Mme Denis.

1746　Le 25 avril, Voltaire est élu à l'Académie française. Joubert de la Rue, *Lettres d'un sauvage dépaysé à son correspondant en Amérique*.

1747　Juin : la première version de *Zadig* est imprimée en Hollande. En octobre, incident au jeu de la reine : Voltaire dit à Mme du Châtelet : « Vous jouez avec des filous. » Il est contraint de quitter la cour, trouve asile à Sceaux, chez la duchesse du Maine, pour qui il écrit des contes.

1748　Février : premier séjour à Lunéville, à la cour du roi Stanislas. Mme du Châtelet s'éprend du poète Saint-Lambert (celui-là même qui sera plus tard l'amant heureux de Mme d'Houdetot, aimée de Rousseau !).

1749   Mme du Châtelet meurt des suites d'un accouchement
       difficile, le 10 septembre. Le chagrin de Voltaire est
       immense.

1750   *Oreste*. En juin, Voltaire part pour Potsdam, où il ne
       tarde pas à se brouiller avec le roi.

1751   Septembre : fameuse amabilité de Frédéric, qui aurait
       dit en parlant de Voltaire : « On presse l'orange et on
       jette l'écorce. »

1752   Les occasions de désaccord se multiplient entre Vol-
       taire et le roi. Frédéric fait brûler publiquement un
       pamphlet de Voltaire contre Maupertuis, directeur de
       l'Académie de Berlin, la *Diatribe du docteur Akakia*.
       Publication de *Micromégas*. Maubert de Gouvest,
       Lettres iroquoises.

1753   Voltaire quitte Berlin le 27 mars. Il emporte des
       poèmes du roi, que celui-ci le contraint à rendre en
       le faisant retenir de force à Francfort.

1755   Voltaire achète Les Délices, à Genève, où il se fixe avec
       sa nièce Mme Denis. Rousseau, *Discours sur l'origine
       de l'inégalité parmi les hommes*. Apprenant la nou-
       velle du tremblement de terre de Lisbonne, Voltaire
       entreprend la rédaction de son *Poème sur le désastre
       de Lisbonne*. À la fin de l'année, il commence à col-
       laborer à l'*Encyclopédie*.

1756   Début de la guerre de Sept Ans. Pendant l'été, d'Alem-
       bert séjourne aux Délices. Publication de l'*Essai sur
       les mœurs*.

1757   L'article « Genève » de l'*Encyclopédie* fait scandale.
       On soupçonne, non sans raison, Voltaire de l'avoir
       inspiré à d'Alembert.

1758   Pendant l'été, Voltaire écrit *Candide*. Il achète Ferney
       en octobre.

1759   *Candide* est publié en janvier. En février, le Parlement
       de Paris condamne l'*Encyclopédie*, *Sur la Loi natu-
       relle* de Voltaire, *De l'esprit* d'Helvétius. *Relation de
       la maladie du jésuite Berthier*. Voltaire est de nouveau
       chargé de missions diplomatiques auprès de Frédé-
       ric II.

1760 Voltaire s'installe définitivement à Ferney, où il organise fêtes et représentations théâtrales. Il adopte Mlle Corneille.

1761 *Lettres sur la Nouvelle Héloïse*, qui tournent en ridicule le roman de Rousseau. Préparation d'une édition commentée de Corneille, afin de doter Mlle Corneille. *Entretiens d'un sauvage et d'un bachelier*.

1762 Voltaire entreprend de réhabiliter Calas. Les jésuites sont expulsés de France.

1763 *Traité sur la tolérance*.

1764 *Dictionnaire philosophique portatif, Jeannot et Colin*. En décembre, Voltaire fait éditer *Sur la destruction des jésuites* de d'Alembert.

1765 Le 9 mars, Calas est réhabilité. Voltaire lance l'affaire Sirven. Visite de Damilaville à Ferney, projet de campagne philosophique : Voltaire signe ses lettres Ecrlinf (« Écrasez l'Infâme »). *Questions sur les miracles*.

1766 Mai : *Le philosophe ignorant*. Le 1er juillet, supplice du chevalier de La Barre.

1767 Mars : une tragédie, *Les Scythes*, est jouée à Paris sans grand succès. Mercier, *L'Homme sauvage*. Juillet : *La Défense de mon oncle, L'Ingénu*.

1768 *L'Homme aux quarante écus, La Princesse de Babylone*. Voltaire met en valeur son domaine de Ferney.

1770 Voltaire entreprend les *Questions sur l'Encyclopédie*, dernier gros ouvrage (9 vol.). En août, Voltaire écrit une réfutation du *Système de la Nature* de d'Holbach ; la propagande athéiste de d'Holbach et de Diderot l'inquiète.

1771 Sirven est acquitté.

1774 *Le Taureau blanc*. Le 10 mai, mort de Louis XV.

1776 *La Bible enfin expliquée*.

1778 Le 10 février, Voltaire arrive à Paris. Son séjour est triomphal mais épuisant. Le 30 mars, il est couronné à la Comédie-Française. Voltaire meurt le 30 mai. Rousseau meurt le 2 juillet.

1785- Grande édition des œuvres complètes de Voltaire
1789 (70 vol.), sous la direction de Beaumarchais, à Kelh,
en Allemagne.

1791 Les cendres de Voltaire sont transférées au Panthéon.

II - AUTOUR DE *L'INGÉNU*

1) *ENTRETIENS D'UN SAUVAGE ET D'UN BACHELIER*

Ces deux dialogues furent publiés en 1761 dans la Seconde Suite des Mélanges. *Le sauvage, dégagé de toute fiction romanesque, y apparaît nettement dans sa fonction d'outil critique.*

PREMIER ENTRETIEN

Un gouverneur de la Cayenne amena un jour un sauvage de la Guyane qui était né avec beaucoup de bon sens, et qui parlait assez bien le français. Un bachelier[1] de Paris eut l'honneur d'avoir avec lui cette conversation.

LE BACHELIER

Monsieur le sauvage, vous avez vu sans doute beaucoup de vos camarades qui passent leur vie tout seuls : car on dit que c'est là la véritable vie de l'homme, et que la société n'est qu'une dépravation artificielle ?

LE SAUVAGE

Jamais je n'ai vu de ces gens-là : l'homme me paraît né pour la société, comme plusieurs espèces d'animaux ; chaque espèce suit son instinct ; nous vivons tous en société chez nous.

LE BACHELIER

Comment ! en société ! vous avez donc de belles villes murées, des rois qui tiennent une cour, des spectacles, des couvents, des universités, des bibliothèques, et des cabarets ?

1. À l'époque, un étudiant en théologie.

LE SAUVAGE

Non ; est-ce que je n'ai pas ouï dire que dans votre continent vous avez des Arabes, des Scythes, qui n'ont jamais rien
eu de tout cela, et qui forment cependant des nations considérables ? Nous vivons comme ces gens-là. Les familles
voisines se prêtent du secours. Nous habitons un pays chaud,
où nous avons peu de besoins ; nous nous procurons aisément la nourriture ; nous nous marions, nous faisons des
enfants, nous les élevons, nous mourons. C'est tout comme
chez vous, à quelques cérémonies près.

LE BACHELIER

Mais, monsieur, vous n'êtes donc pas sauvage ?

LE SAUVAGE

Je ne sais pas ce que vous entendez par ce mot.

LE BACHELIER

En vérité, ni moi non plus ; il faut que j'y rêve. Nous appelons sauvage un homme de mauvaise humeur, qui fuit la
compagnie.

LE SAUVAGE

Je vous ai déjà dit que nous vivons ensemble dans nos
familles.

LE BACHELIER

Nous appelons encore sauvages les bêtes qui ne sont pas
apprivoisées, et qui s'enfoncent dans les forêts ; et de là nous
avons donné le nom de *sauvage* à l'homme qui vit dans les
bois.

LE SAUVAGE

Je vais dans les bois, comme vous autres, quand vous
chassez.

LE BACHELIER

Pensez-vous quelquefois ?

LE SAUVAGE

On ne laisse pas d'avoir quelques idées.

LE BACHELIER

Je serais curieux de savoir quelles sont vos idées ; que pensez-vous de l'homme ?

LE SAUVAGE

Je pense que c'est un animal à deux pieds, qui a la faculté de raisonner, de parler et de rire, et qui se sert de ses mains beaucoup plus adroitement que le singe. J'en ai vu de plusieurs espèces, des blancs comme vous, des rouges comme moi, des noirs comme ceux qui sont chez M. le gouverneur de la Cayenne. Vous avez de la barbe, nous n'en avons point : les nègres ont de la laine, et vous et moi portons des cheveux. On dit que dans votre Nord tous les cheveux sont blonds ; ils sont tous noirs dans notre Amérique ; je n'en sais guère davantage.

LE BACHELIER

Mais votre âme, monsieur, votre âme ? Quelle notion en avez-vous ? D'où vous vient-elle ? Qu'est-elle ? Que fait-elle ? Comment agit-elle ? Où va-t-elle ?

LE SAUVAGE

Je n'en sais rien ; je ne l'ai jamais vue.

LE BACHELIER

À propos, croyez-vous que les bêtes soient des machines ?

LE SAUVAGE

Elles me paraissent des machines organisées, qui ont du sentiment et de la mémoire.

LE BACHELIER

Et vous, et vous, monsieur le sauvage, qu'imaginez-vous avoir par-dessus les bêtes ?

LE SAUVAGE

Une mémoire infiniment supérieure, beaucoup plus d'idées et, comme je vous l'ai déjà dit, une langue qui forme incomparablement plus de sons que la langue des bêtes, et des mains plus adroites, avec la faculté de rire qu'un grand raisonneur me fait exercer.

LE BACHELIER

Et, s'il vous plaît, comment avez-vous tout cela ? et de quelle nature est votre esprit ? Comment votre âme anime-t-elle votre corps ? Pensez-vous toujours ? Votre volonté est-elle libre ?

LE SAUVAGE

Voilà bien des questions. Vous me demandez comment je possède ce que Dieu a daigné donner à l'homme : c'est comme si vous me demandiez comment je suis né. Il faut bien, puis-que je suis né homme, que j'aie les choses qui constituent l'homme, comme un arbre a de l'écorce, des racines et des feuilles. Vous voulez que je sache de quelle nature est mon esprit : je ne me le suis pas donné, je ne peux le savoir ; com-ment mon âme anime mon corps : je n'en suis pas mieux ins-truit. Il me semble qu'il faut avoir vu le premier ressort de votre montre pour juger comment elle marque l'heure. Vous me demandez si je pense toujours : non ; j'ai quelquefois des demi-idées, comme quand je vois des objets de loin confusé-ment ; quelquefois j'ai des idées plus fortes, comme lorsque je vois un objet de plus près je le distingue mieux ; quelque-fois je n'ai point d'idées du tout, comme lorsque je ferme les yeux je ne vois rien. Vous me demandez après cela si ma volonté est libre. Je ne vous entends point : ce sont des choses que vous savez, sans doute ; vous me ferez plaisir de me les expliquer.

LE BACHELIER

Oh ! vraiment oui, j'ai étudié toutes ces matières ; je pour-rais vous en parler un mois de suite sans discontinuer que vous n'y entendriez rien. Dites-moi un peu, connaissez-vous le bon et le mauvais, le juste et l'injuste ? Savez-vous quel est le meilleur des gouvernements, le meilleur culte, le droit des gens, le droit public, le droit civil, le droit canon[1] ? Comment se nommaient le premier homme et la première femme qui ont peuplé l'Amérique ? Savez-vous à quel dessein il pleut dans la mer, et pourquoi vous n'avez point de barbe ?

---

1. Droit ecclésiastique.

LE SAUVAGE

En vérité, monsieur, vous abusez un peu de l'aveu que j'ai fait d'avoir plus de mémoire que les animaux : j'ai peine à retrouver les questions que vous me faites. Vous parlez du bon et du mauvais, du juste et de l'injuste : il me paraît que tout ce qui nous fait plaisir sans faire tort à personne est très bon et très juste ; ce qui fait tort aux hommes sans nous faire de plaisir est abominable ; et que ce qui nous fait plaisir en faisant du tort aux autres est bon pour nous dans le moment, très dangereux pour nous-mêmes, et très mauvais pour autrui.

LE BACHELIER

Et avec ces maximes-là vous vivez en société ?

LE SAUVAGE

Oui, avec nos parents et nos voisins. Sans beaucoup de peines et de chagrins, nous attrapons doucement notre centaine d'années ; plusieurs même vont à cent vingt : après quoi notre corps fertilise la terre dont il a été nourri.

LE BACHELIER

Vous me paraissez avoir une bonne tête ; je veux vous la renverser. Dînons ensemble : après quoi nous continuerons à philosopher avec méthode.

SECOND ENTRETIEN

LE SAUVAGE

J'ai avalé des aliments qui ne me paraissent pas faits pour moi, quoique j'aie un très bon estomac ; vous m'avez fait manger quand je n'avais plus faim, et boire quand je n'avais plus soif ; mes jambes ne sont plus si fermes qu'elles l'étaient avant le dîner, ma tête est plus pesante, mes idées ne sont plus si nettes. Je n'ai jamais éprouvé cette diminution de moi-même dans mon pays. Plus on met ici dans son corps, et plus on perd de son être. Dites-moi, je vous prie, quelle est la cause de ce dommage.

LE BACHELIER

Je vais vous le dire. Premièrement, à l'égard de ce qui se passe dans vos jambes, je n'en sais rien ; mais les médecins le savent, et vous pouvez vous adresser à eux. À l'égard de ce qui se passe dans votre tête, je le sais très bien ; écoutez. L'âme, ne tenant aucune place, est placée dans la glande pinéale[1], ou dans le corps calleux, au milieu de la tête. Les esprits animaux qui s'élèvent de l'estomac montent à l'âme, qu'ils ne peuvent toucher, parce qu'ils sont matière et qu'elle ne l'est pas. Or, comme ils ne peuvent agir l'un sur l'autre, cela fait que l'âme reçoit leur impression : et, comme elle est simple, et que par conséquent elle ne peut éprouver aucun changement, cela fait qu'elle change, qu'elle devient pesante, engourdie, quand on a trop mangé ; de là vient que plusieurs grands hommes dorment après dîner.

LE SAUVAGE

Ce que vous me dites me paraît bien ingénieux et bien profond ; faites-moi la grâce de m'en donner quelque explication qui soit à ma portée.

LE BACHELIER

Je vous ai dit tout ce qui peut se dire sur cette grande affaire, mais en votre faveur je vais un peu m'étendre : allons par degrés ; savez-vous que ce monde-ci est le meilleur des mondes possibles ?

LE SAUVAGE

Comment ! Il est impossible à l'Être infini de faire quelque chose de mieux que ce que nous voyons ?

LE BACHELIER

Assurément, et ce que nous voyons est ce qu'il y a de mieux. Il est bien vrai que les hommes se pillent et s'égorgent ; mais c'est toujours en faisant l'éloge de l'équité et de la douceur. On massacra autrefois une douzaine de millions de vous autres Américains ; mais c'était pour rendre les autres raisonnables. Un calculateur a vérifié que depuis une certaine guerre de Troie, que vous ne connaissez pas, jusqu'à celle de l'Acadie[2],

---

1. L'épiphyse, siège de l'âme selon Descartes.
2. La Nouvelle-Écosse avait constitué l'un des terrains d'affrontement entre la France et l'Angleterre pendant la guerre de Succession d'Autriche.

que vous connaissez, on a tué au moins, en batailles rangées, cinq cent cinquante-cinq millions six cent cinquante mille hommes, sans compter les petits enfants et les femmes écrasées dans des villes mises en cendres ; mais c'est pour le bien public : quatre ou cinq mille maladies cruelles, auxquelles les hommes sont sujets, font connaître le prix de la santé ; et les crimes dont la terre est couverte relèvent merveilleusement le mérite des hommes pieux, du nombre desquels je suis. Vous voyez que tout cela va le mieux du monde, du moins pour moi.

Or les choses ne pourraient être dans cette perfection si l'âme n'était pas dans la glande pinéale. Car... Mais allons pied à pied : quelle idée avez-vous des lois, et du juste et de l'injuste, et du beau, et du τὸ καλὸν, comme dit Platon ?

LE SAUVAGE

Mais, monsieur, en allant pied à pied, vous me parlez de cent choses à la fois.

LE BACHELIER

On ne parle pas autrement en conversation. Çà, dites-moi, qui a fait les lois dans votre pays ?

LE SAUVAGE

L'intérêt public.

LE BACHELIER

Ce mot dit beaucoup ; nous n'en connaissons pas de plus énergique : comment l'entendez-vous, s'il vous plaît ?

LE SAUVAGE

J'entends que ceux qui avaient des cocotiers et du maïs ont défendu aux autres d'y toucher, et que ceux qui n'en avaient point ont été obligés de travailler pour avoir le droit d'en manger une partie. Tout ce que j'ai vu dans notre pays et dans le vôtre m'apprend qu'il n'y a pas d'autre *esprit des lois*.

LE BACHELIER

Mais les femmes, monsieur le sauvage, les femmes ?

LE SAUVAGE

Eh bien ! les femmes ? elles me plaisent beaucoup quand

elles sont belles et douces. Elles sont fort supérieures à nos cocotiers ; c'est un fruit où nous ne voulons pas que les autres touchent : on n'a pas plus le droit de me prendre ma femme que de me prendre mon enfant. Il y a, dit-on, des peuples qui le trouvent bon : ils sont bien les maîtres ; chacun fait de son bien ce qu'il veut.

LE BACHELIER

Mais les successions, les partages, les hoirs [1], les collatéraux ?

LE SAUVAGE

Il faut bien succéder. Je ne peux plus posséder mon champ quand on m'y a enterré : je le laisse à mon fils ; si j'en ai deux, ils le partagent. J'apprends que parmi vous autres, en beaucoup d'endroits, vos lois laissent tout à l'aîné, et rien aux cadets : c'est l'intérêt qui a dicté cette loi bizarre ; apparemment les aînés l'ont faite, ou les pères ont voulu que les aînés dominassent.

LE BACHELIER

Quelles sont, à votre avis, les meilleures lois ?

LE SAUVAGE

Celles où l'on a le plus consulté l'intérêt de tous les hommes mes semblables.

LE BACHELIER

Et où trouve-t-on de pareilles lois ?

LE SAUVAGE

Nulle part, à ce que j'ai ouï dire.

LE BACHELIER

Il faut que vous me disiez d'où sont venus chez vous les hommes. Qui croit-on qui ait peuplé l'Amérique ?

LE SAUVAGE

Mais nous croyons que c'est Dieu qui l'a peuplée.

---

1. Héritiers.

LE BACHELIER

Ce n'est pas répondre. Je vous demande de quel pays sont venus vos premiers hommes ?

LE SAUVAGE

Du pays d'où sont venus nos premiers arbres. Vous me paraissez plaisants, vous autres messieurs les habitants de l'Europe, de prétendre que nous ne pouvons rien avoir sans vous : nous sommes tout autant en droit de croire que nous sommes vos pères, que vous de vous imaginer que vous êtes les nôtres.

LE BACHELIER

Voilà un sauvage bien têtu !

LE SAUVAGE

Voilà un bachelier bien bavard !

LE BACHELIER

Holà, hé ! monsieur le sauvage, encore un petit mot ; croyez-vous dans la Guyane qu'il faille tuer les gens qui ne sont pas de votre avis ?

LE SAUVAGE

Oui, pourvu qu'on les mange.

LE BACHELIER

Vous faites le plaisant. Et la *Constitution*[1], qu'en pensez-vous ?

LE SAUVAGE

Adieu.

---

1. La bulle *Unigenitus* du pape Clément XI, qui condamna en 1713 cent une propositions dites jansénistes dans les *Réflexions morales sur le Nouveau Testament* du père Quesnel.

2) *JEANNOT ET COLIN*

Ce charmant petit conte, sans doute composé entre 1763 et 1764, annonce L'Ingénu *à la manière d'un négatif. Non que l'Auvergne soit vraiment différente de la basse Bretagne. Mais Jeannot parcourt un itinéraire exactement inverse de celui du Huron. Arraché comme lui à un monde naturel et harmonieux, jeté dans Paris sans avoir la chance d'être orphelin et embastillé, il n'apprend rien et oublie le peu qu'il savait, à savoir la valeur de l'amitié. Il ne tire même aucune leçon de ses diverses aventures. C'est un anti-Ingénu, à la fois perverti et ignorant.*

Plusieurs personnes dignes de foi ont vu Jeannot et Colin à l'école dans la ville d'Issoire, en Auvergne, ville fameuse dans tout l'univers par son collège et par ses chaudrons. Jeannot était fils d'un marchand de mulets très renommé, et Jeannot devait le jour à un brave laboureur des environs, qui cultivait la terre avec quatre mulets, et qui, après avoir payé la taille, le taillon [1], les aides et gabelles, le sou pour livre, la capitation et les vingtièmes, ne se trouvait pas puissamment riche au bout de l'année.

Jeannot et Colin étaient fort jolis pour des Auvergnats ; ils s'aimaient beaucoup, et ils avaient ensemble de petites privautés, de petites familiarités, dont on se ressouvient toujours avec agrément quand on se rencontre ensuite dans le monde.

Le temps de leurs études était sur le point de finir, quand un tailleur apporta à Jeannot un habit de velours à trois couleurs, avec une veste de Lyon de fort bon goût ; le tout était accompagné d'une lettre à monsieur de la Jeannotière. Colin admira l'habit, et ne fut point jaloux ; mais Jeannot prit un air de supériorité qui affligea Colin. Dès ce moment Jeannot n'étudia plus, se regarda au miroir, et méprisa tout le monde. Quelque temps après un valet de chambre arrive en poste, et apporte une seconde lettre à monsieur le marquis de la Jeannotière : c'était un ordre de monsieur son père de faire

---

1. Impôt établi en 1549 pour subvenir à l'entretien des gens de guerre.

venir monsieur son fils à Paris. Jeannot monta en chaise en tendant la main à Colin avec un sourire de protection assez noble. Colin sentit son néant, et pleura. Jeannot partit dans toute la pompe de sa gloire.

Les lecteurs qui aiment à s'instruire doivent savoir que monsieur Jeannot le père avait acquis assez rapidement des biens immenses dans les affaires. Vous demandez comment on fait ces grandes fortunes ? C'est parce qu'on est heureux[1]. Monsieur Jeannot était bien fait, sa femme aussi, et elle avait encore de la fraîcheur. Ils allèrent à Paris pour un procès qui les ruinait, lorsque la fortune, qui élève et qui abaisse les hommes à son gré, les présenta à la femme d'un entrepreneur des hôpitaux des armées, homme d'un grand talent, et qui pouvait se vanter d'avoir tué plus de soldats en un an que le canon n'en fait périr en dix. Jeannot plut à madame ; la femme de Jeannot plut à monsieur. Jeannot fut bientôt de part dans l'entreprise ; il entra dans d'autres affaires. Dès qu'on est dans le fil de l'eau, il n'y a qu'à se laisser aller ; on fait sans peine une fortune immense. Les gredins, qui du rivage vous regardent voguer à pleines voiles, ouvrent des yeux étonnés ; ils ne savent comment vous avez pu parvenir ; ils vous envient au hasard, et font contre vous des brochures que vous ne lisez point. C'est ce qui arriva à Jeannot le père, qui fut bientôt monsieur de la Jeannotière, et qui ayant acheté un marquisat au bout de six mois, retira de l'école monsieur le marquis son fils, pour le mettre à Paris dans le beau monde.

Colin, toujours tendre, écrivit une lettre de compliments à son ancien camarade, *et lui fit ces lignes pour le congratuler*[2]. Le petit marquis ne lui fit point de réponse : Colin en fut malade de douleur.

Le père et la mère donnèrent d'abord un gouverneur au jeune marquis : ce gouverneur, qui était un homme du bel air, et qui ne savait rien, ne put rien enseigner à son pupille. Monsieur voulait que son fils apprît le latin, madame ne le voulait pas. Ils prirent pour arbitre un auteur qui était célèbre alors par des ouvrages agréables. Il fut prié à dîner. Le maître de la maison commença par lui dire d'abord : « Monsieur, comme vous savez le latin, et que vous êtes un homme

---

1. Parce qu'on a de la chance.
2. Citation de la lettre de Colin, transposée au style indirect libre.

de la cour... — Moi, monsieur, du latin ! je n'en sais pas un mot, répondit le bel esprit, et bien m'en a pris ; il est clair qu'on parle beaucoup mieux sa langue quand on ne partage pas son application entre elle et les langues étrangères. Voyez toutes nos dames, elles ont l'esprit plus agréable que les hommes ; leurs lettres sont écrites avec cent fois plus de grâce ; elles n'ont sur nous cette supériorité que parce qu'elles ne savent pas le latin.

— Eh bien ! n'avais-je pas raison ? dit madame. Je veux que mon fils soit un homme d'esprit, qu'il réussisse dans le monde ; et vous voyez bien que, s'il savait le latin, il serait perdu. Joue-t-on, s'il vous plaît, la comédie et l'opéra en latin ? Plaide-t-on en latin quand on a un procès ? Fait-on l'amour en latin ? » Monsieur, ébloui de ces raisons, passa condamnation, et il fut conclu que le jeune marquis ne perdrait point son temps à connaître Cicéron, Horace et Virgile. Mais qu'apprendra-t-il donc ? car encore faut-il qu'il sache quelque chose ; ne pourrait-on pas lui montrer un peu de géographie ? « À quoi cela lui servira-t-il ? répondit le gouverneur. Quand monsieur le marquis ira dans ses terres les postillons ne sauront-ils pas les chemins ? ils ne l'égareront certainement pas. On n'a pas besoin d'un quart de cercle pour voyager, et on va très commodément de Paris en Auvergne, sans qu'il soit besoin de savoir sous quelle latitude on se trouve.

— Vous avez raison, répliqua le père ; mais j'ai entendu parler d'une belle science qu'on appelle, je crois, l'*astronomie*.

— Quelle pitié ! repartit le gouverneur ; se conduit-on par les astres dans ce monde ? et faudra-t-il que monsieur le marquis se tue à calculer une éclipse, quand il la trouve à point nommé dans l'almanach, qui lui enseigne de plus les fêtes mobiles, l'âge de la lune, et celui de toutes les princesses de l'Europe ? »

Madame fut entièrement de l'avis du gouverneur. Le petit marquis était au comble de la joie ; le père était très indécis. « Que faudra-t-il donc apprendre à mon fils ? disait-il. — À être aimable, répondit l'ami que l'on consultait ; et s'il sait *les moyens de plaire*[1], il saura tout : c'est un art qu'il

---

1. Allusion au livre de Moncrif, *Essais sur la nécessité et les moyens de plaire*.

apprendra chez madame sa mère, sans que ni l'un ni l'autre se donnent la moindre peine. »

Madame, à ce discours, embrassa le gracieux ignorant, et lui dit : « On voit bien, monsieur, que vous êtes l'homme du monde le plus savant ; mon fils vous devra toute son éducation : je m'imagine pourtant qu'il ne serait pas mal qu'il sût un peu d'histoire. — Hélas ! madame, à quoi cela est-il bon ? répondit-il ; il n'y a certainement d'agréable et d'utile que l'histoire du jour. Toutes les histoires anciennes, comme le disait un de nos beaux esprits [1], ne sont que des fables convenues ; et pour les modernes, c'est un chaos qu'on ne peut débrouiller. Qu'importe à monsieur votre fils que Charlemagne ait institué les douze pairs de France, et que son successeur ait été bègue [2].

— Rien n'est mieux dit ! s'écria le gouverneur : on étouffe l'esprit des enfants sous un amas de connaissances inutiles ; mais de toutes les sciences la plus absurde, à mon avis, et celle qui est la plus capable d'étouffer toute espèce de génie, c'est la géométrie. Cette science ridicule a pour objet des surfaces, des lignes, et des points, qui n'existent pas dans la nature. On fait passer en esprit cent mille lignes courbes entre un cercle et une ligne droite qui le touche, quoique dans la réalité on n'y puisse pas passer un fétu. La géométrie, en vérité, n'est qu'une mauvaise plaisanterie. »

Monsieur et madame n'entendaient pas trop ce que le gouverneur voulait dire ; mais ils furent entièrement de son avis.

« Un seigneur comme monsieur le marquis, continua-t-il, ne doit pas se dessécher le cerveau dans ces vaines études. Si un jour il a besoin d'un géomètre sublime pour lever le plan de ses terres, il les fera arpenter pour son argent. S'il veut débrouiller l'antiquité de sa noblesse, qui remonte aux temps les plus reculés, il enverra chercher un bénédictin. Il en est de même de tous les arts. Un jeune seigneur heureusement né n'est ni peintre, ni musicien, ni architecte, ni sculpteur ; mais il fait fleurir tous ces arts en les encourageant par sa magnificence. Il vaut sans doute mieux les protéger que de les exercer ; il suffit que monsieur le marquis

1. Fontenelle.
2. Le précepteur se trompe d'un demi-siècle : Louis II le Bègue ne succéda pas à Charlemagne, mais à Charles le Chauve.

ait du goût ; c'est aux artistes à travailler pour lui ; et c'est en quoi on a très grande raison de dire que les gens de qualité (j'entends ceux qui sont très riches) savent tout sans avoir rien appris, parce qu'en effet ils savent à la longue juger de toutes les choses qu'ils commandent et qu'ils payent. »

L'aimable ignorant prit alors la parole, et dit : « Vous avez très bien remarqué, madame, que la grande fin de l'homme est de réussir dans la société. De bonne foi, est-ce par les sciences qu'on obtient ce succès ? S'est-on jamais avisé dans la bonne compagnie de parler de géométrie ? Demande-t-on jamais à un honnête homme quel astre se lève aujourd'hui avec le soleil ? S'informe-t-on à souper si Clodion le Chevelu [1] passa le Rhin ? — Non, sans doute, s'écria la marquise de la Jeannotière, que ses charmes avaient initiée [2] quelquefois dans le beau monde ; et monsieur mon fils ne doit point éteindre son génie par l'étude de tous ces fatras, mais enfin que lui apprendra-t-on ? Car il est bon qu'un jeune seigneur puisse briller dans l'occasion, comme dit monsieur mon mari. Je me souviens d'avoir ouï dire à un abbé que la plus agréable des sciences était une chose dont j'ai oublié le nom, mais qui commence par un *B*. — Par un *B*, madame ? ne serait-ce point la botanique ? — Non, ce n'était point de botanique qu'il me parlait ; elle commençait, vous dis-je, par un *B*, et finissait par un *on*. — Ah ! j'entends, madame ; c'est le blason : c'est, à la vérité, une science fort profonde ; mais elle n'est plus à la mode depuis qu'on a perdu l'habitude de faire peindre ses armes aux portières de son carrosse ; c'était la chose du monde la plus utile dans un État bien policé. D'ailleurs, cette étude serait infinie : il n'y a point aujourd'hui de barbier qui n'ait ses armoiries ; et vous savez que tout ce qui devient commun est peu fêté. » Enfin, après avoir examiné le fort et le faible des sciences, il fut décidé que monsieur le marquis apprendrait à danser.

La nature, qui fait tout, lui avait donné un talent qui se développa bientôt avec un succès prodigieux : c'était de chanter agréablement des vaudevilles. Les grâces de la jeunesse, jointes à ce don supérieur, le firent regarder comme le jeune

1. Chef d'une troupe de Francs qui envahit, vers 430, le nord de la Gaule.
2. Avaient fait admettre.

homme de la plus grande espérance. Il fut aimé des femmes ; et ayant la tête toute pleine de chansons, il en fit pour ses maîtresses. Il pillait *Bacchus et l'Amour* dans un vaudeville, *la nuit et le jour* dans un autre, *les charmes et les alarmes* dans un troisième ; mais, comme il y avait toujours dans ses vers quelques pieds de plus ou de moins qu'il ne fallait, il les faisait corriger moyennant vingt louis d'or par chanson ; et il fut mis dans *L'Année littéraire*[1] au rang des La Fare, des Chaulieu, des Hamilton, des Sarrasin et des Voiture[2].

Madame la marquise crut alors être la mère d'un bel esprit, et donna à souper aux beaux esprits de Paris. La tête du jeune homme fut bientôt renversée ; il acquit l'art de parler sans s'entendre, et se perfectionna dans l'habitude de n'être propre à rien. Quand son père le vit si éloquent, il regretta vivement de ne lui avoir pas fait apprendre le latin, car il lui aurait acheté une grande charge dans la robe. La mère, qui avait des sentiments plus nobles, se chargea de solliciter un régiment pour son fils ; et en attendant il fit l'amour. L'amour est quelquefois plus cher qu'un régiment. Il dépensa beaucoup, pendant que ses parents s'épuisaient encore davantage à vivre en grands seigneurs.

Une jeune veuve de qualité, leur voisine, qui n'avait qu'une fortune médiocre, voulut bien se résoudre à mettre en sûreté les grands biens de monsieur et de madame de la Jeannotière, en se les appropriant, et en épousant le jeune marquis. Elle l'attira chez elle, se laissa aimer, lui fit entrevoir qu'il ne lui était pas indifférent, le conduisit par degrés, l'enchanta, le subjugua sans peine. Elle lui donnait tantôt des éloges, tantôt des conseils ; elle devint la meilleure amie du père et de la mère. Une vieille voisine proposa le mariage ; les parents, éblouis de la splendeur de cette alliance, acceptèrent avec joie la proposition : ils donnèrent leur fils unique à leur amie intime. Le jeune marquis allait épouser une femme qu'il adorait et dont il était aimé ; les amis de la maison le félicitaient ;

---

1. Journal de Fréron (1718-1776), critique littéraire, ennemi des Encyclopédistes et de Voltaire.
2. Les trois premiers poètes cités brillèrent dans la Société du Temple, groupe de grands seigneurs et d'hommes de lettres qui se réunissaient chez le prince de Vendôme, grand prieur du Temple, à la fin du règne de Louis XIV. Sarrasin (ou Sarasin) et Voiture sont deux brillants représentants de la poésie précieuse.

on allait rédiger les articles, en travaillant aux habits de noce et à l'épithalame.

Il était, un matin, aux genoux de la charmante épouse que l'amour, l'estime, et l'amitié, allaient lui donner ; ils goûtaient, dans une conversation tendre et animée, les prémices de leur bonheur ; ils s'arrangeaient pour mener une vie délicieuse, lorsqu'un valet de chambre de madame la mère arrive tout effaré. « Voici bien d'autres nouvelles, dit-il ; des huissiers déménagent la maison de monsieur et de madame ; tout est saisi par des créanciers ; on parle de prise de corps, et je vais faire mes diligences pour être payé de mes gages. — Voyons un peu, dit le marquis, que c'est que ça, ce que c'est que cette aventure-là. — Oui, dit la veuve, allez punir ces coquins-là, allez vite. » Il y court, il arrive à la maison ; son père était déjà emprisonné : tous les domestiques avaient fui chacun de leur côté, en emportant tout ce qu'ils avaient pu. Sa mère était seule, sans secours, sans consolation, noyée dans les larmes ; il ne lui restait rien que le souvenir de sa fortune, de sa beauté, de ses fautes et de ses folles dépenses.

Après que le fils eut longtemps pleuré avec la mère, il lui dit enfin : « Ne nous désespérons pas ; cette jeune veuve m'aime éperdument ; elle est plus généreuse encore que riche, je réponds d'elle ; je vole à elle, et je vais vous l'amener. » Il retourne chez sa maîtresse, il la trouve tête à tête avec un jeune officier fort aimable. « Quoi ! c'est vous, monsieur de la Jeannotière ; que venez-vous faire ici ? abandonne-t-on ainsi sa mère ? Allez chez cette pauvre femme, et dites-lui que je lui veux toujours du bien : j'ai besoin d'une femme de chambre, et je lui donnerai la préférence. — Mon garçon, tu me parais assez bien tourné, lui dit l'officier ; si tu veux entrer dans ma compagnie je te donnerai un bon engagement. »

Le marquis, stupéfait, la rage dans le cœur, alla chercher son ancien gouverneur, déposa ses douleurs dans son sein, et lui demanda des conseils. Celui-ci lui proposa de se faire, comme lui, gouverneur d'enfants. « Hélas ! je ne sais rien, vous ne m'avez rien appris, et vous êtes la première cause de mon malheur » ; et il sanglotait en lui parlant ainsi. « Faites des romans, lui dit un bel esprit qui était là ; c'est une excellente ressource à Paris. »

Le jeune homme, plus désespéré que jamais, courut chez

le confesseur de sa mère : c'était un théatin [1] très accrédité, qui ne dirigeait que les femmes de la première considération ; dès qu'il le vit, il se précipita vers lui. « Eh ! mon Dieu ! monsieur le marquis, où est votre carrosse ? comment se porte la respectable madame la marquise votre mère ? » Le pauvre malheureux lui conta le désastre de sa famille. À mesure qu'il s'expliquait, le théatin prenait une mine plus grave, plus indifférente, plus imposante : « Mon fils, voilà où Dieu vous voulait ; les richesses ne servent qu'à corrompre le cœur ; Dieu a donc fait la grâce à votre mère de la réduire à la mendicité ? — Oui monsieur. — Tant mieux, elle est sûre de son salut. — Mais, mon père, en attendant, n'y aurait-il pas moyen d'obtenir quelque secours dans ce monde ? — Adieu, mon fils ; il y a une dame de la cour qui m'attend. »

Le marquis fut prêt à s'évanouir ; il fut traité à peu près de même par ses amis, et apprit mieux à connaître le monde dans une demi-journée que dans tout le reste de sa vie.

Comme il était plongé dans l'accablement du désespoir, il vit avancer une chaise roulante à l'antique, espèce de tombereau couvert, accompagné de rideaux de cuir, suivi de quatre charrettes énormes toutes chargées. Il y avait dans la chaise un jeune homme grossièrement vêtu ; c'était un visage rond et frais qui respirait la douceur et la gaieté. Sa petite femme brune, et assez grossièrement agréable, était cahotée à côté de lui. La voiture n'allait pas comme le char d'un petit-maître. Le voyageur eut tout le temps de contempler le marquis immobile, abîmé dans sa douleur. « Eh ! mon Dieu ! s'écria-t-il, je crois que c'est là Jeannot. » À ce nom, le marquis lève les yeux, la voiture s'arrête : « C'est Jeannot lui-même, c'est Jeannot. » Le petit homme rebondi ne fait qu'un saut, et court embrasser son ancien camarade. Jeannot reconnut Colin ; la honte et les pleurs couvrirent son visage. « Tu m'as abandonné, dit Colin ; mais tu as beau être grand seigneur, je t'aimerai toujours. » Jeannot, confus et attendri, lui conta en sanglotant, une partie de son histoire. « Viens dans l'hôtellerie où je loge me conter le reste, lui dit Colin ; embrasse ma petite femme, et allons dîner ensemble. »

Ils vont tous trois à pied, suivis du bagage. « Qu'est-ce donc que tout cet attirail ? vous appartient-il ? — Oui, tout est

---

1. Membre d'un ordre religieux fondé en Italie au XVIᵉ siècle.

à moi et à ma femme. Nous arrivons du pays ; je suis à la tête d'une bonne manufacture de fer étamé et de cuivre. J'ai épousé la fille d'un riche négociant en ustensiles nécessaires aux grands et aux petits ; nous travaillons beaucoup ; Dieu nous bénit ; nous n'avons point changé d'état ; nous sommes heureux, nous aiderons notre ami Jeannot. Ne sois plus marquis ; toutes les grandeurs de ce monde ne valent pas un bon ami. Tu reviendras avec moi au pays, je t'apprendrai le métier, il n'est pas bien difficile ; je te mettrai de part [1], et nous vivrons gaiement dans le coin de terre où nous sommes nés. »

Jeannot, éperdu, se sentait partagé entre la douleur et la joie, la tendresse et la honte ; et il se disait tout bas : « Tous mes amis du bel air m'ont trahi, et Colin, que j'ai méprisé, vient seul à mon secours. Quelle instruction ! » La bonté d'âme de Colin développa dans le cœur de Jeannot le germe du bon naturel, que le monde n'avait pas encore étouffé. Il sentit qu'il ne pouvait abandonner son père et sa mère. « Nous aurons soin de ta mère, dit Colin ; et quant à ton bonhomme de père, qui est en prison, j'entends un peu les affaires ; ses créanciers, voyant qu'il n'a plus rien, s'accommoderont pour peu de chose ; je me charge de tout. » Colin fit tant qu'il tira le père de prison. Jeannot retourna dans sa patrie avec ses parents, qui reprirent leur première profession. Il épousa une sœur de Colin, laquelle, étant de même humeur que le frère, le rendit très heureux. Et Jeannot, le père, et Jeannotte la mère, et Jeannot le fils, virent que le bonheur n'est pas dans la vanité.

3) *HISTOIRE DE JENNI*

*Publiée en 1775, l'*Histoire de Jenni *est l'un des derniers contes de Voltaire, qui y combat l'athéisme.*

Diverses aventures conduisent le héros, un jeune Anglais, d'Espagne en Angleterre. Le premier chapitre, où l'on voit deux jeunes Espagnoles épier Jenni dans son bain, rappelle

---

1. Je t'associerai à mes affaires.

curieusement la scène ou Mlles de Kerkabon et de Saint-Yves
découvrent le Huron dans la rivière. À Londres, le jeune
homme tourne mal : il fréquente des athées, et s'éprend d'une
créature sans scrupules, Mme Clive-Hart. Pour le détacher
d'elle, le père du jeune homme, le sage Freind, décide de lui
faire épouser la vertueuse Primerose.

CHAPITRE SIXIÈME

AVENTURE ÉPOUVANTABLE

L'on était prêt de conclure le mariage de la belle Primerose avec le beau Jenni. Notre ami Freind n'avait jamais goûté
une joie plus pure ; je la partageais. Voici comme elle fut
changée en un désastre que je puis à peine comprendre.

La Clive-Hart aimait Jenni en lui faisant continuellement
des infidélités. C'est le sort, dit-on, de toutes les femmes qui,
en méprisant trop la pudeur, ont renoncé à la probité. Elle
trahissait surtout son cher Jenni pour son cher Birton et pour
un autre débauché de la même trempe. Ils vivaient ensemble
dans la crapule. Et, ce qui ne se voit peut-être que dans notre
nation, c'est qu'ils avaient tous de l'esprit et de la valeur. Malheureusement ils n'avaient jamais plus d'esprit que contre
Dieu. La maison de madame Clive-Hart était le rendez-vous
des athées. Encore s'ils avaient été des athées gens de bien,
comme Épicure et Leontium[1], comme Lucrèce et Mem-
mius[2], comme Spinosa, qu'on dit avoir été un des plus honnêtes hommes de la Hollande ; comme Hobbes, si fidèle à
son infortuné monarque Charles Ier... Mais !...

Quoi qu'il en soit, Clive-Hart, jalouse avec fureur de la
tendre et innocente Primerose, sans être fidèle à Jenni, ne
put souffrir cet heureux mariage. Elle médite une vengeance
dont je ne crois pas qu'il y ait d'exemple dans notre ville de
Londres, où nos pères ont vu cependant tant de crimes de tant
d'espèces.

Elle sut que Primerose devait passer devant sa porte en revenant de la Cité, où cette jeune personne était allée faire des

1. Courtisane, amie d'Épicure. Elle s'adonna à la philosophie.
2. Chevalier romain, à qui Lucrèce dédia son poème.

emplettes avec sa femme de chambre. Elle prend ce temps pour faire travailler à un petit canal souterrain qui conduisait l'eau dans ses offices.

Le carrosse de Primerose fut obligé, en revenant, de s'arrêter vis-à-vis cet embarras. La Clive-Hart se présente à elle, la prie de descendre, de se reposer, d'accepter quelques rafraîchissements, en attendant que le chemin soit libre. La belle Primerose tremblait à cette proposition ; mais Jenni était dans le vestibule. Un mouvement involontaire, plus fort que la réflexion, la fit descendre. Jenni courait au-devant d'elle, et lui donnait déjà la main. Elle entre ; le mari de la Clive-Hart était un ivrogne imbécile, odieux à sa femme autant que soumis, à charge même par ses complaisances. Il présente d'abord, en balbutiant, des rafraîchissements à la demoiselle qui honore sa maison, il en boit après elle. La dame Clive-Hart les emporte sur-le-champ, et en fait présenter d'autres. Pendant ce temps la rue est débarrassée. Primerose remonte en carrosse et rentre chez sa mère.

Au bout d'un quart d'heure elle se plaint d'un mal de cœur et d'un étourdissement. On croit que ce petit dérangement n'est que l'effet du mouvement du carrosse. Mais le mal augmente de moment en moment, et le lendemain elle était à la mort. Nous courûmes chez elle, Mr. Freind et moi. Nous trouvâmes cette charmante créature, pâle, livide, agitée de convulsions, les lèvres retirées, les yeux tantôt éteints, tantôt étincelants, et toujours fixes. Des taches noires défiguraient sa belle gorge et son beau visage. Sa mère était évanouie à côté de son lit. Le secourable Cheselden prodiguait en vain toutes les ressources de son art. Je ne vous peindrai point le désespoir de Freind, il était inexprimable. Je vole au logis de la Clive-Hart. J'apprends que son mari vient de mourir, et que la femme a déserté la maison. Je cherche Jenni ; on ne le trouve pas. Une servante me dit que sa maîtresse s'est jetée aux pieds de Jenni, et l'a conjuré de ne la pas abandonner dans son malheur ; qu'elle est partie avec Jenni et Birton, et qu'on ne sait où elle est allée.

Écrasé de tant de coups si rapides et si multipliés, l'esprit bouleversé par des soupçons horribles que je chassais et qui revenaient, je me traîne dans la maison de la mourante. « Cependant, me disais-je à moi-même, si cette abominable femme s'est jetée aux genoux de Jenni, si elle l'a prié d'avoir pitié d'elle, il n'est donc point complice. Jenni est incapable d'un crime si lâche, si affreux, qu'il n'a eu nul intérêt, nul motif de commettre, qui le priverait d'une femme adorable et de sa fortune, qui le rendrait exécrable au genre humain. Faible, il se sera laissé subjuguer par une malheureuse dont il n'aura pas connu les noirceurs. Il n'a point vu comme moi Primerose expirante ; il n'aurait pas quitté le chevet de son lit pour suivre l'empoisonneuse de sa femme. » Dévoré de ces pensées, j'entre en frissonnant chez celle que je craignais de ne plus trouver en vie. Elle respirait. Le vieux Clive-Hart avait succombé en un moment, parce que son corps était usé par les débauches ; mais la jeune Primerose était soutenue par un tempérament aussi robuste que son âme était pure. Elle m'aperçut, et d'une voix tendre elle me demanda où était Jenni. À ce mot j'avoue qu'un torrent de larmes coula de mes yeux. Je ne pus lui répondre ; je ne pus parler au père. Il fallut la laisser enfin entre les mains fidèles qui la servaient.

Nous allâmes instruire milord [1] de ce désastre. Vous connaissez son cœur : il est aussi tendre pour ses amis que terrible à ses ennemis. Jamais homme ne fut plus compatissant avec une physionomie plus dure. Il se donna autant de peine pour secourir la mourante, pour découvrir l'asile de Jenni et de sa scélérate, qu'il en avait pris pour donner l'Espagne à l'archiduc. Toutes nos recherches furent inutiles. Je crus que Freind en mourrait. Nous volions tantôt chez Primerose, dont l'agonie était longue, tantôt à Rochester, à Douvres, à Portsmouth ; on envoyait des courriers partout, on était partout, on errait à l'aventure, comme des chiens de chasse qui ont perdu la voie ; et cependant la mère infortunée de l'infortunée Primerose voyait d'heure en heure mourir sa fille.

Enfin nous apprenons qu'une femme assez jeune et assez belle, accompagnée de trois jeunes gens et de quelques valets, s'est embarquée à Neuport dans le comté de Pembroke, sur un petit vaisseau qui était à la rade, plein de contrebandiers, et que ce bâtiment est parti pour l'Amérique septentrionale.

Freind, à cette nouvelle, poussa un profond soupir ; puis, tout à coup se recueillant et me serrant la main : « Il faut, dit-il, que j'aille en Amérique. » Je lui répondis en l'admi-

---

1. Lord Peterborough (que Voltaire écrit Peterborou), homme politique, général et diplomate anglais. Il commanda brillamment en 1705 et 1706 les troupes envoyées par la reine Anne en Espagne pour soutenir l'archiduc Charles.

rant et en pleurant : « Je ne vous quitterai pas ; mais que pourrez-vous faire ? — Ramener mon fils unique, dit-il, à sa patrie et à la vertu, ou m'ensevelir auprès de lui. » Nous ne pouvions douter en effet aux indices qu'on nous donna que ce ne fût Jenni qui s'était embarqué avec cette horrible femme et Birton, et les garnements de son cortège.

Le bon père, ayant pris son parti, dit adieu à milord Peterborou, qui retourna bientôt en Catalogne ; et nous allâmes fréter à Bristol un vaisseau pour la rivière de Delaware et pour la baie de Maryland. Freind concluait que, ces parages étant au milieu des possessions anglaises, il fallait y diriger sa navigation, soit que son fils fût vers le sud, soit qu'il eût marché vers le septentrion. Il se munit d'argent, de lettres de change et de vivres, laissant à Londres un domestique affidé, chargé de lui donner des nouvelles par les vaisseaux qui allaient toutes les semaines dans le Maryland ou dans la Pensylvanie.

Nous partîmes ; les gens de l'équipage, en voyant la sérénité sur le visage de Freind, croyaient que nous faisions un voyage de plaisir. Mais, quand il n'avait que moi pour témoin, ses soupirs m'expliquaient assez sa douleur profonde. Je m'applaudissais quelquefois en secret de l'honneur de consoler une si belle âme. Un vent d'ouest nous retint longtemps à la hauteur des Sorlingues. Nous fûmes obligés de diriger notre route vers la Nouvelle-Angleterre. Que d'informations nous fîmes sur toute la côte ! Que de temps et de soins perdus ! Enfin un vent de nord-est s'étant levé, nous tournâmes vers Maryland. C'est là qu'on nous dépeignit Jenni, la Clive-Hart, et leurs compagnons.

Ils avaient séjourné sur la côte pendant plus d'un mois, et avaient étonné toute la colonie par des débauches et des magnificences inconnues jusqu'alors dans cette partie du globe ; après quoi ils étaient disparus, et personne ne savait de leurs nouvelles.

Nous avançâmes dans la baie avec le dessein d'aller jusqu'à Baltimore prendre de nouvelles informations.

CHAPITRE SEPTIÈME

CE QUI ARRIVA EN AMÉRIQUE

Nous trouvâmes dans la route, sur la droite, une habitation très bien entendue. C'était une maison basse, commode et propre, entre une grange spacieuse et une vaste étable, le tout entouré d'un jardin où croissaient tous les fruits du pays. Cet enclos appartenait à un vieillard qui nous invita à descendre dans sa retraite. Il n'avait pas l'air d'un Anglais, et nous jugeâmes bientôt à son accent qu'il était étranger. Nous ancrâmes ; nous descendîmes ; ce bonhomme nous reçut avec cordialité, et nous donna le meilleur repas qu'on puisse faire dans le nouveau monde.

Nous lui insinuâmes discrètement notre désir de savoir à qui nous avions l'obligation d'être si bien reçus. « Je suis, dit-il, un de ceux que vous appelez sauvages. Je naquis sur une des montagnes bleues qui bordent cette contrée, et que vous voyez à l'occident. Un gros vilain serpent à sonnette m'avait mordu dans mon enfance sur une de ces montagnes ; j'étais abandonné ; j'allais mourir. Le père de milord Baltimore d'aujourd'hui[1] me rencontra, me mit entre les mains de son médecin, et je lui dus la vie. Je lui rendis bientôt ce que je lui devais, car je lui sauvai la sienne dans un combat contre une horde voisine. Il me donna pour récompense cette habitation, où je vis heureux. »

Mr. Freind lui demanda s'il était de la religion du lord Baltimore. « Moi ! dit-il, je suis de la mienne ; pourquoi voudriez-vous que je fusse de la religion d'un autre homme ? » Cette réponse courte et énergique nous fit rentrer un peu en nous-mêmes. « Vous avez donc, lui dis-je, votre dieu et votre loi ? — Oui, nous répondit-il avec une assurance qui n'avait rien de la fierté ; mon dieu est là », et il montra le ciel ; « ma loi est là-dedans », et il mit la main sur son cœur.

Mr. Freind fut saisi d'admiration, et, me serrant la main : « Cette pure nature, me dit-il, en sait plus que tous les bacheliers qui ont raisonné avec nous dans Barcelone. »

1. Lord Baltimore (1637-1715), possesseur du Maryland, avait succédé à son père, le fondateur de la colonie. Leur famille était catholique.

Il était pressé d'apprendre, s'il se pouvait, quelque nouvelle certaine de son fils Jenni. C'était un poids qui l'oppressait. Il demanda si on n'avait pas entendu parler de cette bande de jeunes gens qui avaient fait tant de fracas dans les environs. « Comment ! dit le vieillard, si on m'en a parlé ! Je les ai vus, je les ai reçus chez moi, et ils ont été si contents de ma réception qu'ils sont partis avec une de mes filles. »

Jugez quel fut le frémissement et l'effroi de mon ami à ce discours. Il ne put s'empêcher de s'écrier dans son premier mouvement : « Quoi ! votre fille a été enlevée par mon fils ! — Bon Anglais, lui repartit le vieillard, ne te fâche point ; je suis très aise que celui qui est parti de chez moi avec ma fille soit ton fils, car il est beau, bien fait, et paraît courageux. Il ne m'a point enlevé ma chère Parouba : car il faut que tu saches que Parouba est son nom, parce que Parouba est le mien. S'il m'avait pris ma Parouba, ce serait un vol ; et mes cinq enfants mâles, qui sont à présent à la chasse dans le voisinage, à quarante ou cinquante milles d'ici, n'auraient pas souffert cet affront. C'est un grand péché de voler le bien d'autrui. Ma fille s'en est allée de son plein gré avec ces jeunes gens ; elle a voulu voir le pays : c'est une petite satisfaction qu'on ne doit pas refuser à une personne de son âge. Ces voyageurs me la rendront avant qu'il soit un mois ; j'en suis sûr, car ils me l'ont promis. » Ces paroles m'auraient fait rire, si la douleur où je voyais mon ami plongé n'avait pas pénétré mon âme, qui en était tout occupée.

Le soir, tandis que nous étions prêts à partir et à profiter du vent, arrive un des fils de Parouba tout essoufflé, la pâleur, l'horreur et le désespoir sur le visage. « Qu'as-tu donc, mon fils ? d'où viens-tu ? je te croyais à la chasse. Que t'est-il arrivé ? Es-tu blessé par quelque bête sauvage ?

— Non, mon père, je ne suis point blessé, mais je me meurs.

— Mais d'où viens-tu, encore une fois, mon cher fils ?

— De quarante milles d'ici sans m'arrêter ; mais je suis mort. »

Le père, tout tremblant, le fait reposer. On lui donne des restaurants ; nous nous empressons autour de lui, ses petits frères, ses petites sœurs, Mr. Freind, et moi, et nos domestiques. Quand il eut repris ses sens, il se jeta au cou du bon vieillard Parouba. « Ah ! dit-il en sanglotant, ma sœur Parouba est prisonnière de guerre, et probablement va être mangée. »

Le bonhomme Parouba tomba par terre à ces paroles.
Mr. Freind, qui était père aussi, sentit ses entrailles s'émouvoir. Enfin Parouba le fils nous apprit qu'une troupe de
jeunes Anglais fort étourdis avaient attaqué par passe-temps
des gens de la montagne bleue. « Ils avaient, dit-il, avec eux
une très belle femme et sa suivante ; et je ne sais comment
ma sœur se trouvait dans cette compagnie. La belle Anglaise
a été tuée et mangée ; ma sœur a été prise, et sera mangée
tout de même. Je viens ici chercher du secours contre les gens
de la montagne bleue ; je veux les tuer, les manger à mon
tour, reprendre ma chère sœur, ou mourir. »

Ce fut alors à Mr. Freind de s'évanouir ; mais l'habitude
de se commander à lui-même le soutint. « Dieu m'a donné
un fils, me dit-il ; il reprendra le fils et le père quand le
moment d'exécuter ses décrets éternels sera venu. Mon ami,
je serais tenté de croire que Dieu agit quelquefois par une
providence particulière, soumise à ses lois générales, puisqu'il
punit en Amérique les crimes commis en Europe, et que la
scélérate Clive-Hart est morte comme elle devait mourir. Peut-
être le souverain fabricateur de tant de mondes aura-t-il
arrangé les choses de façon que les grands forfaits commis
dans un globe sont expiés quelquefois dans ce globe même.
Je n'ose le croire, mais je le souhaite ; et je le croirais si cette
idée n'était pas contre toutes les règles de la bonne métaphysique. »

Après des réflexions si tristes sur de si fatales aventures,
fort ordinaires en Amérique, Freind prit son parti incontinent selon sa coutume. « J'ai un bon vaisseau, dit-il à son
hôte, il est bien approvisionné ; remontons le golfe avec la
marée le plus près que nous pourrons des montagnes bleues.
Mon affaire la plus pressée est à présent de sauver votre fille.
Allons vers vos anciens compatriotes ; vous leur direz que
je viens leur apporter le calumet de la paix, et que je suis le
petit-fils de Penn [1] : ce nom seul suffira. »

À ce nom de Penn, si révéré dans toute l'Amérique boréale,
le bon Parouba et son fils sentirent les mouvements du plus

_____

1. William Penn (1644-1718), fils du riche amiral sir William Penn,
quaker, fondateur entre 1676 et 1681 de la Pennsylvanie. La constitution libérale qu'il donna au pays garantissait la tolérance religieuse
et visait à protéger les Indiens.

profond respect et de la plus chère espérance. Nous nous embarquons, nous mettons à la voile, nous abordons en trente-six heures auprès de Baltimore.

À peine étions-nous à la vue de cette petite place, alors presque déserte, que nous découvrîmes de loin une troupe nombreuse d'habitants des montagnes bleues qui descendaient dans la plaine, armés de casse-têtes, de haches, et de ces mousquets que les Européens leur ont si sottement vendus pour avoir des pelleteries. On entendait déjà leurs hurlements effroyables. D'un autre côté s'avançaient quatre cavaliers suivis de quelques hommes de pied. Cette petite troupe nous prit pour des gens de Baltimore qui venaient les combattre. Les cavaliers courent sur nous à bride abattue, le sabre à la main. Nos compagnons se préparaient à les recevoir. Mr. Freind, ayant regardé fixement les cavaliers, frissonna un moment ; mais, reprenant tout à coup son sangfroid ordinaire : « Ne bougez, mes amis, nous dit-il d'une voix attendrie ; laissez-moi agir seul. » Il s'avance en effet seul, sans armes, à pas lents, vers la troupe. Nous voyons en un moment le chef abandonner la bride de son cheval, se jeter à terre, et tomber prosterné. Nous poussons un cri d'étonnement ; nous approchons : c'était Jenni lui-même qui baignait de larmes les pieds de son père, qui l'embrassait de ses mains tremblantes. Ni l'un ni l'autre ne pouvait parler. Birton et les deux jeunes cavaliers qui l'accompagnaient descendirent de cheval. Mais Birton, conservant son caractère, lui dit : « Pardieu, mon cher Freind, je ne t'attendais pas ici. Toi et moi nous sommes faits pour les aventures. Pardieu ! je suis bien aise de te voir. »

Freind, sans daigner lui répondre, se retourna vers l'armée des montagnes bleues qui s'avançait. Il marcha à elle avec le seul Parouba, qui lui servait d'interprète. « Compatriotes, leur dit Parouba, voici le descendant de Penn qui vous apporte le calumet de la paix. »

À ces mots, le plus ancien du peuple répondit, en élevant les mains et les yeux au ciel : « Un fils de Penn ! que je baise ses pieds et ses mains, et ses parties sacrées de la génération ! Qu'il puisse faire une longue race de Penn ! que les Penn vivent à jamais ! le grand Penn est notre Manitou, notre Dieu. Ce fut presque le seul des gens d'Europe qui ne nous trompa point, qui ne s'empara point de nos terres par la force. Il acheta le pays que nous lui cédâmes ; il le paya libéralement ;

il entretint chez nous la concorde ; il apporta des remèdes pour le peu de maladies que notre commerce avec les gens d'Europe nous communiquait ; il nous enseigna des arts que nous ignorions. Jamais nous ne fumâmes contre lui ni contre ses enfants le calumet de la guerre ; nous n'avons avec les Penn que le calumet de l'adoration. »

Ayant parlé ainsi au nom de son peuple, il courut en effet baiser les pieds et les mains de Mr. Freind ; mais il s'abstint de parvenir aux parties sacrées dès qu'on lui dit que ce n'était pas l'usage en Angleterre, et que chaque pays a ses cérémonies.

Freind fit apporter sur-le-champ une trentaine de jambons, autant de grands pâtés et de poulardes à la daube, deux cents gros flacons de vin de Pontac qu'on tira du vaisseau ; il plaça à côté de lui le commandant des montagnes bleues. Jenni et ses compagnons furent du festin ; mais Jenni aurait voulu être cent pieds sous terre. Son père ne lui disait mot ; et ce silence augmentait encore sa honte.

Birton, à qui tout était égal, montrait une gaieté évaporée. Freind, avant qu'on se mît à manger, dit au bon Parouba : « Il nous manque ici une personne bien chère, c'est votre fille. » Le commandant des montagnes bleues la fit venir sur-le-champ ; on ne lui avait fait aucun outrage ; elle embrassa son père et son frère, comme si elle fût revenue de la promenade.

Je profitai de la liberté du repas pour demander par quelle raison les guerriers des montagnes bleues avaient tué et mangé madame Clive-Hart, et n'avaient rien fait à la fille de Parouba. « C'est parce que nous sommes justes, répondit le commandant. Cette fière Anglaise était de la troupe qui nous attaqua ; elle tua un des nôtres d'un coup de pistolet par-derrière. Nous n'avons rien fait à la Parouba dès que nous avons su qu'elle était la fille d'un de nos anciens camarades, et qu'elle n'était venue ici que pour s'amuser : il faut rendre à chacun selon ses œuvres. »

Freind fut touché de cette maxime, mais il représenta que la coutume de manger des femmes était indigne de si braves gens, et qu'avec tant de vertu on ne devait pas être anthropophage.

Le chef des montagnes nous demanda alors ce que nous faisions de nos ennemis lorsque nous les avions tués. « Nous les enterrons, lui répondis-je. — J'entends, dit-il ; vous les faites manger par les vers. Nous voulons avoir la préférence ; nos estomacs sont une sépulture plus honorable. »

Birton prit plaisir à soutenir l'opinion des montagnes bleues. Il dit que la coutume de mettre son prochain au pot ou à la broche était la plus ancienne et la plus naturelle puisqu'on l'avait trouvée établie dans les deux hémisphères ; qu'il était par conséquent démontré que c'était là une idée innée, qu'on avait été à la chasse aux hommes avant d'aller à la chasse aux bêtes, par la raison qu'il était bien plus aisé de tuer un homme que de tuer un loup ; que si les Juifs, dans leurs livres si longtemps ignorés, ont imaginé qu'un nommé Caïn tua un nommé Abel, ce ne peut être que pour le manger ; que ces Juifs eux-mêmes avouent nettement s'être nourris plusieurs fois de chair humaine ; que, selon les meilleurs historiens, les Juifs dévorèrent les chairs sanglantes des Romains assassinés par eux en Égypte, en Chypre, en Asie, dans leurs révoltes contre les empereurs Trajan et Adrien.

Nous lui laissâmes débiter ces dures plaisanteries, dont le fond pouvait malheureusement être vrai, mais qui n'avaient rien de l'atticisme grec et de l'urbanité romaine.

Le bon Freind, sans lui répondre, adressa la parole aux gens du pays. Parouba l'interprétait phrase à phrase. Jamais le grave Tillotson [1] ne parla avec tant d'énergie, jamais l'insinuant Smalridge [2] n'eut des grâces si touchantes. Le grand secret est de démontrer avec éloquence. Il leur démontra donc que ces festins où l'on se nourrit de la chair de ses semblables sont des repas de vautours, et non pas d'hommes ; que cette exécrable coutume inspire une férocité destructive du genre humain ; que c'était la raison pour laquelle ils ne connaissaient ni les consolations de la société, ni la culture de la terre ; enfin ils jurèrent par leur grand Manitou qu'ils ne mangeraient plus ni hommes ni femmes.

Freind, dans une seule conversation, fut leur législateur ; c'était Orphée qui apprivoisait les tigres. Les Jésuites ont beau s'attribuer des miracles dans leurs *Lettres curieuses et édifiantes* [3], qui sont rarement l'un et l'autre, ils n'égaleront jamais notre ami Freind.

---

1. Ecclésiastique anglais (1629-1694) qui combattit l'athéisme en recourant au raisonnement.
2. Autre prélat anglais (1663-1718), prédicateur et poète.
3. Lettres de missionnaires jésuites, parues entre 1703 et 1771.

Après avoir comblé de présents les seigneurs des montagnes bleues, il ramena dans son vaisseau le bonhomme
Parouba vers sa demeure. Le jeune Parouba fut du voyage
avec sa sœur ; les autres frères avaient poursuivi leur chasse
du côté de la Caroline. Jenni, Birton, et leurs camarades,
s'embarquèrent dans le vaisseau ; le sage Freind persistait toujours dans sa méthode de ne faire aucun reproche à son fils
quand ce garnement avait fait quelque mauvaise action ; il
le laissait s'examiner lui-même et dévorer son cœur, comme
dit Pythagore. Cependant il reprit trois fois la lettre qu'on
lui avait apportée d'Angleterre ; et, en la relisant, il regardait son fils, qui baissait toujours les yeux ; et on lisait sur
le visage de ce jeune homme le respect et le repentir.

Pour Birton, il était aussi gai et aussi désinvolte que s'il
était revenu de la comédie : c'était un caractère à peu près
dans le goût du feu comte de Rochester [1], extrême dans la
débauche, dans la bravoure, dans ses idées, dans ses expressions, dans sa philosophie épicurienne, n'étant attaché à rien,
sinon aux choses extraordinaires, dont il se dégoûtait bien
vite ; ayant cette sorte d'esprit qui tient les vraisemblances
pour des démonstrations ; plus savant, plus éloquent
qu'aucun jeune homme de son âge, mais ne s'étant jamais
donné la peine de rien approfondir.

Il échappa à Mr. Freind, en dînant avec nous dans le vaisseau, de me dire : « En vérité, mon ami, j'espère que Dieu
inspirera des mœurs plus honnêtes à ces jeunes gens, et que
l'exemple terrible de la Clive-Hart les corrigera. »

Birton, ayant entendu ces paroles, lui dit d'un ton un peu
dédaigneux : « J'étais depuis longtemps très mécontent de
cette méchante Clive-Hart : je ne me soucie pas plus d'elle
que d'une poularde grasse qu'on aurait mise à la broche ;
mais, en bonne foi, pensez-vous qu'il existe, je ne sais où,
un être continuellement occupé à faire punir toutes les
méchantes femmes, et tous les hommes pervers qui peuplent
et dépeuplent les quatre parties de notre petit monde ?
Oubliez-vous que notre détestable Marie, fille de Henri VIII,
fut heureuse jusqu'à sa mort ? et cependant elle avait fait
périr dans les flammes plus de huit cents citoyens et citoyennes
sur le seul prétexte qu'ils ne croyaient ni à la transsubstan-

---

1. Grand seigneur anglais (1648-1680), poète et débauché.

tiation ni au pape. Son père, presque aussi barbare qu'elle, et son mari, plus profondément méchant, vécurent dans les plaisirs. Le pape Alexandre VI, plus criminel qu'eux tous, fut aussi le plus fortuné : tous ses crimes lui réussirent, et il mourut à soixante et douze ans, puissant, riche, courtisé de tous les rois. Où donc est le Dieu juste et vengeur ? Non, pardieu ! il n'y a point de Dieu. »

Mr. Freind, d'un air austère, mais tranquille, lui dit : « Monsieur, vous ne devriez pas, ce me semble, jurer par Dieu même que ce Dieu n'existe pas. Songez que Newton et Locke n'ont prononcé jamais ce nom sacré sans un air de recueillement et d'adoration secrète qui a été remarqué de tout le monde.

— *Pox*[1] *!* repartit Birton ; je me soucie bien de la mine que deux hommes ont faite. Quelle mine avait donc Newton quand il commentait l'*Apocalypse*[2] ? et quelle grimace faisait Locke lorsqu'il racontait la longue conversation d'un perroquet avec le prince Maurice[3] ? » Alors Freind prononça ces belles paroles d'or qui se gravèrent dans mon cœur : « Oublions les rêves des grands hommes, et souvenons-nous des vérités qu'ils nous ont enseignées. » Cette réponse engagea une dispute réglée, plus intéressante que la conversation avec le bachelier de Salamanque ; je me mis dans un coin, j'écrivis en notes tout ce qui fut dit : on se rangea autour des deux combattants ; le bonhomme Parouba, son fils, et surtout sa fille, les compagnons des débauches de Jenni, écoutaient, le cou tendu, les yeux fixés ; et Jenni, la tête baissée, les deux coudes sur ses genoux, les mains sur ses yeux, semblait plongé dans la plus profonde méditation.

1. Juron des jeunes seigneurs anglais, signifiant « vérole ».
2. Allusion à un ouvrage ésotérique de Newton, *Apocalypse of St John.*
3. Exemple de la crédulité de Locke, que Voltaire rapporte dans le chapitre « Contre Locke » du *Philosophe ignorant.*

III - Y A-T-IL D'AUTRES MONDES HABITÉS ?

1) LE VOYAGE INTERPLANÉTAIRE

Les relations de voyage, authentiques ou imaginaires, se multiplient au XVIIᵉ et au XVIIIᵉ siècle. « À l'intérieur de cette abondante littérature », écrit J. Van den Heuvel *(Romans et Contes, La Pléiade, p. 702)*, « il est une tradition qui ne pouvait manquer de retenir la curiosité de Voltaire : favorisé par le développement des recherches scientifiques dans le domaine de l'astronomie et de la cosmographie, le "voyage interplanétaire" connaît une vogue sans précédent au XVIIᵉ et au début du XVIIIᵉ siècle ». *Le roman d'un Anglais, Godwin, intitulé* The Main in the Moon, *fut ainsi traduit en français dès 1648.*

Un texte a sans doute exercé une influence décisive sur Voltaire : L'Autre Monde ou les États et Empires de la Lune *de Cyrano de Bergerac. Dans cette œuvre, publiée en 1657 mais sans doute écrite en 1649, comme dans* Micromégas, *le voyage dans les étoiles conduit tout droit à la philosophie.*

Le héros rêve de se rendre sur la lune :

« Je m'étais attaché autour de moi quantité de fioles pleines de rosée, et la chaleur du soleil qui les attirait m'éleva si haut qu'à la fin je me trouvais au-dessus des plus hautes nuées. Mais comme cette attraction me faisait monter avec trop de rapidité, et qu'au lieu de m'approcher de la lune, comme je prétendais, elle me paraissait plus éloignée qu'à mon parte-ment, je cassais plusieurs de mes fioles jusqu'à ce que je sentis que ma pesanteur surmontait l'attraction et que je descen-dais vers la terre. »

Voici le voyageur en Nouvelle-France. Sa deuxième tentative aura plus de succès.

Je m'en allais dès qu'elle était levée, [rêvant] parmi les bois, à la conduite et au réussit de mon entreprise. Enfin, un jour, la veille de Saint-Jean, qu'on tenait conseil dans le fort pour déterminer si on donnerait secours aux sauvages du pays contre les Iroquois, je m'en fus tout seul derrière notre habitation au coupeau d'une petite montagne, où voici ce que j'exécutai :

Avec une machine que je construisis et que je m'imaginais être capable de m'élever autant que je voudrais, je me précipitai en l'air du faîte d'une roche. Mais parce que je n'avais pas bien pris mes mesures, je culbutai rudement dans la vallée.

Tout froissé que j'étais, je m'en retournai dans ma chambre sans pourtant me décourager. Je pris de la moelle de bœuf, dont je m'oignis tout le corps, car il était meurtri depuis la tête jusqu'aux pieds ; et après m'être fortifié le cœur d'une bouteille d'essence cordiale, je m'en retournai chercher ma machine. Mais je ne la retrouvai point, car certains soldats, qu'on avait envoyés dans la forêt couper du bois pour faire l'échafaudage du feu de la Saint-Jean qu'on devait allumer le soir, l'ayant rencontrée par hasard, l'avaient apportée au fort. Après plusieurs explications de ce que ce pouvait être, quand on eut découvert l'invention du ressort, quelques-uns avaient dit qu'il fallait attacher autour quantité de fusées volantes, pour ce que, leur rapidité l'ayant enlevée bien haut, et le ressort agitant ses grandes ailes, il n'y aurait personne qui ne prît cette machine pour un dragon de feu.

Je la cherchai longtemps, mais enfin je la trouvai au milieu de la place de Québec, comme on y mettait le feu. La douleur de rencontrer l'ouvrage de mes mains en un si grand péril me transporta tellement que je courus saisir le bras du soldat qui allumait le feu. Je lui arrachai sa mèche, et me jetai tout furieux dans ma machine pour briser l'artifice dont elle était environnée ; mais j'arrivai trop tard, car à peine y eus-je les deux pieds que me voilà enlevé dans la nue.

L'épouvantable horreur dont je fus consterné ne renversa point tellement les facultés de mon âme, que je ne me sois souvenu depuis de tout ce qui m'arriva dans cet instant. Vous saurez donc que la flamme ayant dévoré un rang de fusées (car on les avait disposées six à six, par le moyen d'une amorce qui bordait chaque demi-douzaine) un autre étage s'embrasait, puis un autre, en sorte que le salpêtre embrasé éloignait le péril en le croissant. La matière toutefois étant usée fit que l'artifice manqua ; et lorsque je ne songeais plus qu'à laisser ma tête sur celle de quelque montagne, je sentis (sans que je remuasse aucunement) mon élévation continuer, et ma machine prenant congé de moi, je la vis retomber vers la terre.

Cette aventure extraordinaire me gonfla d'une joie si peu commune que, ravi de me voir délivré d'un danger assuré, j'eus l'impudence de philosopher dessus. Comme donc je cherchais des yeux et de la pensée ce qui pouvait être la cause de ce miracle, j'aperçus ma chair boursouflée, et grasse encore de la moelle dont je m'étais enduit pour les meurtrissures de mon trébuchement ; je connus qu'étant alors en décours, et la lune pendant ce quartier ayant accoutumé de sucer la moelle des animaux, elle buvait celle dont je m'étais enduit avec d'autant plus de force que son globe était plus proche de moi, et que l'interposition des nuées n'en affaiblissait point la vigueur.

Quand j'eus percé, selon le calcul que j'ai fait depuis, beaucoup plus des trois quarts du chemin qui sépare la terre d'avec la lune, je me vis tout d'un coup choir les pieds en haut, sans avoir culbuté en aucune façon. Encore ne m'en fus-je pas aperçu, si je n'eusse senti ma tête chargée du poids de mon corps. Je connus bien à la vérité que je ne retombais pas vers notre monde ; car encore que je me trouvasse entre deux lunes, et que je remarquasse fort bien que je m'éloignais de l'une à mesure que je m'approchais de l'autre, j'étais très assuré que la plus grande était notre terre ; pour ce qu'au bout d'un jour ou deux de voyage, les réfractions éloignées du soleil venant à confondre la diversité des corps et des climats, il ne m'avait plus paru que comme une grande plaque d'or ainsi que l'autre ; cela me fit imaginer que j'abaissais vers la lune, et je me confirmai dans cette opinion, quand je vins à me souvenir que je n'avais commencé de choir qu'après les trois quarts du chemin. « Car, disais-je en moi-même, cette masse étant moindre que la nôtre, il faut que la sphère de son activité soit aussi moins étendue, et que, par conséquent, j'aie senti plus tard la force de son centre. »

Après avoir été fort longtemps à tomber, à ce que je préjuge (car la violence du précipice doit m'avoir empêché de le remarquer), le plus loin dont je me souviens est que je me trouvai sous un arbre embarrassé avec trois ou quatre branches assez grosses que j'avais éclatées par ma chute, et le visage mouillé d'une pomme qui s'était écachée contre.

Cyrano de Bergerac, *L'Autre Monde ou les États et Empires de la Lune*, 1657.

2) *ENTRETIENS SUR LA PLURALITÉ DES MONDES HABITÉS*

Autre influence décisive, celle de Fontenelle, représenté sous les traits du secrétaire de l'Académie de Saturne. Malgré quelques coups de griffe, Voltaire a pour son prédécesseur une estime certaine. Le Temple du goût, *texte de 1732, place d'ailleurs Fontenelle entre Lucrèce et Leibniz, et l'oppose positivement à Rousseau :* « *Rousseau alla faire une épigramme, et Fontenelle le regarda avec cette compassion philosophique qu'un esprit éclairé et étendu ne peut s'empêcher d'avoir pour un homme qui ne sait que rimer* » *(*Mélanges, La Pléiade, p. 145).

Les Entretiens sur la pluralité des mondes, *quoique déjà vieux d'un demi-siècle, étaient encore d'actualité à Cirey dans les années 1737-1739. Une marquise et un philosophe s'entretiennent devant le ciel étoilé, un beau soir d'été. Astres et planètes sont-ils habités ? Le philosophe ébauche un parallèle entre ces deux figures de l'Autre, ces deux étrangers absolus que sont les Américains et les extraterrestres.*

[...] dites-moi, et dites-moi bien sérieusement, si vous croyez qu'il y ait des hommes dans la Lune ; car jusqu'à présent vous ne m'en avez pas parlé d'une manière assez positive. Moi ? repris-je, je ne crois point du tout qu'il y ait des hommes dans la Lune. Voyez combien la face de la Nature est changée d'ici à la Chine ; d'autres visages, d'autres figures, d'autres mœurs, et presque d'autres principes de raisonnement. D'ici à la Lune, le changement doit être bien plus considérable. Quand on va vers de certaines terres nouvellement décou-

vertes, à peine sont-ce des hommes que les habitants qu'on
y trouve ; ce sont des animaux à figure humaine, encore quelquefois assez imparfaite, mais presque sans aucune raison
humaine. Qui pourrait pousser jusqu'à la Lune, assurément
ce ne seraient plus des hommes qu'on y trouverait.

Quelles sortes de gens seraient-ce donc ? reprit la marquise
avec un air d'impatience. De bonne foi, madame, répliquai-
je, je n'en sais rien. S'il se pouvait faire que nous eussions
de la raison, et que nous ne fussions pourtant pas hommes,
et si d'ailleurs nous habitions la Lune, nous imaginerions-
nous bien qu'il y eût ici-bas cette espèce bizarre de créatures
qu'on appelle le genre humain ? Pourrions-nous bien nous
figurer quelque chose qui y eût des passions si folles et des
réflexions si sages ; une durée si courte, et des vues si longues ;
tant de science sur des choses presque inutiles, et tant d'ignorance sur les plus importantes ; tant d'ardeur pour la liberté,
et tant d'inclination à la servitude ; une si forte envie d'être
heureux, et une si grande incapacité de l'être ? Il faudrait que
les gens de la Lune eussent bien de l'esprit, s'ils devinaient
tout cela. Nous nous voyons incessamment nous-mêmes, et
nous en sommes encore à deviner comment nous sommes
faits. On a été réduit à dire que les dieux étaient ivres de
nectar, lorsqu'ils firent les hommes, et que quand ils vinrent
à regarder leur ouvrage de sang-froid, ils ne purent s'empêcher d'en rire. Nous voilà donc bien en sûreté du côté des
gens de la Lune, dit la marquise ; ils ne nous devineront pas :
mais je voudrais que nous les pussions deviner ; car en vérité,
cela inquiète de savoir qu'ils sont là-haut dans cette Lune que
nous voyons, et de ne pouvoir pas se figurer comment ils sont
faits. Et pourquoi, répondis-je, n'avez-vous point d'inquiétude sur les habitants de cette grande terre australe qui nous
est encore entièrement inconnue ? Nous sommes portés eux
et nous sur un même vaisseau, dont ils occupent la proue et
nous la poupe. Vous voyez que de la poupe à la proue, il n'y
a aucune communication, et qu'à un bout du navire on ne
sait point quels gens sont à l'autre, ni ce qu'ils y font ; et
vous voudriez savoir ce qui se passe dans la Lune, dans cet
autre vaisseau qui flotte loin de nous par les cieux ?

Oh ! reprit-elle, je compte les habitants de la terre australe
pour connus, parce que assurément ils doivent nous ressem-
bler beaucoup, et qu'enfin on les connaîtra, quand on voudra
se donner la peine de les aller voir ; ils demeureront tou-

jours là, et ne nous échapperont pas : mais ces gens de la Lune, on ne les connaîtra jamais, cela est désespérant. Si je vous répondais sérieusement, répliquai-je, qu'on ne sait ce qui arriva, vous vous moqueriez de moi, et je le mériterais sans doute. Cependant, je me défendrais assez bien, si je voulais. J'ai une pensée très ridicule, qui a un air de vraisemblance qui me surprend ; je ne sais où elle peut l'avoir pris, étant aussi impertinente qu'elle est. Je gage que je vais vous réduire à avouer, contre toute raison, qu'il pourra y avoir un jour de commerce entre la Terre et la Lune. Remettez-vous dans l'esprit l'état où était l'Amérique avant qu'elle eût été découverte par Christophe Colomb. Ses habitants vivaient dans une ignorance extrême. Loin de connaître les sciences, ils ne connaissaient pas les arts les plus simples et les plus nécessaires ; ils allaient nus ; ils n'avaient point d'autres armes que l'arc : ils n'avaient jamais conçu que les hommes pussent être portés par des animaux ; ils regardaient la mer comme un grand espace défendu aux hommes, qui se joignait au ciel, et au-delà duquel il n'y avait rien. Il est vrai qu'avoir passé des années entières à creuser le tronc d'un gros arbre avec des pierres tranchantes, ils se mettaient sur la mer dans ce tronc, et allaient terre à terre, portés par le vent et par les flots. Mais comme ce vaisseau était sujet à être souvent renversé, il fallait qu'ils se missent aussitôt à la nage pour le rattraper ; et à proprement parler, ils nageaient toujours, hormis le temps qu'ils se délassaient. Qui leur eût dit qu'il y avait une sorte de navigation incomparablement plus parfaite, qu'on pouvait traverser cette étendue infinie d'eaux de tel côté et de tel sens qu'on voulait ; qu'on s'y pouvait arrêter sans mouvement au milieu des flots émus ; qu'on était maître de la vitesse avec laquelle on allait ; qu'enfin cette mer, quelque vaste qu'elle fût, n'était point un obstacle à la communication des peuples, pourvu seulement qu'il y eût des peuples au-delà : vous pouvez compter qu'ils ne l'eussent jamais cru. Cependant, voilà un beau jour le spectacle du monde le plus étrange et le moins attendu qui se présente à eux. De grands corps énormes qui paraissent avoir des ailes blanches, qui volent sur la mer, qui vomissent du feu de toutes parts, et qui viennent jeter sur le rivage des gens inconnus, tous écaillés de fer, disposant comme ils veulent des monstres qui courent sous eux, et tenant en leur main des foudres, dont ils terrassent tout ce qui leur résiste. D'où sont-ils venus ? Qui a pu les amener par-dessus les mers ? Qui a mis le feu en leur disposition ? Sont-ce les enfants du Soleil ? car assurément ce ne sont pas des hommes. Je ne sais, madame, si vous entrez comme moi dans la surprise des Américains ; mais jamais il ne peut y en avoir eu une pareille dans le monde. Après cela, je ne veux plus jurer qu'il ne puisse y avoir commerce quelque jour entre la Lune et la Terre. Les Américains eussent-ils cru qu'il eût dû y en avoir entre l'Amérique et l'Europe, qu'ils ne connaissaient seulement pas ? Il est vrai qu'il faudra traverser ce grand espace d'air et de ciel qui est entre la Terre et la Lune. Mais ces grandes mers paraissaient-elles aux Américains plus propres à être traversées ? En vérité, dit la marquise, en me regardant, vous êtes fou. Qui vous dit le contraire ? répondis-je. Mais je veux vous le prouver, reprit-elle ; je ne me contente pas de l'aveu que vous en faites. Les Américains étaient si ignorants, qu'ils n'avaient garde de soupçonner qu'on pût se faire des chemins au travers de mers si vastes ; mais nous qui avons tant de connaissance, nous nous figurerions bien qu'on pût aller par les airs, si l'on pouvait effectivement y aller. On fait plus que figurer la chose possible, répliquai-je ; on commence déjà à voler un peu. Plusieurs personnes différentes ont trouvé le secret de s'ajuster des ailes qui les soutinssent en l'air, de leur donner du mouvement, et de passer par-dessus des rivières. À la vérité, ce n'a pas été un vol d'aigle, et il en a quelquefois coûté à ces nouveaux oiseaux un bras ou une jambe ; mais enfin, cela ne représente encore que les premières planches que l'on a mises sur l'eau, et qui ont été le commencement de la navigation. De ces planches-là, il y avait bien loin jusqu'à de gros navires qui pussent faire le tour du monde. Cependant, peu à peu sont venus les gros navires. L'art de voler ne fait que de naître ; il se perfectionnera encore, et quelque jour on ira jusqu'à la Lune. Prétendons-nous avoir découvert toutes choses, ou les avoir mises à un point qu'on n'y puisse rien ajouter ? Eh ! de grâce, consentons qu'il y ait encore quelque chose à faire pour les siècles à venir. Je ne consentirai point, dit-elle, qu'on vole jamais que d'une manière à se rompre aussitôt le cou. Eh bien, lui répondis-je, si vous voulez qu'on vole toujours si mal ici, on volera mieux dans la Lune ; ses habitants seront plus propres que nous à ce métier, car il n'importe que nous allions là, ou qu'ils viennent ici ; et nous serons comme les Américains, qui ne se figuraient pas

qu'on pût naviguer, quoiqu'à l'autre bout du monde on navi-
guât fort bien. Les gens de la Lune seraient donc déjà venus ?
reprit-elle presque en colère. Les Européens n'ont été en Amérique qu'au bout de six mille ans, répliquai-je en éclatant de
rire ; il leur fallut ce temps-là pour perfectionner la navigation, jusqu'au point de pouvoir traverser l'Océan. Les gens
de la Lune savent peut-être déjà faire de petits voyages dans
l'air : à l'heure qu'il est, ils s'exercent ; quand ils seront plus
habiles et plus expérimentés, nous les verrons, et Dieu sait
quelle surprise. Vous êtes insupportable, dit-elle, de me
pousser à bout avec un raisonnement aussi creux que celui-
là. Si vous me fâchez, repris-je, je sais bien ce que j'ajoute-
rai encore pour le fortifier. Remarquez que le monde se développe peu à peu. Les anciens se tenaient bien sûrs que la zone
torride et les zones glaciales ne pouvaient être habitées, à cause
de l'excès ou du chaud, ou du froid ; et du temps des
Romains, la carte générale de la Terre n'était guère plus étendue que la carte de leur Empire, ce qui avait de la grandeur
en un sens, et marquait beaucoup d'ignorance en un autre.
Cependant, il ne laissa pas de se trouver des hommes, et dans
des pays très chauds, et dans des pays très froids : voilà déjà
le monde augmenté ; ensuite, on jugea que l'Océan couvrait
toute la Terre, hormis ce qui était connu alors, et qu'il n'y
avait point d'antipodes, car on n'en avait jamais ouï parler ;
et puis, auraient-ils eu les pieds en haut et la tête en bas ?
Après ce beau raisonnement, on découvre pourtant les antipodes. Nouvelle réformation à la carte, nouvelle moitié de
la Terre. Vous m'entendez bien, madame, ces antipodes-là,
qu'on a trouvés contre toute espérance, devraient nous
apprendre à être retenus dans nos jugements. Le monde achè-
vera peut-être de se développer pour nous ; on connaîtra
jusqu'à la Lune. Nous n'en sommes pas encore là, parce que
toute la Terre n'est pas découverte, et qu'apparemment il faut
que tout cela se fasse d'ordre. Quand nous aurons bien connu
notre habitation, il nous sera permis de connaître celle de nos
voisins les gens de la Lune. Sans mentir, dit la marquise, en
me regardant attentivement, je vous trouve si profond sur
cette matière, qu'il n'est pas possible que vous ne croyiez tout
de bon ce que vous dites. J'en serais bien fâché, répondis-
je ; je veux seulement vous faire voir qu'on peut assez bien
soutenir une opinion chimérique pour embarrasser une personne d'esprit, mais non pas assez bien pour la persuader.

Il n'y a que la vérité qui persuade, même sans avoir besoin de paraître avec toutes ses preuves. Elle entre si naturellement dans l'esprit, que quand on l'apprend pour la première fois, il semble qu'on ne fasse que s'en souvenir. Ah ! vous me soulagez, répliqua la marquise ; votre faux raisonnement m'incommodait, et je me sens plus en état d'aller me coucher tranquillement, si vous voulez bien que nous nous retirions.

Fontenelle, *Entretiens sur la pluralité
des mondes habités*, Second soir,
Corpus des œuvres de philosophie en langue française,
Fayard, 1991, t. II, pp. 49-55.

On peut donc imaginer que les autres mondes sont habités.

[...] Mais, madame, continuons le voyage que nous avions entrepris de faire de planète en planète ; nous avons assez exactement visité la Lune. Au sortir de la Lune, en tirant vers le Soleil, on trouve Vénus Sur Vénus, je reprends le Saint-Denis. Vénus tourne sur elle-même et autour du Soleil comme la Lune : on découvre avec les lunettes d'approche que Vénus, aussi bien que la Lune, est tantôt en croissant, tantôt en décours, tantôt pleine, selon les diverses situations où elle est à l'égard de la Terre. La Lune, selon toutes les apparences, est habitée ; pourquoi Vénus ne le sera-t-elle pas aussi ? Mais, interrompit la marquise, en disant toujours : *pourquoi non ?* vous m'allez mettre des habitants dans toutes les planètes. N'en doutez pas, répliquai-je ; ce *pourquoi non ?* a une vertu qui peuplera tout. Nous voyons que toutes les planètes sont de la même nature, toutes des corps opaques, qui ne reçoivent de la lumière que du Soleil, qui se la renvoient les uns aux autres, et qui n'ont que les mêmes mouvements ; jusque-là tout est égal. Cependant, il faudrait concevoir que ces grands corps auraient été faits pour n'être point habités, que ce serait là leur condition naturelle, et qu'il y aurait une exception justement en faveur de la Terre toute seule. Qui voudra le croire, le croie ; pour moi je ne m'y puis pas résoudre. Je vous trouve, dit-elle, bien affermi dans votre opinion depuis quelques instants. Je viens de voir le moment que la Lune

serait déserte, et que vous ne vous souciiez pas beaucoup ;
et présentement, si on osait vous dire que toutes les planètes
ne sont pas aussi habitées que la Terre, je vois bien que vous
vous mettriez en colère. Il est vrai, répondis-je, que dans le
moment où vous venez de me surprendre, si vous m'eussiez
contredit sur les habitants des planètes, non seulement je vous
les aurais soutenus, mais je crois que je vous aurais dit
comment ils étaient faits. Il y a des moments pour croire, et
je ne les ai jamais si bien crus que dans celui-là ; présentement même que je suis un peu plus de sang-froid, je ne laisse
pas de trouver qu'il serait bien étrange que la Terre fût aussi
habitée qu'elle l'est, et que les autres planètes ne le fussent
point du tout ; car ne croyez pas que nous voyions tout ce
qui habite la Terre, il y a autant d'espèces d'animaux invisibles que de visibles. Nous voyons depuis l'éléphant jusqu'au
ciron ; là finit notre vue : mais au ciron commence une multitude infinie d'animaux, dont il est l'éléphant, et que nos
yeux ne sauraient apercevoir sans secours. On a vu avec des
lunettes de très petites gouttes d'eau de pluie, ou de vinaigre,
ou d'autres liqueurs, remplies de petits poissons ou de petits
serpents, que l'on n'aurait jamais soupçonnés d'y habiter ;
et quelques philosophes croient que le goût qu'elles font
sentir, sont les piqûres que ces petits animaux font à la langue.
Mêlez de certaines choses dans quelques-unes de ces liqueurs,
ou exposez-les au Soleil, ou laissez-les se corrompre, voilà
aussitôt de nouvelles espèces de petits animaux.

Beaucoup de corps qui paraissent solides ne sont presque
que des amas de ces animaux imperceptibles, qui y trouvent
par leurs mouvements autant de liberté qu'il leur en faut. Une
feuille d'arbre est un petit monde habité par des vermisseaux
invisibles, à qui elle paraît d'une étendue immense, qui y connaissent des montagnes et des abîmes, et qui d'un côté de la
feuille à l'autre, n'ont pas plus de communication avec les
autres vermisseaux qui y vivent, que nous avec nos antipodes.

À plus forte raison, ce me semble, une grosse planète sera-
t-elle un monde habité. On a trouvé jusque dans des espèces
de pierres très dures, de petits vers sans nombre, qui y étaient
logés de toutes parts dans des vides insensibles, et qui ne se
nourrissaient que de la substance de ces pierres qu'ils ron-
geaient. Figurez-vous combien il y avait de ces petits vers,
et pendant combien d'années ils subsistaient de la grosseur
d'un grain de sable ; et sur cet exemple, quand la lune ne serait

qu'un amas de rochers, je la ferais plutôt ronger par ses habitants, que de n'y en pas mettre. Enfin, tout est vivant, tout est animé. Mettez toutes ces espèces d'animaux nouvellement découvertes, et même toutes celles qu'on conçoit aisément qui sont encore à découvrir, avec celles que l'on a toujours vues ; vous trouverez assurément que la Terre est peuplée, et que la Nature y a si libéralement répandu les animaux, qu'elle ne s'est pas mise en peine que l'on en vît seulement la moitié. Croirez-vous qu'après qu'elle a poussé ici sa fécondité jusqu'à l'excès, elle a été pour toutes les autres planètes d'une stérilité à n'y rien produire de vivant ?

Ma raison est assez bien convaincue, dit la marquise ; mais mon imagination est accablée de la multitude infinie des habitants de toutes ces planètes, et embarrassée de la diversité qu'il faut établir entre eux ; car je vois bien que la Nature, selon qu'elle est ennemie des répétitions, les aura tous faits différents. Mais comment se représenter cela ? Ce n'est pas à l'imagination à prétendre se le représenter, répondis-je ; elle ne peut aller plus loin que les yeux. On peut seulement apercevoir d'une certaine vue universelle la diversité que la Nature doit avoir mise entre tous ces mondes. Tous les visages sont en général sur un même modèle ; mais ceux de deux grandes nations, comme des Européens, si vous voulez, et des Africains ou des Tartares, paraissent être faits sur deux modèles particuliers ; il faudrait encore trouver le modèle des visages de chaque famille. Quel secret doit avoir eu la Nature pour varier en tant de manières une chose aussi simple qu'un visage ? Nous ne sommes dans l'Univers que comme une petite famille, dont tous les visages se ressemblent ; dans une autre planète, c'est une autre famille, dont les visages ont un autre air.

Apparemment les différences augmentent à mesure que l'on s'éloigne ; et qui verrait un habitant de la Lune et un habitant de la Terre, remarquerait bien qu'ils seraient de deux mondes plus voisins qu'un habitant de la Terre et un habitant de Saturne. Ici, par exemple, on a l'usage de la voix ; ailleurs on ne parle que par des signes ; plus loin, on ne parle point du tout. Ici le raisonnement se forme entièrement par l'expérience ; ailleurs, l'expérience y ajoute fort peu de chose ; plus loin, les vieillards n'en savent pas plus que les enfants. Ici on se tourmente de l'avenir plus que du passé ; ailleurs on se tourmente du passé plus que de l'avenir ; plus loin, on ne se tourmente ni de l'un ni de l'autre, et ceux-là ne sont peut-être pas les plus malheureux. On dit qu'il pourrait bien nous manquer un sixième sens naturel, qui nous apprendrait beaucoup de choses que nous ignorons. Ce sixième sens est apparemment dans quelque autre monde, où il manque quelqu'un des cinq que nous possédons. Peut-être même y a-t-il effectivement un grand nombre de sens naturels ; mais dans le partage que nous avons fait avec les habitants des autres planètes, il ne nous en est échu que cinq, dont nous nous contentons, faute d'en connaître d'autres. Nos sciences ont de certaines bornes que l'esprit humain n'a jamais pu passer. Il y a un point où elles nous manquent tout à coup ; le reste est pour d'autres mondes, où quelque chose de ce que nous savons est inconnu. Cette planète-ci jouit des douceurs de l'amour ; mais elle est toujours désolée en plusieurs de ses parties par les fureurs de la guerre. Dans une autre planète, on jouit d'une paix éternelle ; mais au milieu de cette paix, on ne connaît point l'amour, et on s'ennuie. Enfin, ce que la Nature pratique en petit entre les hommes pour la distribution du bonheur ou des talents, elle l'aura sans doute pratiqué en grand entre les mondes, et elle se sera bien souvenue de mettre en usage ce secret merveilleux qu'elle a de diversifier toutes choses, et de les égaler en même temps par les compensations.

Fontenelle, Entretiens, op. cit.,
Troisième soir, pp. 68-72.

3) LES ARTICLES « MONDE » ET « PLANÈTE » DE L'ENCYCLOPÉDIE

L'influence de Fontenelle est encore vive dans ces deux articles publiés en 1765. Bien que postérieurs à Micromégas, ils rendent compte de l'actualité du texte de Voltaire, et manifestent le même goût pour une spéculation prudente, tempérée de rigueur.

MONDE

Pluralité des mondes

M. de Fontenelle a le premier prétendu, dans un ouvrage qui a le même titre que cet article, que chaque planète depuis la Lune jusqu'à Saturne était un monde habité comme notre Terre. La raison générale qu'il en apporte est que les planètes sont des corps semblables à notre Terre, que notre Terre est elle-même une planète, et que par conséquent puisque cette dernière est habitée, les autres planètes doivent l'être aussi. L'auteur se met à couvert des objections des théologiens, en assurant qu'il ne met point des hommes dans les autres planètes, mais des habitants qui ne sont point du tout des hommes. M. Huygens dans son *Cosmotheoros* imprimé en 1690, peu de temps après l'ouvrage de M. Fontenelle, soutient la même opinion, avec cette différence qu'il prétend que les habitants des planètes doivent avoir les mêmes arts et les mêmes connaissances que nous, ce qui ne s'éloigne pas beaucoup d'en faire des hommes. Après tout pourquoi cette opinion serait-elle contraire à la foi ? L'Écriture nous apprend sans doute que tous les hommes viennent d'Adam, mais elle ne veut parler que des hommes qui habitent notre Terre. D'autres hommes peuvent habiter les autres planètes et venir d'ailleurs que d'Adam.

Quoique l'opinion de l'existence des habitants des planètes ne soit pas sans vraisemblance, elle n'est pas plus sans difficulté. 1° On doute si plusieurs planètes, entre autres la Lune, ont une atmosphère, et dans la supposition qu'elles n'en aient point, on ne voit pas comment des êtres vivants y respireraient et y subsisteraient. 2° On remarque dans quelques planètes, comme Jupiter, etc., des changements figurés et considérables sur leur surface, et il semble qu'une planète habitée devrait être plus tranquille. 3° Enfin les comètes sont certainement des planètes, et il est difficile cependant de croire que les comètes soient habitées, à cause de la différence extrême que leurs habitants devraient éprouver dans la chaleur du Soleil, dont ils seraient quelquefois brûlés, pour ne la ressentir ensuite que très faiblement ou point du tout. La comète de 1680, par exemple, a passé presque sur le Soleil, et de là elle s'en est éloignée au point qu'elle ne reviendra peut-être plus que dans 575 ans. Quels seraient les corps vivants capables de soutenir cette chaleur prodigieuse d'un côté et cet énorme froid de l'autre ? Il en est de même à proportion des autres comètes. Que faut-il donc répondre à ceux qui demandent si les planètes sont habitées ? Qu'on n'en sait rien !

Encyclopédie, tome X.

PLANÈTE

[...] Puisque Saturne, Jupiter et leurs satellites, Mars, Vénus et Mercure sont des corps opaques qui reçoivent leur lumière du Soleil, qui sont couverts de montagnes, et environnés d'une atmosphère changeante, il paraît s'ensuivre que ces planètes ont des eaux, des mers, etc., aussi bien que des terrains secs ; en un mot que ce sont des corps semblables à la Lune, et par conséquent à la Terre. Par conséquent, selon plusieurs philosophes, rien ne nous empêche de croire que les planètes sont habitées. Huygens dans son *Cosmotheoros* a prétendu donner des preuves très fortes de l'existence des habitants des planètes : ces preuves sont tirées de la ressemblance des planètes avec la Terre, et de ce qu'elles sont, comme la Terre, des corps opaques, denses, raboteux, pesants, éclairés et échauffés par le Soleil ; ayant leur nuit et leur jour, leur été et leur hiver.

M. de Fontenelle a aussi traité cette question dans les *Entretiens sur la pluralité des mondes* ; il y soutient que chaque planète est habitée, et il explique chemin faisant avec beaucoup de clarté le système de Copernic et les tourbillons de Descartes, qui étaient alors tout ce qu'on connaissait de mieux. Ce livre a eu la plus grande réputation ; et on le regarde encore aujourd'hui comme un de ceux qui font le plus d'honneur à son auteur. Voyez PLURALITÉ DES MONDES au mot MONDE.

Wolf, s'appuyant sur des preuves d'une autre espèce, va jusqu'à faire des conjectures sur les habitants des planètes : par exemple, il ne doute point que les habitants de Jupiter ne soient beaucoup plus grands que nous, et de taille gigantesque. La preuve qu'il en donne est si singulière, qu'il ne sera peut-être pas inutile de la rapporter ici : on se souviendra que c'est M. Wolf qui parle. « On enseigne dans l'optique que la prunelle de l'œil est dilatée par une lumière faible et retraite par une lumière forte : donc la lumière du Soleil étant beaucoup moins grande pour les habitants de Jupiter que pour nous, parce que Jupiter est plus éloigné du Soleil, il s'ensuit que les habitants de cette planète ont la prunelle beaucoup plus large et beaucoup plus dilatée que la nôtre. Or on observe que la prunelle a une dimension constante avec le globe de l'œil, et l'œil avec le reste du corps ; de sorte que dans les animaux, plus la prunelle est grande, plus l'œil est gros, et plus aussi le corps est grand.

« Pour déterminer la grandeur des habitants de Jupiter, on peut remarquer que la distance de Jupiter au Soleil est à la distance de la Terre au Soleil comme 26 à 5 ; et que par conséquent la lumière du Soleil, par rapport à Jupiter, est à sa lumière par rapport à la Terre, en raison doublée de 5 à 26 ; or on trouve par l'expérience que la prunelle se dilate en plus grand rapport que l'intensité de la lumière ne croît : autrement un corps placé à une grande distance paraîtrait aussi nettement qu'un autre plus près. Ainsi le diamètre de la prunelle des habitants de Jupiter est au diamètre de la nôtre en plus grande raison que celle de 5 à 26. Supposons-le de 10 à 26, ou de 5 à 13 ; comme la hauteur ordinaire des habitants de la Terre est de cinq pieds quatre pouces environ (c'est la hauteur que M. Wolf s'est trouvée à lui-même), on en conclut que la hauteur commune des habitants de Jupiter doit être de 14 pieds. Or cette hauteur était à peu près celle de Og, roi de Basan, dont parle Moïse, et dont le lit de fer était long de neuf coudées et large de quatre. »

Voici les égarements où tombe l'esprit humain quand il se livre à la fureur de faire des systèmes ; car sur quoi M. Wolf se fonde-t-il pour avancer que les habitants de Jupiter, supposé qu'ils voient, ont la prunelle plus grande que la nôtre, et que la grandeur de leur prunelle est proportionnelle à la hauteur de leur corps ? La lumière est plus faible dans Jupiter que sur la Terre, il est vrai, mais les habitants de Jupiter peuvent être d'une telle nature que cette lumière soit aussi forte pour eux que la nôtre l'est pour nous. Il suffit pour cela qu'ils aient l'organe plus sensible ; d'ailleurs est-il vrai que la grandeur du corps soit proportionnée au diamètre de la prunelle ? Ne voyons-nous pas tous les jours le contraire dans les animaux ? Les chats ont la prunelle beaucoup plus grande que nous, les cochons l'ont beaucoup plus petite que les chats, etc.

M. de Fontenelle est bien éloigné de faire des conjectures aussi puériles sur la figure des habitants des planètes ; il pense qu'elle est fort différente de la nôtre, et que nous n'en avons

aucune idée ; et il appuie cette opinion par des raisons ingé-
nieuses : « Quelle différence, dit-il, de notre figure, de nos
manières, etc., à celles des Américains ou des Africains ! Nous
habitons pourtant le même vaisseau, dont ils tiennent la proue
et nous la poupe ! Combien ne doit-il pas y avoir de différence de nous aux habitants des autres planètes, c'est-à-dire
de ces autres vaisseaux qui flottent loin de nous par les
cieux ? » Cela est beaucoup plus vraisemblable ; mais cependant il n'est pas encore bien sûr que les planètes soient
habitées.

Encyclopédie, tome XI.

IV - PETITE GÉNÉALOGIE DE
L'INGÉNU

Pour fabriquer son personnage, Voltaire s'est inspiré d'une tradition littéraire très vivante dont relèvent plusieurs types de textes. Les relations laissées par les grands voyageurs, dont les missionnaires, constituent un premier corpus qui alimente une abondante littérature mêlant récits d'aventures et réflexions philosophiques. À cette veine s'ajoutent les romans épistolaires où des « étrangers-visiteurs-juges » (J. Van den Heuvel) découvrent l'Europe à la manière des Persans de Montesquieu. Enfin des pièces de théâtre, souvent des comédies destinées à la foire, mettent plaisamment en scène les tribulations du sauvage[1].

1598   Jacques Cartier, *Discours du voyage fait par le capitaine J. Cartier aux Terres Neuves du Canada*, Rouen.

1603   Champlain, *Des sauvages, ou Voyage de Samuel de Champlain de Brouage, fait en la France Nouvelle*, l'an mil six cents trois, Paris.

1616   P. Biard, *Relation de la Nouvelle France* (Première des relations sérieuses publiées par les jésuites).

1632   G. Sagard-Théodat, *Grand Voyage au pays des Hurons*.

1636   G. Sagard, *Histoire du Canada et des voyages que les frères mineurs récollets y ont faits*, Paris.

1676   Foigny, *La Terre australe connue...*, par M. Sadeur.

---

1. Voir G. Chinard, *L'Amérique et le rêve exotique dans la littérature française aux XVIIe et XVIIIe siècles*, Paris, Droz, 1934.

1703   Lahontan, *Nouveaux voyages de M. le baron de Lahontan*, La Haye.
Lahontan, *Mémoires de l'Amérique septentrionale ou la suite des voyages de M. le baron de Lahontan*.

1704   Lahontan, *Suite du voyage de l'Amérique, ou Dialogues de M. le baron de Lahontan et d'un sauvage dans l'Amérique*, Amsterdam.

1721   Delisle de la Drevetière, *Arlequin sauvage*, Paris.

1722   Labat, *Nouveaux voyages aux îles de l'Amérique*, Paris.

1724   Lafitau, *Mœurs des sauvages américains comparées aux mœurs des premiers temps*, Paris.

1732   Lesage, *Les Aventures de M. Robert Chevalier, dit de Beauchêne*, Paris.
Lesage et d'Orneval, *La Sauvagesse*, Théâtre de la Foire.

1734   Lesage et d'Orneval, *Les Mariages de Canada*, Théâtre de la Foire.

1736   Voltaire, *Alzire*, tragédie.

1744   Charlevoix, *Histoire et description générale de la Nouvelle France, avec un journal historique*, Paris.

1746   Joubert de la Rue (?), *Lettres d'un sauvage dépaysé à son correspondant en Amérique*, Amsterdam.

1752   Maubert de Gouvest, *Lettres iroquoises*, à Irocopolis.

1764   Chamfort, *La Jeune Indienne*, comédie en un acte en vers.

1767   Mercier, *L'Homme sauvage*, Amsterdam.
Sauvigny, *Hirza ou les Illinois*, tragédie en cinq actes, Paris.

1768   Marmontel, *Le Huron*, comédie en deux actes et en vers (d'après le roman de Voltaire), Paris.

V - HURONS, IROQUOIS ET AUTRES SAUVAGES

1) LE SAUVAGE ENTRE ETHNOLOGIE, PHILOSOPHIE ET ROMAN

Le premier chapitre de L'Ingénu *fait allusion à la grammaire huronne du révérend père Sagard-Théodat, récollet et fameux missionnaire. C'est cet ouvrage qui permet au prieur de s'assurer que son hôte est bien un authentique Huron. Le* Grand Voyage au pays des Hurons, *publié en 1632, accompagné d'un* Dictionnaire de la langue huronne — *livre que possédait Voltaire — est l'une des plus anciennes relations de voyage en pays indien. Gabriel Sagard-Théodat — auteur également d'une* Histoire du Canada, *parue en 1636 — y raconte les innombrables mésaventures qui guettent un pauvre missionnaire en pays indigène et apporte un soin tout particulier à la description des mœurs locales.*

DU PAYS DES HURONS ET DE LEURS VILLES, VILLAGES ET CABANES

Mais pour parler en général du pays des Hurons, de sa situation, des mœurs de ses habitants et de leurs principales cérémonies et façons de faire, disons premièrement qu'il est situé sous la hauteur de quarante-quatre degrés et demi de latitude et deux cent trente lieues de longitude à l'occident et dix de latitude. Pays fort déserté, beau et agréable et traversé de ruisseaux qui se dégorgent dedans le grand lac. On n'y voit point une face hideuse de grands rochers et de montagnes stériles comme on voit en beaucoup d'autres endroits aux contrées canadiennes et algoumequines.

Le pays est plein de belles collines, de campagnes et de très belles et grandes prairies qui portent quantité de bon foin qui ne sert qu'à y mettre le feu par plaisir quand il est sec. En plusieurs endroits, il y a quantité de froment sauvage qui a l'épi comme le seigle et le grain comme l'avoine. J'y fus trompé, pensant, quand j'en vis, que ce fussent champs qui eussent été ensemencés de bon grain. Je fus de même trompé aux pois sauvages, qui poussent, en divers endroits, aussi épais que s'ils avaient été semés et cultivés. Pour montrer la bonté de la terre, un sauvage de Tœnchen, ayant planté un peu de pois qu'il avait apporté de la traite, obtint des fruits deux fois plus gros qu'à l'ordinaire. Je m'en étonnais, n'en ayant point vu de si gros ni en France ni en Canada.

Il y a de belles forêts peuplées de gros chênes, bouleaux, érables, cèdres, sapins, ifs et autres sortes de bois, beaucoup plus beaux sans comparaison qu'aux autres provinces du Canada que nous ayons vues : aussi le pays est-il plus chaud et plus beau. Les terres sont plus grasses et meilleures, plus en avance, tirant au sud. Du côté du Nord, les terres sont plus pierreuses et sablonneuses, ainsi que je vis, allant sur la mer douce pour la pêche du grand poisson.

Il y a plusieurs contrées ou provinces au pays de nos Hurons qui portent divers noms, aussi bien que les diverses provinces de France ; car celle où commandait le grand capitaine Atironta s'appelle Henarhonon ; celle d'Entavaque s'appelle Atigagnongucha et la Nation des Ours, qui est celle où nous demeurions, sous le grand capitaine Avoindaon, s'appelle Atingyahointan. En cette étendue de pays, il y a environ vingt-cinq villes et villages, dont une partie n'est point close ni fermée. Les autres sont fortifiées de fortes palissades de bois à triple rang, entrelacées les unes dans les autres et redoublées par dedans de grandes et grosses écorces à la hauteur de huit à neuf pieds ; et par-dessous il y a de grands arbres, posés de leur long sur des fortes et courtes fourchettes de troncs d'arbres. Au-dessus de ces palissades, il y a des galeries ou guérites qu'ils appellent *ondaqua*, qu'ils garnissent de pierres en temps de guerre, pour ruer sur l'ennemi, et d'eau pour éteindre le feu qu'on pourrait appliquer contre leurs palissades. Nos Hurons y montent par une échelle assez mal façonnée et difficile. Ils défendent leurs remparts avec beaucoup de courage et d'industrie.

Ces vingt-cinq villes et villages peuvent être peuplés de deux ou trois mille hommes de guerre au plus, sans compter le commun, qui peut faire en nombre environ trente ou quarante mille âmes en tout. La principale ville avait autrefois deux cents grandes cabanes, pleines chacune de quantité de ménages ; mais depuis peu, à raison que les bois leur manquaient et que les terres commençaient à s'amaigrir, elle est diminuée de grandeur, séparée en deux et bâtie en un autre lieu plus commode.

Leurs villes frontières les plus proches des ennemis sont toujours les mieux fortifiées, en leurs enceintes et leurs murailles, hautes de deux lances environ. Les portes et entrées ferment à barres ; on est contraint de les traverser de côté et non de plein saut. Ils savent assez bien choisir l'assiette des lieux et joindre quelque bon ruisseau, en lieu un peu élevé et environné d'un fossé naturel s'il se peut. L'enceinte et les murailles sont bâties en rond et la ville bien ramassée ; ils laissent néanmoins un grand espace vide entre les cabanes et les murailles, pour pouvoir mieux combattre et se défendre contre les ennemis qui les attaqueraient, sans laisser de faire des sorties à l'occasion.

Il y a certaines contrées où ils changent leurs villes et villages de dix, quinze ou trente ans, plus ou moins. Ils le font seulement lorsqu'ils se trouvent trop éloignés des forêts ; car il faut qu'ils portent le bois sur leur dos, attaché et lié avec un collier qui prend sur le front. Mais en hiver, ils sont accoutumés de faire certaines traînées qu'ils appellent *Arocha*, faites de longues planchettes de bois de cèdre blanc, sur lesquelles ils mettent leur charge, et, ayant des raquettes attachées sous les pieds, ils traînent leur fardeau sur les neiges sans aucune difficulté. Ils changent leur ville ou village lorsque, par succession du temps, les terres sont tellement fatiguées qu'elles ne peuvent plus porter leur blé avec la perfection ordinaire, faute de fumier et de ne savoir cultiver la terre, ni semer dans d'autres lieux que dans les trous ordinaires.

Leurs cabanes, qu'ils appellent *Ganonchia*, sont faites comme j'ai dit en façon de tonnelles ou berceaux de jardin. Elles sont couvertes d'écorce d'arbre, de la longueur de vingt-cinq à trente toises (car elles ne sont pas toutes égales en longueur), et six de large, laissant par le milieu une allée de dix à douze pieds de large, qui va d'un bout à l'autre de la cabane, où ils couchent en été pour éviter l'importunité des puces dont ils ont grande quantité, tant à cause de leurs chiens qui leur en fournissent à bon escient, que pour l'eau que les enfants y font.

En hiver ils couchent en bas sur des nattes proches du feu, pour être plus chaudement ; ils sont arrangés les uns près des autres, les enfants au lieu plus chaud et éminent pour l'ordinaire, et les père et mère après ; et il n'y a point d'entre-deux ou de séparation, ni de pieds, ni de chevet. Ils ne font autre chose pour dormir que de se coucher en la place où ils sont assis et s'affubler la tête avec leur robe.

Ils emplissent de bois sec, pour brûler en hiver, tout le dessous de ses établies qu'ils appellent *Garihagueu* et *Eindicha-guet*. Mais pour les gros troncs ou tisons appelés *Aneincuny*, qui servent à entretenir le feu, élevés un peu en haut par un des bouts, ils en font des piles devant leurs cabanes ou les serrent au-dedans des porches qu'ils appellent *Aque*. Toutes les femmes s'aident à faire cette provision de bois qui se fait dès le mois de mars et d'avril, et avec cet ordre, en peu de jours, chaque ménage est fourni de ce qui lui est nécessaire.

Si précise qu'elle soit, l'étude n'est jamais loin de l'apologie. Le père Sagard, bien que victime de quelques indélicatesses et menus larcins, bien qu'épouvanté par la cruauté dont les sauvages font preuve vis-à-vis de leurs ennemis, est sensible à leurs qualités morales non seulement laïques mais aussi chrétiennes. Les Hurons, chapardeurs comme de grands enfants, méprisent en fait les biens terrestres et sont pleins de charité. « S'ils étaient chrétiens, ce serait des familles avec lesquelles Dieu se plairait et demeurerait. » L'étude de la religion huronne, dans le chapitre intitulé « De la croyance des sauvages du créateur et comme ils avaient recours à nos prières en leurs nécessités », est à cet égard révélatrice. Quelles que soient leurs superstitions, les Hurons croient en Dieu et en l'immortalité de l'âme, et surtout sont prêts à se rallier à la vraie foi avec une piété qui devrait confondre certains Européens.

La croyance générale de nos Hurons, c'est que le Créateur qui a fait tout ce monde s'appelle *Yoscaha* (en canadien *Ataouacan*), et il a encore sa mère-grand nommée *Ataensiq*. Leur dire qu'il n'y a point d'apparence qu'un Dieu ait une mère-grand, et que cela est stupide, ils demeurent sans réplique, comme à tout le reste. Ils disent que ces Dieux demeurent fort loin ; ils n'en ont autre preuve que le récit qu'ils allèguent leur en avoir été fait par un *Attivoindaron*, qui leur a fait croire l'avoir vu. La marque de ses pieds serait imprimée sur une roche au bord d'une rivière et sa maison ou cabane faite comme les leurs, contenant abondance de blé et toute autre chose nécessaire à l'entretien de la vie humaine. Et il sème du blé, travaille, boit, mange et dort comme les autres. Et tous les animaux de la terre sont à lui et comme ses domestiques. Et de sa nature il est très bon et donne accroissement à tout, et tout ce qu'il fait est bien fait, et il nous donne le beau temps et toute autre chose bonne et prospère. Mais à l'opposite sa mère-grand est méchante, et elle gâte souvent tout ce que son petit-fils a fait de bien. Et quand *Yoscaha* est vieux, il rajeunit tout en un instant et devient comme un jeune homme de vingt-cinq à trente ans ; et par ainsi il ne meurt jamais, bien qu'il soit un peu sujet aux nécessités corporelles, comme nous autres.

Or il faut noter que quand on vient à les contredire, les uns s'excusent d'ignorance ; les autres s'enfuient de honte et d'autres qui pensent tenir bon, s'embrouillent incontinent.

Ils ont bien quelque respect à ces esprits qu'ils appellent *Oki* ; mais ce mot Oki signifie aussi bien un grand diable comme un grand ange, un esprit furieux et démoniaque, comme un grand esprit sage, savant ou inventif, qui fait ou sait quelque chose par-dessus le commun ; ainsi nous appelaient-ils souvent pour ce que nous savions et leur enseignions des choses qui surpassaient leur esprit, à ce qu'ils disaient. Ils appellent aussi Oki leurs médecins et magiciens, voire même leurs fous et furieux. Nos Canadiens et Montagnets appellent aussi les leurs Pirotois et Manitou ce qui signifie la même chose que Oki en huron.

Ils croient aussi qu'il y a certains esprits qui dominent en un lieu, et d'autres en un autre : les uns aux rivières, les autres aux voyages, aux traites, aux guerres, aux festins et maladies et en plusieurs autres choses. Ils leur offrent du pétun et font quelques sortes de prières et cérémonies, pour obtenir d'eux ce qu'ils désirent. Ils m'ont aussi montré plusieurs puissants rochers sur le chemin de Québec, auxquels ils croyaient que présidait un esprit, et entre autres ils m'en montrèrent un à quelque cent cinquante lieues de là, qui avait comme une tête et les deux bras élevés en l'air ; au ventre ou milieu de ce puissant rocher, il y avait une très profonde caverne de très difficile accès. Ils me voulaient persuader et faire croire à toute force que ce rocher avait été un homme mortel comme nous, et qu'élevant les bras en haut, il s'était métamorphosé en cette pierre, qui était devenue avec le temps un puissant rocher. Ils l'ont en vénération et lui offrent du pétun, en passant devant avec leurs canots ; non toutes les fois, mais quand ils doutent que leur voyage doive réussir. Et lui offrant ce pétun qu'ils jettent dans l'eau contre le rocher, ils lui disent : « Tiens, prends courage et fais que nous fassions bon voyage », avec quelques autres paroles que je n'entends point. Le truchement, duquel nous avons parlé au chapitre précédent, nous a assuré avoir fait une fois une pareille offrande, et que son voyage lui fut plus profitable qu'aucun autre qu'il ait jamais fait en ce pays-ci. C'est ainsi que le diable les amuse, les maintient et conserve dans ses filets.

Ils croient les âmes immortelles et que, partant de ce corps, elles s'en vont aussitôt danser et se réjouir en la présence de *Dyoscaha* et de sa mère-grand *Ataensif*, tenant la route des étoiles, qu'ils appellent *Atiskein andahatey*, le chemin des âmes (nous l'appelons la Voie Lactée et les simples gens, le chemin de Saint-Jacques). Ils disent que les âmes des chiens y vont aussi, tenant la route de certaines étoiles, qui sont proches voisines du Chemin des Âmes. Ils nous disaient que les âmes, bien qu'immortelles, ont encore en l'autre vie les mêmes nécessités de boire et de manger, de se vêtir et labourer les terres, qu'elles avaient lorsqu'elles étaient encore revêtues de ce corps mortel. C'est pourquoi ils enferment avec le corps du défunt de la galette, de l'huile, des peaux, haches, chaudières et autres outils ; pour cette fin que les âmes de leurs parents, à faute de tels instruments, ne demeurent pauvres et nécessiteuses en l'autre vie. Car ils s'imaginent que les âmes de ces chaudières, haches, couteaux et tous les objets offerts, particulièrement à la grande fête des Morts, s'en vont en l'autre vie servir les âmes des défunts, bien que le corps de ces peaux, haches, chaudières et de toutes les autres choses dédiées et offertes, demeure dans les fosses avec les os des trépassés. C'était leur ordinaire réponse lorsque nous leur disions que les souris mangeaient l'huile et la galette, et que nous alléguions la rouille et pourriture des peaux, haches et autres instruments qu'ils ensevelissaient avec le corps de leurs parents.

Entre les choses que nos Hurons ont le plus admirées, c'est qu'il y eût un Paradis au-dessus de nous, où sont tous les bienheureux avec Dieu et un Enfer souterrain où sont tourmentés avec les Diables en un abîme de feu toutes les âmes des méchants et celles de leurs parents et amis défunts et celles de leurs ennemis, soit pour n'avoir connu ni adoré Dieu notre Créateur, soit pour avoir mené une vie mauvaise. Ils admiraient aussi grandement l'écriture, par laquelle, absent, on se fait entendre où l'on veut ; et tenant volontiers nos livres, après les avoir bien contemplés et avoir admiré les images et les lettres, ils s'amusaient à en compter les feuillets.

Ces pauvres gens avaient par plusieurs fois expérimenté le secours et l'assistance que nous leur promettions de la part de Dieu, lorsqu'ils vivraient en gens de bien. Aussi avaient-ils recours à nos prières, ou pour les malades ou pour les injures du temps ; ils avouaient franchement qu'elles avaient plus d'efficace que leurs cérémonies, conjurations et tous les tintamarres de leurs médecins, et se réjouissaient de nous ouïr chanter des hymnes et psaumes à leur intention. Pendant le chant, ils gardaient étroitement le silence et se rendaient attentifs, tout au moins, au son et à la voix qui leur plaisaient fort. S'ils se présentaient à la porte de notre cabane, nos prières commencées, ils avaient patience ou s'en retournaient en paix, sachant déjà que nous ne devions pas être distraits d'une si bonne action, et que d'entrer par importunité était chose estimée incivile, même entre eux et un obstacle aux bons effets de la prière : tellement qu'ils nous donnaient du temps pour prier Dieu et pour vaquer en paix à nos offices divins. Nous étions aidés de la coutume qu'ils ont de n'admettre aucun dans leurs cabanes, lorsqu'ils chantent les malades ou que les mots d'un festin ont été prononcés.

Avoindaon, grand capitaine de *Quieunonascaran*, avait tant d'affection pour nous, qu'il nous servait comme de père syndic dans le pays. Il nous voyait aussi souvent qu'il croyait ne nous être importun et, nous trouvant parfois à genoux priant Dieu, sans dire mot, il s'agenouillait auprès de nous, joignait les mains, et, ne pouvant davantage, il tâchait sérieusement de contrefaire nos gestes et postures, remuant les lèvres et élevant les mains et les yeux au Ciel ; il y persévérait jusqu'à la fin de nos offices qui étaient assez longs, lui âgé d'environ soixante ans ! Ô mon Dieu, que cet exemple devrait confondre de chrétiens ! et que nous dira ce bon vieillard sauvage, non encore baptisé, au jour du jugement, de nous voir plus négligents d'aimer et servir un Dieu que nous connaissons et duquel nous recevons tant de grâces tous les jours, que lui, qui n'avait jamais été instruit que dans l'école de la gentilité et ne le connaissait encore qu'au travers les épaisses ténèbres de son ignorance ?

Père Gabriel Sagard, *Grand Voyage fait au pays des Hurons*, in *Trois Voyages au Canada*, Éditions du Carrefour, Paris, s.d.

Après le missionnaire, le soldat. Louis-Armand de Lom d'Arce, baron de Lahontan, né en 1666, partit pour le Canada en août 1683. De graves démêlés avec le ministre de la Marine, Pontchartrain, puis avec son fils qui lui avait succédé dans ses fonctions en 1699, comprirent sa carrière. Réduit à l'exil, Lahontan mena une vie d'aventurier au Canada à Terre-Neuve, puis à travers toute l'Europe. Il a écrit trois ouvrages : les Nouveaux Voyages du baron de Lahontan *et les* Mémoires de l'Amérique septentrionale *furent publiés à La Haye en 1702, datés de 1703, les* Dialogues de M. le baron de Lahontan et d'un sauvage de l'Amérique *parurent à Amsterdam dans les derniers mois de 1703, sous la date de 1704. « Les* Nouveaux Voyages *et les* Mémoires *ont pour objet la connaissance et l'exploitation du Canada ; les* Dialogues *ont pour objet la critique de la pensée, des croyances, des usages européens, et français plus particulièrement ; la référence au Canada n'est plus qu'un prétexte, une hypothèse théorique qui sert par opposition à faire ressortir la vérité sur la civilisation et sur la France » (H. Coulet, préface de l'édition citée, p. 14).*

Le sauvage est Adario, qui n'a plus rien de la naïveté et de l'enfance des interlocuteurs du père Sagard. C'est un redoutable raisonneur, « philosophe nu » et porte-parole des idées de Lahontan.

[DE LA RELIGION]

LAHONTAN. — C'est avec beaucoup de plaisir, mon cher Adario, que je veux raisonner avec toi de la plus importante affaire qui soit au monde, puisqu'il s'agit de te découvrir les grandes vérités du christianisme.

ADARIO. — Je suis prêt à t'écouter, mon cher frère, afin de m'éclaircir de tant de choses que les Jésuites nous prêchent depuis longtemps, et je veux que nous parlions ensemble avec autant de liberté que faire se pourra. Si ta créance est semblable à celle que les Jésuites nous prêchent, il est inutile que nous entrions en conversation, car ils m'ont débité tant de fables que tout ce que je puis croire, c'est qu'ils ont trop d'esprit pour les croire eux-mêmes.

LAHONTAN. — Je ne sais pas ce qu'ils t'ont dit, mais je crois que leurs paroles et les miennes se rapporteront fort bien les unes aux autres. La religion chrétienne est celle que les hommes doivent professer pour aller au ciel. Dieu a permis qu'on découvrît l'Amérique, voulant sauver tous les peuples qui suivront les lois du christianisme ; il a voulu que l'Évangile fût prêché à ta nation, afin de lui montrer le véritable chemin du paradis, qui est l'heureux séjour des bonnes âmes. Il est dommage que tu ne veuilles pas profiter des grâces et des talents que Dieu t'a donnés. La vie est courte, nous sommes incertains de l'heure de notre mort ; le temps est cher ; éclaircis-toi donc des grandes vérités du christianisme, afin de l'embrasser au plus vite en regrettant les jours que tu as passés dans l'ignorance, sans culte, sans religion, et sans la connaissance du vrai Dieu.

ADARIO. — Comment sans connaissance du vrai Dieu ! Est-ce que tu rêves ? Quoi ! tu nous crois sans religion après avoir demeuré tant de temps avec nous ? 1. Ne sais-tu pas que nous reconnaissons un créateur de l'univers, sous le nom du grand Esprit, ou du Maître de la Vie, que nous croyons être dans tout ce qui n'a point de bornes. 2. Que nous confessons l'immortalité de l'âme. 3. Que le grand Esprit nous a pourvus d'une raison capable de discerner le bien d'avec le mal comme le ciel avec la terre, afin que nous suivions exactement les véritables règles de la justice et de la sagesse. 4. Que la tranquillité d'âme plaît au grand Maître de la vie ; qu'on contraire le trouble de l'esprit lui est en horreur, parce que les hommes en deviennent méchants. 5. Que la vie est un songe et la mort un réveil, après lequel l'âme voit et connaît la nature et la qualité des choses visibles et invisibles. 6. Que la portée de notre esprit ne pouvant s'étendre un pouce au-dessus de la superficie de la terre, nous ne devons pas le gâter et le corrompre en essayant de pénétrer les choses invisibles et improbables. Voilà, mon cher frère, quelle est notre créance, et ce que nous suivons exactement. Nous croyons aussi d'aller dans le pays des âmes après notre mort ; mais nous ne soupçonnons pas, comme vous, qu'il faut nécessairement qu'il y ait des séjours et bons et mauvais après la vie, pour les bonnes ou mauvaises âmes, puisque nous ne savons pas si ce que nous croyons être un mal selon les hommes, l'est aussi selon Dieu ; si votre religion est différente de la nôtre, cela ne veut pas dire que nous n'en ayons point du tout. Tu sais que j'ai été en France, à la Nouvelle-York et à Québec, où j'ai étudié les mœurs et la doctrine des Anglais et des Français. Les Jésuites disent que parmi cinq ou six cents sortes de religions qui sont sur la terre, il n'y en a qu'une seule bonne et véritable, qui est la leur, et sans laquelle nul homme n'échappera d'un feu qui brûlera son âme durant toute l'éternité ; et cependant ils n'en sauraient donner de preuves.

LAHONTAN. — Ils ont bien raison, Adario, de dire qu'il y en a de mauvaises ; car, sans aller plus loin, ils n'ont qu'à parler de la tienne. Celui qui ne connaît point les vérités de la religion chrétienne n'en saurait avoir. Tout ce que tu viens de me dire sont des rêveries effroyables. Le pays des âmes dont tu parles, n'est qu'un pays de chasse chimérique : au lieu que nos saintes Écritures nous parlent d'un paradis situé au-dessus des étoiles les plus éloignées, où Dieu séjourne actuellement environné de gloire, au milieu des âmes de tous les fidèles chrétiens. Ces mêmes Écritures font mention d'un enfer. que nous croyons être placé dans le centre de la terre, où les âmes de tous ceux qui n'ont pas embrassé le christianisme brûleront éternellement sans se consumer, aussi bien que celle des mauvais chrétiens. C'est une vérité à laquelle tu devrais songer.

ADARIO. — Ces saintes Écritures que tu cites à tout moment, comme les Jésuites font, demandent cette grande foi, dont ces bons pères nous rompent les oreilles ; or cette foi ne peut être qu'une persuasion, croire c'est être persuadé, être persuadé c'est voir de ses propres yeux une chose, ou la reconnaître par des preuves claires et solides. Comment donc aurais-je cette foi puisque tu ne saurais ni me prouver, ni me faire voir la moindre chose de ce que tu me dis ? Crois-moi, ne jette pas ton esprit dans des obscurités, cesse de soutenir les visions des Écritures saintes, ou bien finissons nos entretiens. Car, selon nos principes, il faut de la probabilité.

Lahontan, *Dialogues de M. le baron
de Lahontan et d'un sauvage dans l'Amérique*,
édition de H. Coulet, Desjonquères, 1993,
pp. 31-34.

Ainsi, peu à peu, l'objet d'une curiosité bienveillante acquiert le statut de sujet pensant, et cela au prix de son originalité. On n'ose parler d'identité dans la mesure où l'Autre, fût-il sujet du discours, est toujours perçu à travers les normes de la civilisation, même quand il les conteste. Le sauvage, après Montesquieu, s'installe dans une fonction critique, quelque peu convenue, qu'il partage avec des Turcs, Juifs, Chinois, Siamois et Péruviens. Ces nouveaux Persans dénoncent à leur tour les ridicules et les injustices de la civilisation européenne. Parmi les ouvrages les plus significatifs, les Lettres d'une Péruvienne, *parues en 1747, de M*me *de Graffigny, qui séjourna chez M*me *du Châtelet à Cirey.*

Dans les Lettres iroquoises, *de Maubert de Gouvest (1752), la satire prédomine. Igli est un Iroquois peu pittoresque, envoyé en France par les « Vénérables » de son pays pour y étudier les mœurs et en particulier les effets de la religion. Un missionnaire veut en effet convertir le pays. Le christianisme fera-t-il le bonheur des Iroquois ? Igli est chargé d'enquêter, et découvre que la religion conduit les hommes à renoncer à l'usage de leur raison. Comme Adario, et comme plus tard l'Ingénu, Igli refuse d'abdiquer, et se méfie autant des révélations des prêtres que des méthodes des philosophes. « La raison est née libre : elle se gouverne, elle agit, elle connaît, elle résout les difficultés de son ressort sans autre art que celui que lui fournit son propre fond. » Mais il n'apporte ni réponse ni certitude. L'état de nature n'est pas un modèle — les Iroquois sont frustes et anthropophages — et la connaissance de soi est impossible : « Concluons que nous ne sommes pas faits pour pénétrer ce que nous sommes ; qu'ai-je donc affaire de connaître tout le reste, si je ne me connais pas moi-même ? »*

« Quelle multiplicité de lois ! — disais-je à un Vénérable
— À quoi bon ce joug insuffisant ? Il ne fait que des préva-
ricateurs. Nos Iroquois ne connaissent qu'une seule et unique loi dans leurs déserts, c'est d'obéir à la nature. Contre-
venir à tes lois, c'est ce que tu appelles péché : mais, Vénérable — lui disais-je — ne vois-tu pas que c'est la folie de tes
pères qui a fabriqué ce lien tyrannique et ce fantôme inutile
de justice que tu respectes ? Tu crois tes lois justes, et tu te
crois injuste de ne pas les suivre. Mais examine de près leur
origine et tu verras ta bévue. N'est-ce pas, Vénérable, que
vous êtes tous enfants d'un même père, dans sa maison qui
est le monde ? Par quel renversement avez-vous divisé cette
unique famille, de biens, d'intérêts et d'amour ? Cette division injuste et détestable est pourtant le fondement de tes lois,
qui dès là sont également odieuses. Le père de la nature n'est
pas mort, et la communauté des biens subsiste parmi les
enfants, tant que le testateur ne les a pas divisés entre eux.
Montre-moi ce testament de division, ou conviens de l'injustice et de la nullité de toutes les maximes que vous avez intro-
duites dans le monde. Avant de punir l'adultère, il faut punir
ceux qui ont introduit la propriété des femmes. Regarde les
animaux, et ils t'instruiront. Nous sommes faits, Vénérable,
pour user des choses d'ici-bas et non pour les posséder. Dans
nos déserts, personne ne peut rien nous ôter, parce que nous
n'avons rien. Toute la terre est en commun. Chez vous autres,
tout est bouleversé. Chez nous tout est au premier moment
du monde. Il n'y a point d'envie, parce qu'il n'y a ni richesses,
ni avantages à envier : il n'y a point de rapines, parce que
tout ce qu'on prend est à soi. Les femmes ne sont pas la
matière des prévarications, parce que nous les prenons à notre
gré, et que la Nature ne nous a prescrit de règles à cet égard
que notre tendresse et notre amour. Le Grand Esprit est de
tous les objets le plus aimable, le plus doux et le plus conso-
lant pour nous. Nous ne savons pas même ce que c'est que
de jurer, parce que notre parole est inviolable. Pour nos pères
et mères, notre amour est infini. Tes compatriotes, Vénérable, sont abominables. J'en ai vu un, ces jours passés, qui
contestait avec son père ; et vos Illustres, au lieu de le faire
manger vif aux bêtes, lui ont donné gain de cause. Jamais

nous ne sommes en colère, que pour venger nos femmes et nos enfants, la nature nous l'ordonne.

Les animaux, Vénérable, sont les philosophes de la terre ; ils l'instruisent et te montrent au naturel ce que c'est que de n'avoir rien ajouté à la main qui nous a tous formés. Tu nous mets à leur rang, et nous, nous te mettons toi et les tiens beaucoup au-dessous.

Quels amas prodigieux d'ordonnances et de préceptes ! Tu en admires l'ordre et la sagesse, et moi j'en déteste le motif. Je ne cherche pas, Vénérable, à vous corriger, il faudrait recommencer votre monde. Vous êtes dans l'erreur, mais votre erreur est raisonnée. Vos lois, dans l'état où vous êtes, sont nécessaires. Vos rois font bien de les défendre et de les faire valoir. Votre folie est systématique. Vos vices mêmes servent à vous aiguiser l'esprit. Nous ne sommes ignorants, et n'avons négligé les arts, que par le mépris universel que nous a inspiré la vertu héréditaire de nos rochers et de nos solitudes. Le luxe, le faste, la délicatesse, l'amour des richesses, l'amour du grand, du voluptueux, du parfait, vous énerve, mais excite vos efforts et votre émulation. Vos conditions diverses animent les plus lâches et les plus humiliés à parvenir aux premiers rangs. C'est ainsi, Vénérable, que le Grand Esprit montre partout, malgré le fanatisme de vos climats, la bonté et la certitude de ses conseils, dont nous ne pouvons jamais abuser.

Console-toi, Vénérable ; ta folie n'est pas criminelle. Tout est bien dans la nature. Rien ne peut jamais par quelques dérangements légers et passagers interrompre l'ordre, établi par le père de la nature. Il a tout prévu, montre-moi ce que tu es, et je sais ce qu'il a voulu que tu sois. Les défauts que je remarque chez vous ne sont que des modifications décidées dans l'Esprit Créateur, qui enveloppe dans le dessein de sa création toutes les circonstances futures de ses créatures. Aucunes de ces circonstances ne sont hors de sa volonté précise et déterminée. J'observe que ce qu'on appelle les vices chez vous sont les ombres de votre tableau. Tes avares sont justes, tes voluptueux sont doux et aimables, tes ambitieux ont l'âme noble et élevée, tes envieux sont industrieux, tes orgueilleux sont braves ; tes furieux sont constants et inébranlables : ce n'est jamais qu'en donnant plus de force à une vertu que vous êtes vicieux. Je m'imagine envisager les portraits de tes grands maîtres de peinture, où une obscurité

brusque et choquante, si on la considère seule, fait sortir
de la toile les objets les plus ravissants et les mieux frap-
pés. »

   Ainsi finit, cher Alha, la conversation que j'eus avec mon
Vénérable. Ils sont fous et n'ont pas d'autre maladie. Ils
croient que des fautes contre le bon sens sont des crimes qui
leur feront souffrir des peines éternelles. Quoique je les blâme,
je ne suis pas si sévère qu'ils le sont sur leur propre compte.
Ils se persuadent toutes leurs idées d'enthousiasme : ils ont
même des révérends et des pathétiques personnages parmi eux
qui ne font autre métier que de leur prêcher ce qu'ils appellent vertus et vérités, tantôt d'une manière terrible, tantôt
d'une manière joyeuse et affective, et tantôt d'un air flatteur
et circonspect : aussi ont-ils chez eux beaucoup d'esprits inti-
midés et faibles, beaucoup d'esprits affectueux et sensibles,
et beaucoup de génies équivoques, indécis sur leurs idées, et
faciles à se soumettre aux arrêts de leurs visionnaires. Les révérends ont de quoi contenter tout le monde. Ils font apparemment leur étude de se transformer dans toutes les espèces des
hommes de leurs climats. Quoi qu'il en soit tout va au même
but, chrétiens, juifs, Turcs ; et je ne voudrais pas faire leur
procès pour une crédulité ridicule, pour des travers réfléchis,
pour des petitesses anoblies, pour des visions respectées, pour
des vertus imaginées, pour des vices exagérés. Je les laisse à
tous leurs raisonnements qui ne sont pas dangereux. Qu'y
a-t-il à risquer pour un chrétien, qui croit que tout est perdu
pour lui, tandis que le Grand Esprit n'en a pas dit un seul
mot ? Qu'y a-t-il à craindre pour un juif ? Les anges et les
séraphins, leurs bons amis, ne les laisseront pas en beau chemin. Pour les Turcs, Mahomet les sauvera tous. Ainsi tous
tant qu'ils sont, cher Alha, ils ne seront jamais malheureux.
Le catéchisme de ces derniers est singulier. Leurs âmes pas-
seront à la mort sur une toile d'araignée, et celles qui seront
trop chargées de péchés tomberont dans un lieu redoutable,
d'où cependant l'intime de Dieu doit à la fin les délivrer. Ces
rêveries, cher Alha, sont le grand mobile de ces peuples. Ils
semblent faits pour être trompés. La crainte a passé en habitude ; elle est devenue nécessaire dans ces climats, accablés
de préceptes inutiles, et insupportables au genre humain. La
tristesse est ici accréditée et en grande considération. On la
regarde presque toujours comme une preuve de sagesse. Ils
admirent le Christ, parce qu'ils assurent qu'il n'a jamais ri,

mais qu'il a souvent pleuré. Que ces idées, cher Alha, sont surprenantes pour nous, qui ne connaissons de malheur que celui d'être mangés par nos ennemis.

Les Lettres iroquoises, lettre XXIII,
édition de Enea Balmas (orth. modernisée),
Nizet, Paris et Editrice Viscontea, Milan, 1962.

La postérité d'Igli sera nombreuse : l'Ingénu, les Tahitiens de Diderot, les Natchez de Chateaubriand reposeront chacun à leur manière ses questions, remettant en cause à la fois la civilisation, à travers la sacro-sainte propriété et la morale qui va avec, et le modèle naturel, instrument de cette critique.

2) LE SAUVAGE ET L'*ENCYCLOPÉDIE*

*Les articles de l'*Encyclopédie *manifestent un souci de précision tout scientifique. Philologie, géographie et philosophie sont convoquées tour à tour pour cerner l'identité de cet être étonnant, dont l'existence et le mode de vie confirment ou infirment — au choix, selon la perspective adoptée — les fondements de la société et les idées reçues sur l'homme.*

*Voltaire n'est pas vraiment un encyclopédiste. D'Alembert, qui le considère avant tout comme un poète, ne le mentionne pas dans la liste qu'il dresse de ses collaborateurs en 1751 (*Discours préliminaire, *paru avec le tome I). Les premiers articles voltairiens — Élégance, Éloquence, Esprit — datent de 1754. La collaboration de Voltaire à l'*Encyclopédie *se poursuit jusqu'en 1758, mais ses huit derniers articles — de* Habile *à* Imagination *— ne paraissent qu'en 1765, dans le tome VIII. Les derniers tomes de l'*Encyclopédie *arrivent à Genève en janvier 1766, le philosophe les découvre en février. Nous ne savons rien de ses réactions, mais on peut déceler dans L'Ingénu, sans doute mis en chantier l'automne de cette même année, sinon un écho de cette lecture, du moins une variation sur quelques-uns de ses thèmes.*

HURONS (Les)

Peuple sauvage de l'Amérique dans la Nouvelle France. Ils ont le lac Érié au sud, le lac des Hurons à l'ouest, et le lac Ontario à l'est. Le pays est étendu, fertile et désert, l'air y est sain, et les forêts remplies de cèdres ; le nom de Huron est de la façon des Français, leur vrai nom est Yendat.

La langue de ces sauvages est gutturale et très pauvre, parce qu'ils n'ont connaissance que d'un très petit nombre de choses. Comme chaque nation du Canada, ainsi chaque tribu et chaque bourgade de Hurons porte le nom d'un animal, apparemment parce que tous ces barbares sont persuadés que les hommes viennent des animaux.

La nation huronne s'appelle la nation du porc-épic selon les uns, du chevreuil selon les autres. Cette nation misérable et réduite à rien par les guerres contre les Iroquois, a un chef héréditaire, qui n'est jamais le fils du prédécesseur, mais celui de sa plus proche parente ; car c'est par les mères qu'on règle la succession. Les femmes ont la principale autorité ; tout se fait en leur nom, et les chefs ne sont, pour ainsi dire, que leurs vicaires. Si le chef héréditaire est trop jeune, elles lui donnent un régent ; et le mineur ne peut être chef de guerre, qu'il n'ait fait quelque action d'éclat, c'est-à-dire qu'il n'ait tué quelques ennemis.

Encyclopédie, tome VIII.

SAUVAGES (Histoire moderne)

Peuples barbares qui vivent sans lois, sans police, sans religion, et qui n'ont point d'habitation fixe.

Ce mot vient de l'italien *salvagio*, dérivé de *salvaticus, selvaticus* et *silvaticus*, qui signifie la même chose que *silvestris*, agreste, ou qui concerne les bois et les forêts, parce que les sauvages habitent ordinairement dans les forêts.

Une grande partie de l'Amérique est peuplée de sauvages, la plupart encore féroces, et qui se nourrissent de chair humaine. Voyez ANTHROPOPHAGES.

Le père de Charlevoix a traité fort au long des mœurs et des coutumes des sauvages du Canada dans son journal d'un voyage d'Amérique, dont nous avons fait usage dans plusieurs articles de ce dictionnaire.

SAUVAGES (Géographie moderne)

On appelle sauvages tous les peuples indiens qui ne sont point soumis au joug du pays et qui vivent à part.

Il y a cette différence entre les peuples sauvages et les peuples barbares, que les premiers sont de petites nations dispersées qui ne veulent point se réunir, au lieu que les barbares s'unissent souvent, et cela se fait lorsqu'un chef en a soumis d'autres.

La liberté naturelle est le seul objet de la police des sauvages ; avec cette liberté la nature et le climat dominent presque seuls chez eux. Occupés de la chasse ou de la vie pastorale, ils ne se chargent point de pratiques religieuses, et n'adoptent point de religion qui les ordonne.

Il se trouve plusieurs nations sauvages en Amérique, à cause des mauvais traitements qu'elles ont éprouvés, et qu'elles éprouvent encore des Espagnols. Retirées dans les forêts et dans les montagnes, elles maintiennent leur liberté et y trouvent des fruits en abondance. Si elles cultivent autour de leurs cabanes un morceau de terre, le maïs y vient d'abord ; enfin la chasse et la pêche achèvent de les mettre en état de subsister.

Comme les peuples sauvages ne donnent point de cours aux eaux dans les lieux qu'ils habitent, ces lieux sont remplis de marécages où chaque troupe sauvage se cantonne, vit, multiplie, et forme une petite nation,

Encyclopédie, tome XIV.

3) VOLTAIRE ET LE SAUVAGE

Voltaire s'est occupé des sauvages bien avant d'écrire L'Ingénu. *À l'origine de cet intérêt, deux rencontres : celle que fit Voltaire en 1725 de quatre « sauvages du Mississippi » à la cour de Fontainebleau, et celle de la pensée voltairienne et d'un objet intellectuel aussi stimulant.*

L'épisode de Fontainebleau a dû profondément marquer le philosophe, puisqu'il en a laissé plusieurs récits. Il écrit ainsi dans une lettre adressée à Frédéric II en octobre 1737 :

J'ai vu quatre sauvages de la Louisiane qu'on amena en France en 1723. Il y avait parmi eux une femme d'une humeur fort douce. Je lui demandai, par interprète, si elle avait mangé quelquefois de la chair de ses ennemis, et si elle y avait pris goût : elle me répondit que oui ; je lui demandai si elle aurait volontiers tué ou fait tuer un de ses compatriotes pour le manger : elle me répondit en frémissant, et avec une horreur visible pour ce crime. Parmi les voyageurs, je défie le plus déterminé menteur d'oser dire qu'il y ait une peuplade, une famille où il soit permis de manquer à sa parole. Je suis bien fondé à croire que Dieu ayant créé certains animaux pour paître en commun, d'autres pour ne se voir que deux à deux très rarement, les araignées pour faire des toiles, chaque espèce a les instruments nécessaires pour les ouvrages qu'elle doit faire. L'homme a reçu tout ce qu'il faut pour vivre en société ; de même qu'il a reçu un estomac pour digérer, des yeux pour voir, une âme pour juger.

La dame indienne réapparaît dans l'article « Anthropophages » du Dictionnaire philosophique, *mais le texte le plus complet consacré au sauvage figure dans l'introduction à* l'Essai sur les mœurs.

VII. DES SAUVAGES

Entendez-vous par *sauvages* des rustres vivant dans des cabanes avec leurs femelles et quelques animaux, exposés sans cesse à toute l'intempérie des saisons ; ne connaissant que la terre qui les nourrit, et le marché où ils vont quelquefois vendre leurs denrées pour y acheter quelques habillements grossiers ; parlant un jargon qu'on n'entend pas dans les villes ; ayant peu d'idées, et par conséquent peu d'expressions ; soumis, sans qu'ils sachent pourquoi, à un homme de plume, auquel ils portent tous les ans la moitié de ce qu'ils ont gagné à la sueur de leur front ; se rassemblant, certains jours, dans une espèce de grange pour célébrer des cérémonies où ils ne comprennent rien, écoutant un homme vêtu autrement qu'eux et qu'ils n'entendent point ; quittant quelquefois leur chaumière lorsqu'on bat le tambour, et s'engageant à s'aller faire tuer dans une terre étrangère, et à tuer leurs semblables, pour le quart de ce qu'ils peuvent gagner chez eux en travaillant ? Il y a de ces sauvages-là dans toute l'Europe. Il faut convenir surtout que les peuples du Canada et les Cafres, qu'il nous a plu d'appeler sauvages, sont infiniment supérieurs aux nôtres. Le Huron, l'Algonquin, l'Illinois, le Cafre, le Hottentot, ont l'art de fabriquer eux-mêmes tout ce dont ils ont besoin, et cet art manque à nos rustres. Les peuplades d'Amérique et d'Afrique sont libres, et nos sauvages n'ont pas même d'idée de la liberté.

Les prétendus sauvages d'Amérique sont des souverains qui reçoivent des ambassadeurs de nos colonies transplantées auprès de leur territoire par l'avarice et par la légèreté. Ils connaissent l'honneur, dont jamais nos sauvages d'Europe n'ont entendu parler. Ils ont une patrie, ils l'aiment, ils la défendent ; ils font des traités ; ils se battent avec courage, et parlent souvent avec une énergie héroïque. Y a-t-il une plus belle réponse, dans les *Grands Hommes* de Plutarque, que celle de ce chef de Canadiens à qui une nation européenne proposait de lui céder son patrimoine ? « Nous sommes nés sur cette terre, nos pères y sont ensevelis ; dirons-nous aux ossements de nos pères : Levez-vous, et venez avec nous dans une terre étrangère ? »

Ces Canadiens étaient des Spartiates, en comparaison de nos rustres qui végètent dans nos villages, et des sybarites qui s'énervent dans nos villes.

Entendez-vous par sauvages des animaux à deux pieds, marchant sur les mains dans le besoin, isolés, errant dans les forêts, *Salvatici, Salvaggi* ; s'accouplant à l'aventure, oubliant les femmes auxquelles ils se sont joints, ne connaissant ni leurs fils ni leurs pères ; vivant en brutes, sans avoir ni l'instinct ni les ressources des brutes ? On a écrit que cet état est le véritable état de l'homme, et que nous n'avons fait que dégénérer misérablement depuis que nous l'avons quitté. Je ne crois pas que cette vie solitaire, attribuée à nos pères, soit dans la nature humaine.

Nous sommes, si je ne me trompe, au premier rang (s'il est permis de le dire) des animaux qui vivent en troupe, comme les abeilles, les fourmis, les castors, les oies, les poules, les moutons, etc. Si l'on rencontre une abeille errante, devra-t-on conclure que cette abeille est dans l'état de pure nature, et que celles qui travaillent en société dans la ruche ont dégénéré ?

Tout animal n'a-t-il pas son instinct irrésistible auquel il obéit nécessairement ? Qu'est-ce que cet instinct ? l'arrangement des organes dont le jeu se déploie par le temps. Cet instinct ne se peut développer d'abord, parce que les organes n'ont pas acquis leur plénitude.

Ne voyons-nous pas en effet que tous les animaux, ainsi que tous les autres êtres, exécutent invariablement la loi que la nature donne à leur espèce ? L'oiseau fait son nid, comme les astres fournissent leur course, par un principe qui ne change jamais. Comment l'homme seul aurait-il changé ? S'il eût été destiné à vivre solitaire comme les autres animaux carnassiers, aurait-il pu contredire la loi de la nature jusqu'à vivre en société ? et s'il était fait pour vivre en troupe, comme les animaux de basse-cour et tant d'autres, eût-il pu d'abord pervertir sa destinée jusqu'à vivre pendant des siècles en solitaire ? Il est perfectible ; et de là on a conclu qu'il s'est perverti. Mais pourquoi n'en pas conclure qu'il s'est perfectionné jusqu'au point où la nature a marqué les limites de sa perfection ?

Tous les hommes vivent en société : peut-on en inférer qu'ils n'y ont pas vécu autrefois ? n'est-ce pas comme si l'on concluait que si les taureaux ont aujourd'hui des cornes, c'est parce qu'ils n'en ont pas toujours eu ?

L'homme, en général, a toujours été ce qu'il est : cela ne veut pas dire qu'il ait toujours eu de belles villes, du canon de vingt-quatre livres de balle, des opéras-comiques, et des couvents de religieuses. Mais il a toujours eu le même instinct, qui le porte à s'aimer dans soi-même, dans la compagnie de son plaisir, dans ses enfants, dans ses petits-fils, dans les œuvres de ses mains.

Voilà ce qui jamais ne change d'un bout de l'univers à l'autre. Le fondement de la société existant toujours, il y a donc toujours eu quelque société ; nous n'étions donc point faits pour vivre à la manière des ours.

On a trouvé quelquefois des enfants égarés dans les bois, et vivant comme des brutes ; mais on y a trouvé aussi des moutons et des oies ; cela n'empêche pas que les oies et les moutons ne soient destinés à vivre en troupeaux.

Il y a des fakirs dans les Indes qui vivent seuls, chargés de chaînes. Oui ; et ils ne vivent ainsi qu'afin que les passants, qui les admirent, viennent leur donner des aumônes. Ils font, par un fanatisme rempli de vanité, ce que font nos mendiants des grands chemins, qui s'estropient pour attirer la compassion. Ces excréments de la société humaine sont seulement des preuves de l'abus qu'on peut faire de cette société.

Il est vraisemblable que l'homme a été agreste pendant des milliers de siècles, comme sont encore aujourd'hui une infinité de paysans. Mais l'homme n'a pu vivre comme les blaireaux et les lièvres.

Par quelle loi, par quels liens secrets, par quel instinct l'homme aura-t-il toujours vécu en famille sans le secours des arts, et sans avoir encore formé un langage ? C'est par sa propre nature, par le goût qui le porte à s'unir avec une femme ; c'est par l'attachement qu'un Morlaque, un Islandais, un Lapon, un Hottentot, sent pour sa compagne, lorsque son ventre, grossissant, lui donne l'espérance de voir naître de son sang un être semblable à lui ; c'est par le besoin que cet homme et cette femme ont l'un de l'autre, par l'amour que la nature leur inspire pour leur petit, dès qu'il est né, par l'autorité que la nature leur donne sur ce petit, par l'habitude de l'aimer, par l'habitude que le petit prend nécessairement d'obéir au père et à la mère, par les secours qu'ils en reçoivent dès qu'il a cinq ou six ans, par les nouveaux enfants que font cet homme et cette femme ; c'est enfin parce que, dans un âge avancé, ils voient avec plaisir leurs fils et leurs filles faire ensemble d'autres enfants, qui ont le même instinct que leurs pères et leurs mères.

Tout cela est un assemblage d'hommes bien grossiers, je l'avoue ; mais croit-on que les charbonniers des forêts d'Allemagne, les habitants du Nord, et cent peuples de l'Afrique, vivent aujourd'hui d'une manière bien différente ?

Quelle langue parleront ces familles sauvages et barbares ? elles seront sans doute très longtemps sans en parler aucune ; elles s'entendront très bien par des cris et par des gestes. Toutes les nations ont été ainsi des sauvages, à prendre ce mot dans ce sens ; c'est-à-dire qu'il y aura eu longtemps des familles errantes dans les forêts, disputant leur nourriture aux autres animaux, s'armant contre eux de pierres et de grosses branches d'arbres, se nourrissant de légumes sauvages, de fruits de toute espèce, et enfin d'animaux même.

Il y a dans l'homme un instinct de mécanique que nous voyons produire tous les jours de très grands effets dans des hommes fort grossiers. On voit des machines inventées par les habitants des montagnes du Tyrol et des Vosges, qui étonnent les savants. Le paysan le plus ignorant sait partout remuer les plus gros fardeaux par le secours du levier, sans se douter que la puissance faisant équilibre est au poids comme la distance du point d'appui à ce poids est à la distance de ce même point d'appui à la puissance. S'il avait fallu que cette connaissance précédât l'usage des leviers, que de siècles se seraient écoulés avant qu'on eût pu déranger une grosse pierre de sa place !

Proposez à des enfants de sauter un fossé ; tous prendront machinalement leur secousse, en se retirant un peu en arrière, et courront ensuite. Ils ne savent pas assurément que leur force, en ce cas, est le produit de leur masse multipliée par leur vitesse.

Il est donc prouvé que la nature seule nous inspire des idées utiles qui précèdent toutes nos réflexions. Il en est de même dans la morale. Nous avons tous deux sentiments qui sont le fondement de la société : la commisération et la justice. Qu'un enfant voie déchirer son semblable, il éprouvera des angoisses subites ; il les témoignera par ses cris et par ses larmes ; il secourra, s'il peut, celui qui souffre.

Demandez à un enfant sans éducation, qui commencera à raisonner et à parler, si le grain qu'un homme a semé dans son champ lui appartient, et si le voleur qui en a tué le propriétaire a un droit légitime sur ce grain ; vous verrez si l'enfant ne répondra pas comme tous les législateurs de la terre.

Dieu nous a donné un principe de raison universelle, comme il a donné des plumes aux oiseaux et la fourrure aux ours ; et ce principe est si constant qu'il subsiste malgré toutes les passions qui le combattent, malgré les tyrans qui veulent le noyer dans le sang, malgré les imposteurs qui veulent l'anéantir dans la superstition. C'est ce qui fait que le peuple le plus grossier juge toujours très bien, à la longue, des lois qui le gouvernent, parce qu'il sent si ces lois sont conformes ou opposées aux principes de commisération et de justice qui sont dans son cœur.

Mais, avant d'en venir à former une société nombreuse, un peuple, une nation, il faut un langage ; et c'est le plus difficile. Sans le don de l'imitation, on n'y serait jamais parvenu. On aura sans doute commencé par des cris qui auront exprimé les premiers besoins ; ensuite les hommes les plus ingénieux, nés avec les organes les plus flexibles, auront formé quelques articulations que leurs enfants auront répétées ; les mères surtout auront dénoué leurs langues les premières. Tout idiome commençant aura été composé de monosyllabes, comme plus aisés à former et à retenir.

Nous voyons en effet que les nations les plus anciennes, qui ont conservé quelque chose de leur premier langage, expriment encore par des monosyllabes les choses les plus familières et qui tombent le plus sous nos sens : presque tout le chinois est fondé encore aujourd'hui sur des monosyllabes.

Consultez l'ancien tudesque et tous les idiomes du Nord, vous verrez à peine une chose nécessaire et commune exprimée par plus d'une articulation. Tout est monosyllabes : *zon*, le soleil ; *moun*, la lune ; *zé*, la mer ; *flus*, le fleuve ; *man*, l'homme ; *kof*, la tête ; *boum*, un arbre ; *drink*, boire ; *march*, marcher ; *shlaf*, dormir, etc.

C'est avec cette brièveté qu'on s'exprimait dans les forêts des Gaules et de la Germanie, et dans tout le septentrion. Les Grecs et les Romains n'eurent des mots plus composés que longtemps après s'être réunis en corps de peuple.

Mais par quelle sagacité avons-nous pu marquer les différences des temps ? Comment aurons-nous pu exprimer les nuances *je voudrais, j'aurais voulu* ; les choses positives, les choses conditionnelles ?

Ce n'est peut-être que chez les nations déjà les plus policées qu'on est parvenu, avec le temps, à rendre sensibles, par des mots composés, ces opérations secrètes de l'esprit humain. Aussi voit-on que chez les barbares il n'y a que deux ou trois temps. Les Hébreux n'exprimaient que le présent et le futur. La langue franque, si commune dans les échelles du Levant, est réduite encore à cette indigence. Et enfin, malgré tous les efforts des hommes, il n'est aucun langage qui approche de la perfection.

VIII. DE L'AMÉRIQUE

Se peut-il qu'on demande encore d'où sont venus les hommes qui ont peuplé l'Amérique ? On doit assurément faire la même question sur les nations des terres australes. Elles sont beaucoup plus éloignées du port dont partit Christophe Colomb que ne le sont les îles Antilles. On a trouvé des

hommes et des animaux partout où la terre est habitable :
qui les y a mis ? On l'a déjà dit, c'est celui qui fait croître
l'herbe des champs : et on ne devait pas être plus surpris de
trouver en Amérique des hommes que des mouches.

Il est assez plaisant que le jésuite Lafitau prétende, dans
sa préface de l'*Histoire des Sauvages américains*, qu'il n'y
a que des athées qui puissent dire que Dieu a créé les Américains.

On grave encore aujourd'hui des cartes de l'ancien monde
où l'Amérique paraît sous le nom d'île Atlantique. Les îles
du Cap-Vert y sont sous le nom de Gorgades ; les Caraïbes
sous celui d'îles Hespérides. Tout cela n'est pourtant fondé
que sur l'ancienne découverte des îles Canaries, et probablement de celle de Madère, où les Phéniciens et les Cartha-
ginois voyagèrent ; elles touchent presque à l'Afrique, et
peut-être en étaient-elles moins éloignées dans les anciens
temps qu'aujourd'hui.

Laissons le père Lafitau faire venir les Caraïbes des peuples
de Carie, à cause de la conformité du nom, et surtout parce
que les femmes caraïbes faisaient la cuisine de leurs maris ainsi
que les femmes cariennes ; laissons-le supposer que les
Caraïbes ne naissent rouges, et les Négresses noires, qu'à cause
de l'habitude de leurs premiers pères de se peindre en noir
ou en rouge.

Il arriva, dit-il, que les Négresses, voyant leurs maris teints
en noir, en eurent l'imagination si frappée que leur race s'en
ressentit pour jamais. La même chose arriva aux femmes
caraïbes, qui, par la même force d'imagination, accouchè-
rent d'enfants rouges. Il rapporte l'exemple des brebis de
Jacob, qui naquirent bigarrées par l'adresse qu'avait eue ce
patriarche de mettre devant leurs yeux des branches dont la
moitié était écorcée ; ces branches, paraissant à peu près de
deux couleurs, donnèrent aussi deux couleurs aux agneaux
du patriarche. Mais le jésuite devait savoir que tout ce qui
arrivait du temps de Jacob n'arrive plus aujourd'hui.

Si l'on avait demandé au gendre de Laban pourquoi ses
brebis, voyant toujours de l'herbe, ne faisaient pas des
agneaux verts, il aurait été bien embarrassé.

Enfin Lafitau fait venir les Américains des anciens Grecs ;
et voici ses raisons. Les Grecs avaient des fables, quelques
Américains en ont aussi. Les premiers Grecs allaient à la
chasse, les Américains y vont. Les premiers Grecs avaient des

oracles, les Américains ont des sorciers. On dansait dans les fêtes de la Grèce, on danse en Amérique. Il faut avouer que ces raisons sont convaincantes.

On peut faire, sur les nations du nouveau monde, une réflexion que le père Lafitau n'a point faite : c'est que les peuples éloignés des tropiques ont toujours été invincibles, et que les peuples plus rapprochés des tropiques ont presque tous été soumis à des monarques. Il en fut longtemps de même dans notre continent. Mais on ne voit point que les peuples du Canada soient allés jamais subjuguer le Mexique, comme les Tartares se sont répandus dans l'Asie et dans l'Europe. Il paraît que les Canadiens ne furent jamais en assez grand nombre pour envoyer ailleurs des colonies.

En général, l'Amérique n'a jamais pu être aussi peuplée que l'Europe et l'Asie ; elle est couverte de marécages immenses qui rendent l'air très malsain ; la terre y produit un nombre prodigieux de poisons ; les flèches trempées dans les sucs de ces herbes venimeuses font des plaies toujours mortelles. La nature enfin avait donné aux Américains beaucoup moins d'industrie qu'aux hommes de l'ancien monde. Toutes ces causes ensemble ont pu nuire beaucoup à la population.

Parmi toutes les observations physiques qu'on peut faire sur cette quatrième partie de notre univers, si longtemps inconnue, la plus singulière peut-être, c'est qu'on n'y trouve qu'un seul peuple qui ait de la barbe : ce sont les Esquimaux. Ils habitent au nord vers le cinquante-deuxième degré, où le froid est plus vif qu'au soixante et sixième de notre continent. Leurs voisins sont imberbes. Voilà donc deux races d'hommes absolument différentes à côté l'une de l'autre, supposé qu'en effet les Esquimaux soient barbus. Mais de nouveaux voyageurs disent que les Esquimaux sont imberbes, que nous avons pris leurs cheveux crasseux pour de la barbe. À qui croire ?

Vers l'isthme de Panama est la race des Dariens, presque semblable aux Albinos, qui fuit la lumière et qui végète dans les cavernes, race faible, et par conséquent en très petit nombre.

Les lions de l'Amérique sont chétifs et poltrons ; les animaux qui ont de la laine y sont si grands, et si vigoureux qu'ils servent à porter les fardeaux. Tous les fleuves y sont dix fois au moins plus larges que les nôtres. Enfin les productions naturelles de cette terre ne sont pas celles de notre hémisphère.

Ainsi tout est varié ; et la même providence qui a produit l'éléphant, le rhinocéros, et les Nègres, a fait naître dans un autre monde des orignaux, des condors, des animaux à qui on a cru longtemps le nombril sur le dos, et des hommes d'un caractère qui n'est pas le nôtre.

Essai sur les mœurs, Introduction.

*L'*Essai sur les mœurs *a été publié en 1756, mais est en chantier depuis les années de Cirey. Voltaire voulait offrir à Mme du Châtelet un abrégé de l'histoire universelle, qui la réconcilierait avec une discipline qu'elle n'appréciait guère. Il a de fait écrit une histoire philosophique, où se lisent à travers le devenir de la civilisation les progrès de l'esprit humain. L'introduction initialement intitulée « La philosophie de l'histoire » (1765) n'a été rattachée à l'*Essai *qu'en 1769. Ce que Voltaire y dit du sauvage est une réponse à l'ouvrage que Rousseau fait paraître en 1755 à Amsterdam.*

4) LE SAUVAGE
ENTRE ROUSSEAU ET VOLTAIRE

En 1753, Rousseau répond au nouveau sujet proposé par l'Académie de Dijon, qui avait couronné, quelques années auparavant, son Discours sur les sciences et les arts. *« Quelle est l'origine de l'inégalité parmi les hommes et si elle est autorisée par la loi naturelle ? » Le* Discours sur l'origine et les fondements de l'inégalité parmi les hommes, *trop audacieux, n'aura pas le même succès.*

Rousseau y décrit, dans la première partie, l'état de nature, lieu commun de la philosophie politique. Pour lui, l'homme naturel n'est ni raisonnable, ni féroce, il est seulement dépouillé de toutes les qualités qui ne sont apparues qu'avec la civilisation. Il vit en animal robuste, seul et oisif. Bien qu'une telle existence évoque les âges paléolithiques, Rousseau refuse à sa peinture toute valeur historique, ce n'est là qu'une hypothèse de travail, « un état qui n'existe plus, qui n'a peut-être point existé, qui probablement n'existera jamais, et dont il est pourtant nécessaire d'avoir des notions justes pour bien juger de notre état présent ». Avec le temps la vie de cet homme naturel s'altère peu à peu. Les débuts de la vie en société entraînent des innovations capitales, les langues et les techniques se perfectionnent, les sentiments deviennent plus intenses et plus diversifiés.

Tout commence à changer de face. Les hommes errants jusqu'ici dans les bois, ayant pris une assiette plus fixe, se rapprochent lentement, se réunissent en diverses troupes, et forment enfin dans chaque contrée une nation particulière, unie de mœurs et de caractères, non par des règlements et des lois, mais par le même genre de vie et d'aliments, et par l'influence commune du climat. Un voisinage permanent ne peut manquer d'engendrer enfin quelque liaison entre diverses familles. De jeunes gens de différents sexes habitent des cabanes voisines, le commerce passager que demande la nature en amène bientôt un autre non moins doux et plus permanent par la fréquentation mutuelle. On s'accoutume à considérer différents objets et à faire des comparaisons : on acquiert insensiblement des idées de mérite et de beauté qui produisent des sentiments de préférence. À force de se voir, on ne peut plus se passer de se voir encore. Un sentiment tendre et doux s'insinue dans l'âme, et par la moindre opposition devient une fureur impétueuse : la jalousie s'éveille avec l'amour ; la discorde triomphe et la plus douce des passions reçoit des sacrifices de sang humain.

À mesure que les idées et les sentiments se succèdent, que l'esprit et le cœur s'exercent, le genre humain continue à s'apprivoiser, les liaisons s'étendent et les liens se resserrent. On s'accoutuma à s'assembler devant les cabanes ou autour d'un grand arbre : le chant et la danse, vrais enfants de l'amour et du loisir, devinrent l'amusement ou plutôt l'occupation des hommes et des femmes oisifs et attroupés. Chacun commença à regarder les autres et à vouloir être regardé soi-même, et l'estime publique eut un prix. Celui qui chantait ou dansait le mieux ; le plus beau, le plus fort, le plus adroit ou le plus éloquent devint le plus considéré, et ce fut là le premier pas vers l'inégalité, et vers le vice en même temps : de ces premières préférences naquirent d'un côté la vanité et le mépris, de l'autre la honte et l'envie ; et la fermentation causée par ces nouveaux levains produisit enfin des composés funestes au bonheur et à l'innocence.

Sitôt que les hommes eurent commencé à s'apprécier mutuellement et que l'idée de la considération fut formée dans leur esprit, chacun prétendit y avoir droit, et il ne fut plus possible d'en manquer impunément pour personne. De là sortirent les premiers devoirs de la civilisation, même parmi les sauvages, et de là tout tort volontaire devint un outrage, parce qu'avec le mal qui résultait de l'injure, l'offensé y voyait le mépris de sa personne souvent plus insupportable que le mal même. C'est ainsi que chacun punissant le mépris qu'on lui avait témoigné d'une manière proportionnée au cas qu'il faisait de lui-même, les vengeances devinrent terribles, et les hommes sanguinaires et cruels. Voilà précisément le degré où étaient parvenus la plupart des peuples sauvages qui nous sont connus ; et c'est faute d'avoir suffisamment distingué les idées, et remarqué combien ces peuples étaient déjà loin du premier état de nature, que plusieurs se sont hâtés de conclure que l'homme est naturellement cruel et qu'il a besoin de police pour l'adoucir, tandis que rien n'est si doux que lui dans son état primitif, lorsque placé par la nature à des distances égales de la stupidité des brutes et des lumières funestes de l'homme civil, et borné également par l'instinct et par la raison à se garantir du mal qui le menace, il est retenu par la pitié naturelle de faire lui-même du mal à personne, sans y être porté par rien, même après en avoir reçu. Car, selon l'axiome du sage Locke, *il ne saurait y avoir d'injure, où il n'y a point de propriété.*

Mais il faut remarquer que la société commencée et les relations déjà établies entre les hommes exigeaient en eux des qualités différentes de celles qu'ils tenaient de leur constitution primitive ; que la moralité commençant à s'introduire dans les actions humaines, et chacun avant les lois étant seul juge et vengeur des offenses qu'il avait reçues, la bonté convenable au pur état de nature n'était plus celle qui convenait à la société naissante ; qu'il fallait que les punitions devinssent plus sévères à mesure que les occasions d'offenser devenaient plus fréquentes, et que c'était à la terreur des vengeances de tenir lieu du frein des lois. Ainsi quoique les hommes fussent devenus moins endurants, et que la pitié naturelle eût déjà souffert quelque altération, cette période du développement des facultés humaines, tenant un juste milieu entre l'indolence de l'état primitif et la pétulante activité de notre amour-propre, dut être l'époque la plus heureuse et la plus durable. Plus on y réfléchit, plus on trouve que cet état était le moins sujet aux révolutions, le meilleur à l'homme, et qu'il n'en a dû sortir que par quelque funeste hasard qui pour l'utilité commune eût dû ne jamais arriver. L'exemple des sauvages qu'on a presque tous trouvés à ce point semble confirmer que le genre humain était fait pour y rester toujours, que cet état est la véritable jeunesse du monde, et que tous les progrès ultérieurs ont été en apparence autant de pas vers la perfection de l'individu, et en effet vers la décrépitude de l'espèce.

Tant que les hommes se contentèrent de leurs cabanes rustiques, tant qu'ils se bornèrent à coudre leurs habits de peaux avec des épines ou des arêtes, à se parer de plumes et de coquillages, à se peindre le corps de diverses couleurs à perfectionner ou embellir leurs arcs et leurs flèches, à tailler avec des pierres tranchantes quelques canots de pêcheurs ou quelques grossiers instruments de musique, en un mot tant qu'ils ne s'appliquèrent qu'à des ouvrages qu'un seul pouvait faire, et qu'à des arts qui n'avaient pas besoin du concours de plusieurs mains, ils vécurent libres, sains, bons et heureux autant qu'ils pouvaient l'être par leur nature, et continuèrent à jouir entre eux des douceurs d'un commerce indépendant : mais dès l'instant qu'un homme eut besoin du secours d'un autre ; dès qu'on s'aperçut qu'il était utile à un seul d'avoir des provisions pour deux, l'égalité disparut, la propriété s'introduisit, le travail devint nécessaire et les vastes forêts se changèrent en des campagnes riantes qu'il fallut arroser de la sueur des hommes, et dans lesquelles on vit bientôt l'esclavage et la misère germer et croître avec les moissons.

La métallurgie et l'agriculture furent les deux arts dont l'invention produisit cette grande révolution. Pour le poète, c'est l'or et l'argent, mais pour le philosophe ce sont le fer et le blé qui ont civilisé les hommes et perdu le genre humain ; aussi l'un et l'autre étaient-ils inconnus aux sauvages de l'Amérique qui pour cela sont toujours demeurés tels ; les autres peuples semblent même être restés barbares tant qu'ils ont pratiqué l'un de ces arts sans l'autre ; et l'une des meilleures raisons peut-être pourquoi l'Europe a été, sinon plus tôt, du moins plus constamment et mieux policée que les autres parties du monde, c'est qu'elle est à la fois la plus abondante en fer et la plus fertile en blé.

Discours sur l'origine et les fondements
de l'inégalité parmi les hommes, Seconde partie.

Il ne faut donc pas confondre sauvage et homme naturel.
Le sauvage n'est pas bon, il est violent et cruel, parce qu'il
est déjà perverti. Toutefois son état est proche de cette
« société commencée », qui entre l'état de pure nature et la
civilisation correspond à une sorte d'équilibre, de « jeunesse
du monde ». Le sauvage aide à penser l'homme naturel, qui
est caché, perdu en nous. Il n'est en aucun cas un modèle,
mais un instrument opératoire, ou une image à la fois histo-
rique et virtuelle de ce que nous avons cessé d'être. D'où l'inté-
rêt de Rousseau pour les récits de voyage, et l'abondante
documentation qui nourrit les notes du Discours.

Voltaire et Rousseau ne s'opposent ni sur les qualités que
tous deux reconnaissent au sauvage — agilité, souplesse,
endurance —, ni même sur ses défauts ; Rousseau signale sa
cruauté, Voltaire est hanté par le problème de l'anthropo-
phagie. Ils s'accordent également sur la fonction heuristique
du sauvage, qui nous invite à saisir ce qu'il y a encore en nous
de naturel. Le mal vient de plus loin : s'opposent en amont
deux conceptions radicalement différentes de l'homme, et en
aval deux visions de la société.

Lettre de Voltaire à Rousseau, le 30 août 1755.

J'ai reçu, Monsieur, votre nouveau livre contre le genre
humain, je vous en remercie. Vous plairez aux hommes, à
qui vous dites leurs vérités, mais vous ne les corrigerez pas.
On ne peut peindre avec des couleurs plus fortes les horreurs
de la société humaine, dont notre ignorance et notre faiblesse
se promettent tant de consolations. On n'a jamais employé
tant d'esprit à vouloir nous rendre bêtes ; il prend envie de
marcher à quatre pattes, quand on lit votre ouvrage. Cependant, comme il y a plus de soixante ans que j'en ai perdu
l'habitude, je sens malheureusement qu'il m'est impossible
de la reprendre, et je laisse cette allure naturelle à ceux qui

en sont plus dignes que vous et moi. Je ne peux non plus m'embarquer pour aller trouver les sauvages du Canada ; premièrement, parce que les maladies dont je suis accablé me retiennent auprès du plus grand médecin de l'Europe, et que je ne trouverais pas les mêmes secours chez les Missouris ; secondement, parce que la guerre est portée dans ces pays-là, et que les exemples de nos nations ont rendu les sauvages presque aussi méchants que nous. Je me borne à être un sauvage paisible dans la solitude que j'ai choisie auprès de votre patrie, où vous devriez être.

Je conviens avec vous que les belles-lettres et les sciences ont causé quelquefois beaucoup de mal. Les ennemis du Tasse firent de sa vie un tissu de malheurs ; ceux de Galilée le firent gémir dans les prisons, à soixante et dix ans, pour avoir connu le mouvement de la terre ; et ce qu'il y a de plus honteux, c'est qu'ils l'obligèrent à se rétracter. Dès que vos amis eurent commencé le *Dictionnaire encyclopédique*, ceux qui osèrent être leurs rivaux les traitèrent de déistes, d'athées, et même de jansénistes. [...]

Avouez que Pétrarque et Boccace ne firent pas naître les troubles de l'Italie ; avouez que le *badinage* de Marot n'a pas produit la Saint-Barthélemy, et que la tragédie du *Cid* ne causa pas les troubles de la Fronde. Les grands crimes n'ont guère été commis que par de célèbres ignorants. Ce qui fait et fera toujours de ce monde une vallée de larmes, c'est l'insatiable cupidité et l'indomptable orgueil des hommes, depuis Thamas Koulikan, qui ne savait pas lire, jusqu'à un commis de la douane qui ne sait que chiffrer. Les lettres nourrissent l'âme, la rectifient, la consolent ; elles vous servent, Monsieur, dans le temps que vous écrivez contre elles : vous êtes comme Achille qui s'emporte contre la gloire et comme le P. Malebranche, dont l'imagination brillante écrivait contre l'imagination.

Si quelqu'un doit se plaindre des lettres, c'est moi, puisque, dans tous les temps et dans tous les lieux, elles ont servi à me persécuter ; mais il faut les aimer, malgré l'abus qu'on en fait, comme il faut aimer la société, dont tant d'hommes méchants corrompent les douceurs ; comme il faut aimer sa patrie, quelque injustice qu'on y essuie ; comme il faut aimer et servir l'Être suprême, malgré les superstitions et le fanatisme qui déshonorent si souvent son culte.

M. Chappuis m'apprend que votre santé est bien mauvaise ;

il faudrait la venir rétablir dans l'air natal, jouir de la liberté, boire avec moi du lait de nos vaches, et brouter nos herbes.

Je suis très philosophiquement et avec la plus tendre estime, etc.

Réponse de Rousseau à Voltaire, le 10 septembre 1755.

C'est à moi, Monsieur, à vous remercier à tous égards. En vous offrant l'ébauche de mes tristes rêveries, je n'ai point cru vous faire un présent digne de vous, mais m'acquitter d'un devoir et vous rendre un hommage que nous vous devons tous comme à notre chef. Sensible d'ailleurs à l'honneur que vous faites à ma patrie, je partage la reconnaissance de mes concitoyens et j'espère qu'elle ne fera qu'augmenter encore, lorsqu'ils auront profité des instructions que vous pouvez leur donner. Embellissez l'asile que vous avez choisi ; éclairez un peuple digne de nos leçons ; et vous, qui savez si bien peindre les vertus et la liberté, apprenez-nous à les chérir dans nos murs comme dans vos écrits. Tout ce qui nous approche doit apprendre de vous le chemin de la gloire.

Vous voyez que je n'aspire pas à nous rétablir dans notre bêtise, quoique je regrette beaucoup, pour ma part, le peu que j'en ai perdu. À votre égard, Monsieur, ce retour serait un miracle, si grand à la fois et si nuisible, qu'il n'appartiendrait qu'à Dieu de le faire et qu'au Diable de le vouloir. Ne tentez donc pas de retomber à quatre pattes ; personne au monde n'y réussirait moins que vous. Vous nous redressez trop bien sur nos deux pieds pour cesser de vous tenir sur les vôtres.

Je conviens de toutes les disgrâces qui poursuivent les hommes célèbres dans les lettres ; je conviens même de tous les maux attachés à l'Humanité et qui semblent indépendants de nos vaines connaissances. Les hommes ont ouvert sur eux-mêmes tant de sources de misères, que, quand le hasard en détourne quelqu'une, ils n'en sont guère moins inondés. D'ailleurs, il y a dans le progrès des choses des liaisons cachées que le vulgaire n'aperçoit pas, mais qui n'échapperont point à l'œil du sage quand il y voudra réfléchir. Ce n'est ni Térence, ni Cicéron, ni Virgile, ni Sénèque, ni Tacite ; ce ne sont ni les savants, ni les poètes qui ont produit les malheurs de Rome et les crimes des Romains : mais sans le poison lent et secret qui corrompait peu à peu le plus vigoureux gouvernement dont l'histoire ait fait mention, Cicéron, ni Lucrèce, ni Salluste n'eussent point existé ou n'eussent point écrit. Le siècle aimable de Laelius et de Térence amenait de loin le siècle brillant d'Auguste et d'Horace, et enfin les siècles horribles de Sénèque et de Néron, de Domitien et de Martial. Le goût des lettres et des arts naît chez un peuple d'un vice intérieur, qu'il augmente ; et s'il est vrai que tous les progrès humains sont pernicieux à l'espèce, ceux de l'esprit et des connaissances qui augmentent notre orgueil et multiplient nos égarements accélèrent bientôt nos malheurs. Mais il vient un temps où le mal est tel que les causes mêmes qui l'ont fait naître sont nécessaires pour l'empêcher d'augmenter ; c'est le fer qu'il faut laisser dans la plaie, de peur que le blessé n'expire en l'arrachant. Quant à moi, si j'avais suivi ma première vocation et que je n'eusse ni lu ni écrit, j'en aurais sans doute été plus heureux. Cependant, si les lettres étaient maintenant anéanties, je serais privé du seul plaisir qui me reste. C'est dans leur sein que je me console de tous mes maux : c'est parmi ceux qui les cultivent que je goûte les douceurs de l'amitié et que j'apprends à jouir de la vie sans craindre la mort. Je leur dois le peu que je suis ; je leur dois même l'honneur d'être connu de vous ; mais consultons l'intérêt dans nos affaires et la vérité dans nos écrits. Quoiqu'il faille des philosophes, des historiens, des savants pour éclairer le monde et conduire ses aveugles habitants, si le sage Memnon m'a dit vrai, je ne connais rien de si fou qu'un peuple de sages [...].

Recherchons la première source des désordres de la société, nous trouverons que tous les maux des hommes leur viennent de l'erreur bien plus que l'ignorance, et que ce que nous ne savons point nous nuit beaucoup moins que ce que nous croyons savoir. Or quel plus sûr moyen de courir d'erreurs en erreurs, que la fureur de savoir tout ? Si l'on n'eût prétendu savoir que la terre ne tournait pas, on n'eût point puni Galilée pour avoir dit qu'elle tournait. Si les seuls philosophes en eussent réclamé le titre, l'*Encyclopédie* n'eût point eu de persécuteurs. Si cent Myrmidons n'aspiraient à la gloire, vous jouiriez en paix de la vôtre, ou du moins vous n'auriez que des rivaux dignes de vous [...].

*Bien que Voltaire ait lu de nombreux récits de voyage, il ne se soucie pas d'écrire une œuvre ethnologique, scientifique ou même seulement précise. Il néglige par exemple plusieurs détails que lui apportaient les articles de l'*Encyclopédie *cités plus haut, et dont il était facile de tirer un parti cocasse et savoureux. Son Huron n'existe que par sa fonction narrative et philosophique. C'est un personnage critique, une fiction polémique, qui illustre et définit une position originale face au mythe fameux du « bon sauvage ».*

« En définitive, Voltaire incline à croire à la bonté naturelle de l'homme. Mais il ne croit pas du tout à la bonté de la vie sauvage. Il n'a que de l'ironie pour tous ces tableaux idylliques de l'âge d'or, de la félicité pastorale, qui font trop facilement abstraction des conditions réelles de l'existence. Adam et Ève au paradis terrestre étaient mal lavés et mangeaient du gland. Que la vie sauvage puisse préserver les vertus natives de l'homme, il l'admet. Mais c'est là un mérite tout négatif. Si l'on voulait dégager de ce conte de *L'Ingénu* une moralité, on pourrait dire que le sauvage ne devient vraiment "bon", qu'à condition de cesser d'être sauvage » (P. Pomeau).

VI - INFLUENCES THÉÂTRALES ET ROMANESQUES

1) VOLTAIRE MET LE SAUVAGE EN SCÈNE

Voici ce qu'écrit Voltaire, dans sa préface des Scythes, *en 1768. La pièce, jouée le 26 mars 1767 au Théâtre-Français, ne remporta pas le succès escompté et n'eut que quatre représentations. Ces propos montrent combien le sujet de l'homme naturel est étroitement lié dans l'esprit de Voltaire à la fois au rire et à la sensibilité :*

C'est ici, en quelque sorte, l'état de nature mis en opposition avec l'état de l'homme artificiel, tel qu'il est dans les grandes villes. On peut enfin étaler dans les cabanes des sentiments aussi touchants que dans des palais.

On avait souvent traité en burlesque cette opposition si frappante des citoyens des grandes villes avec les habitants des campagnes ; tant le burlesque est aisé, tant les choses se présentent en ridicule à certaines nations.

On trouve beaucoup de peintres qui réussissent dans le grotesque, et peu dans le grand. Un homme de beaucoup d'esprit, et qui a un nom dans la littérature, s'étant fait expliquer le sujet d'*Alzire*, qui n'avait pas encore été représentée, dit à celui qui lui exposait ce plan : « J'entends, c'est *Arlequin sauvage*. »

Bien antérieure, Alzire fut jouée pour la première fois le 27 janvier 1736. Le sage et clément Alvarez, gouverneur du Pérou, est contraint par l'âge à renoncer au pouvoir. Il transmet ses fonctions à son fils Gusman, qui ne partage pas sa modération. Pour Gusman, l'Américain farouche est un monstre sauvage qu'il s'agit de dompter si l'on ne veut pas

*être dévoré. Alzire est une jeune princesse indigène. Elle est
contrainte d'épouser Gusman, bien qu'elle en aime un autre,
le vertueux Zamore, celui-là même qui a sauvé Alvarez.*

ALVAREZ

Ah ! mon fils, que je hais ces rigueurs tyranniques !
Les pouvez-vous aimer ces forfaits politiques,
Vous, chrétien, vous choisi pour régner désormais
Sur des chrétiens nouveaux au nom d'un Dieu de paix ?
Vos yeux ne sont-ils pas assouvis des ravages
Qui de ce continent dépeuplent les rivages ?
Des bords de l'Orient n'étais-je donc venu
Dans un monde idolâtre, à l'Europe inconnu,
Que pour voir abhorrer, sous ce brûlant tropique,
Et le nom de l'Europe et le nom catholique ?
Ah ! Dieu nous envoyait, quand de nous il fit choix,
Pour annoncer son nom, pour faire aimer ses lois :
Et nous, de ces climats destructeurs implacables,
Nous, et d'or et de sang toujours insatiables,
Déserteurs de ces lois qu'il fallait enseigner,
Nous égorgeons ce peuple au lieu de le gagner.
Par nous tout est en sang, par nous tout est en poudre,
Et nous n'avons du ciel imité que la foudre.
Notre nom, je l'avoue, inspire la terreur ;
Les Espagnols sont craints, mais ils sont en horreur :
Fléaux du nouveau monde, injustes, vains, avares,
Nous seuls en ces climats nous sommes les barbares.
L'Américain, farouche en sa simplicité,
Nous égale en courage, et nous passe en bonté.
Hélas, si comme vous il était sanguinaire,
S'il n'avait des vertus, vous n'auriez plus de père.
Avez-vous oublié qu'ils m'ont sauvé le jour ?
Avez-vous oublié que près de ce séjour
Je me vis entouré par ce peuple en furie,
Rendu cruel enfin par notre barbarie ?
Tous les miens, à mes yeux, terminèrent leur sort.
J'étais seul, sans secours, et j'attendais la mort :
Mais à mon nom, mon fils, je vis tomber leurs armes.
Un jeune Américain, les yeux baignés de larmes,
Au lieu de me frapper, embrassa mes genoux.

« Alvarez, me dit-il, Alvarez, est-ce vous ?
Vivez, votre vertu nous est trop nécessaire :
Vivez ; aux malheureux servez longtemps de père :
Qu'un peuple de tyrans, qui veut nous enchaîner,
Du moins par cet exemple apprenne à pardonner !
Allez, la grandeur d'âme est ici le partage
Du peuple infortuné qu'ils ont nommé sauvage. »
Eh bien ! vous gémissez : je sens qu'à ce récit
Votre cœur, malgré vous, s'émeut et s'adoucit.
L'humanité vous parle, ainsi que votre père.
Ah ! si la cruauté vous était toujours chère,
De quel front aujourd'hui pourriez-vous vous offrir
Au vertueux objet qu'il vous faut attendrir ;
À la fille des rois de ces tristes contrées,
Qu'à vos sanglantes mains la fortune a livrées ?
Prétendez-vous, mon fils, cimenter ces liens
Par le sang répandu de ses concitoyens ?
Ou bien attendez-vous que ses cris et ses larmes
De vos sévères mains fassent tomber les armes ?

GUSMAN

Eh bien ! vous l'ordonnez, je brise leurs liens,
J'y consens ; mais songez qu'il faut qu'ils soient
[chrétiens :
Ainsi le veut la loi : quitter l'idolâtrie
Est un titre en ces lieux pour mériter la vie ;
À la religion gagnons-les à ce prix :
Commandons aux cœurs mêmes, et forçons les esprits,
De la nécessité le pouvoir invincible
Traîne au pied des autels un courage inflexible.
Je veux que ces mortels, esclaves de ma loi,
Tremblent sous un seul Dieu comme sous un seul roi.

ALVAREZ

Écoutez-moi, mon fils ; plus que vous je désire
Qu'ici la vérité fonde un nouvel empire,
Que le ciel et l'Espagne y soient sans ennemis ;
Mais les cœurs opprimés ne sont jamais soumis.
J'en ai gagné plus d'un, je n'ai forcé personne ;
Et le vrai Dieu, mon fils, est un Dieu qui pardonne.

Alzire, acte I, scène 1.

2) *HISTOIRE DE MADAME DE LUZ*, OU LES INFORTUNES DE LA VERTU

Charles Duclos (1704-1772) succéda à Voltaire dans sa fonction d'historiographe du roi, quand le philosophe partit en Prusse. Historien, grammairien, romancier, il devint secrétaire perpétuel de l'Académie française en 1755.

*Il publia en 1741 un petit roman, l'*Histoire de Madame de Luz*, dont l'héroïne est aussi belle, aussi vertueuse et aussi infortunée que Mlle de Saint-Yves. Voltaire a pu s'inspirer de cet ouvrage pour créer son personnage. Au moment de la rédaction de* L'Ingénu*, ce roman sensible est déjà ancien. Mais l'affaire La Chalotais[1], qui mobilise les esprits entre 1765 et 1767, a pu amener Voltaire à se rappeler l'œuvre de Duclos, ami du magistrat breton.*

Le mari de Mme de Luz a été emprisonné comme conspirateur. Son épouse achète sa liberté au même prix que Mlle de Saint-Yves celle de l'Ingénu.

Thurin ne s'attendait guère qu'il dût recevoir la visite de Mme de Luz après la hauteur, le mépris et l'horreur qu'elle lui avait marqués en le quittant. Il croyait qu'elle sacrifierait plutôt la vie de son mari que de chercher à obtenir son salut d'un homme qui lui était si odieux. Il ne laissait pas de craindre, malgré la fermeté qu'il lui avait montrée, qu'elle n'allât en effet se jeter aux pieds du Roi. Mais ses discours avaient fait trop d'impression sur l'esprit de Mme de Luz pour qu'elle osât hasarder une pareille démarche. Si elle ne réussissait pas, c'était perdre son mari sans ressource.

Thurin ressentit donc quelque joie lorsqu'on lui annonça Mme de Luz, mais il n'abandonna pas son premier dessein et il voulut dissimuler le plaisir qu'il avait de la revoir. Mme de Luz, en l'abordant, était pâle, tremblante et si confuse qu'elle eut beaucoup de peine à s'exprimer. La vertu malheureuse est plus aisée à déconcerter que le crime, et il n'y a peut-être

---

1. Voir préface, p. 11.

pas de situation plus cruelle et plus humiliante pour une âme noble que d'être réduite à demander une grâce à quelqu'un qu'on méprise.

« Dois-je croire, lui dit-elle, Monsieur, ce qu'on vient de m'annoncer ? Est-il vrai que vous ayez condamné mon mari ? Ah ! je ne vois que trop que vous avez résolu sa perte. — Moi, Madame, reprit froidement Thurin, je suis son juge et non pas sa partie. Je souhaiterais le trouver innocent et c'est malgré moi que je condamne un coupable. — Ah ! Monsieur, reprit Mᵐᵉ de Luz, vous trouviez hier qu'il vous était si facile de le sauver, qu'est-il survenu depuis qui rende sa mort nécessaire ? — Madame, répliqua Thurin, vos scrupules sur votre devoir m'ont éclairé sur le mien et votre vertu a été pour moi une leçon d'intégrité. — Un juge, reprit-elle, est-il donc un barbare qui ne puisse se relâcher de la rigueur des lois en faveur de l'humanité ? — Madame, reprit encore Thurin, vous vous alarmez peut-être mal à propos et M. de Luz peut bien être innocent. — Hélas ! dit Mᵐᵉ de Luz, vous ne le croyez pas et, quand il le serait, n'est-ce pas vous ?... Mais la douleur m'aveugle et je ne pense pas que je ne suis ici que pour vous fléchir et non pour vous irriter. — Ce n'est pas à moi, Madame, répliqua M. de Thurin, que doivent s'adresser vos supplications ; voyez le Roi ; c'est à nous à faire justice et ce n'est qu'à lui qu'il appartient de faire grâce. » Dans ce moment, Mᵐᵉ de Luz, suffoquée par les sanglots et fondant en larmes, tomba aux genoux de Thurin. « Hélas ! lui dit-elle, serez-vous inexorable ? Ayez pitié de mon malheureux époux ; ayez pitié de l'état où vous me réduisez, mon sort est entre vos mains. »

Mᵐᵉ de Luz était dans cet état lorsque Thurin, ne pouvant s'empêcher de rougir de voir une femme de cette naissance dans un abaissement si peu digne d'elle et de lui, la releva et, la faisant asseoir, il se jeta lui-même à ses pieds. « Vous voyez, Madame, ce que peuvent vos charmes, puisqu'ils me font violer mon devoir. Devez-vous être surprise qu'ils aient égaré ma raison ? Oui, Madame, je vous suis entièrement dévoué. Quoique le Roi soupçonne une partie du crime de M. de Luz, quoique le public en porte le même jugement et qu'il me soit d'autant plus dangereux de le rendre innocent, que je me perds sans ressource si le Roi vient à savoir que j'ai trahi sa confiance, vos moindres désirs sont mes lois les plus sacrées ; vous ne devez pas être inflexible à mon égard lorsque je vous sacrifie tout. Mais je ne vous dissimule point que mon amour méprisé se changerait en fureur ; je perdrais M. de Luz : ne soyez pas insensible à sa perte et à l'amour le plus violent. » Thurin, en prononçant ces paroles et toujours aux genoux de Mme de Luz, tâchait de porter ses entreprises plus loin. Mme de Luz, effrayée et toute en pleurs, voulut le repousser : « Ah ! Monsieur, s'écria-t-elle, qu'exigez-vous de moi ? Grand Dieu ! quelle est ma situation ! » Mais Thurin, tout en feu et devenu plus entreprenant : « C'en est trop, dit-il, il faut ou satisfaire mes désirs, ou voir votre mari sur l'échafaud. » L'infortunée Mme de Luz, malgré ses soupirs et ses larmes, malgré l'horreur que lui inspirait Thurin, vaincue par le malheur, fut forcée d'immoler au salut de son mari la vertu, le devoir et l'amour. Et Thurin fut, dans ce moment, le plus heureux des hommes, s'il était possible de l'être dans le crime et lorsque le cœur devrait être déchiré de mille remords.

Thurin se jeta ensuite aux pieds de Mme de Luz, il lui prit les mains et, ne cessant de les baiser, il lui fit mille protestations de ne vivre jamais que pour elle. Il se livra enfin à tous les transports qui n'appartiennent qu'à des amants heureux, c'est-à-dire à des amants aimés.

Mme de Luz, devenue insensible à toutes les actions et à tous les discours de Thurin, n'y répondait que par les larmes les plus amères. Elle ne pouvait parler, les sanglots lui coupaient la voix. Elle n'osait le regarder. Elle n'osait plus lui faire de reproches ; elle ne s'en trouvait pas digne, et elle se livrait à toute sa douleur. Thurin ne la quitta que pour prendre dans son bureau les lettres de M. de Luz et tout ce qui y avait rapport ; il les mit dans un portefeuille : « Voilà, lui dit-il, Madame, tout ce qui pouvait décider le sort de M. de Luz. Mais ce n'est pas sassez, je vais au Louvre ; je rendrai compte au Roi de tout ce qui le regarde et je ne manquerai pas de le peindre comme l'homme le plus innocent, le sujet le plus fidèle et à qui on ne saurait, par trop de grâces, faire oublier une prison injuste. »

Charles Duclos, *Histoire de Madame de Luz*, éd. de J. Brengues, Presses Universitaires de Bretagne, 1972, pp. 39-42.

Mᵐᵉ de Luz ne meurt pas de chagrin aussitôt. La malheureuse est victime à deux reprises encore des indélicatesses de deux hommes que son extrême beauté a rendus fous : le chevalier de Marcillac la surprend évanouie, l'autre, Hardouin, la drogue pour parvenir à ses fins. Ces deux viols ont raison d'elle. Minée par la douleur, rongée par la honte, Mᵐᵉ de Luz succombe sans jamais avoir cédé à Saint-Geran, l'amant irréprochable qu'elle aimait et dont elle était aimée depuis toujours !

VII - BIBLIOGRAPHIE

1) Œuvres de Voltaire

Œuvres historiques, édition de R. Pomeau, La Pléiade, Gallimard.

Mélanges, édition de J. Van Den Heuvel, La Pléiade, Gallimard.

Romans et contes, édition F. Deloffre et J. Van Den Heuvel, La Pléiade, Gallimard,

Romans et contes, édition R. Pomeau, Garnier-Flammarion.

Candide, préface et commentaires de P. Malandain, Pocket, « Lire et voir les classiques », n° 6006.

Zadig, préface et commentaire de J. Goldzink, Pocket, « Lire et voir les classiques », n° 6046.

2) Sur Voltaire en général

Une biographie monumentale : *Voltaire en son temps*, sous la direction de R. Pomeau, Oxford, Voltaire Foundation, 5 vol., 1985-1994.

MAGNAN A., « Voltaire » in *Dictionnaire des littératures de langue française*, Robert-Bordas, 1984.

POMEAU R., *Voltaire par lui-même*, Seuil, réédité en 1994.

VAN DEN HEUVEL J., *Voltaire dans ses contes, de* Micromégas *à* L'Ingénu, A. Colin, 1967 (on retrouve la matière de cet ouvrage dans les notices de l'édition La Pléiade, Gallimard).

3) Sur *Micromégas* et *L'Ingénu* en particulier

ALCOVER M., « La casuistique du père Tout-à-tous et Les Provinciales », *Studies on Voltaire*, n° 81, Oxford, 1971.

CASTEX P.-G., *Voltaire, « Micromégas », « Candide », « L'Ingénu »*, SEDES, Paris, 1982.

LEVY Z., « L'Ingénu ou l'Anti-Candide », *Studies on Voltaire*, n° 183, Oxford, 1980.

MAGNAN A., « Voltaire, *L'Ingénu* : le fiasco et l'aporie », *Le Siècle de Voltaire, Hommage à R. Pomeau* (sous la direction de Ch. Mervaud et S. Menant), t. II, The Voltaire Foundation, Oxford, 1987.

MASSON N., *L'Ingénu de Voltaire et la critique de la société à la veille de la Révolution*, Bordas, 1989.

MERVAUD Ch., « Sur l'activité ludique de Voltaire conteur : le problème de *L'Ingénu* », *L'Information littéraire*, n° 1, 1983.

NIVAT J., « *L'Ingénu* de Voltaire, les jésuites et l'affaire La Chalotais », *Revue des Sciences humaines*, 1952.

PLAGNOL-DIÉVAL M.E., *L'Ingénu*, collection « Profil d'une œuvre », Hatier, 1989.

POMEAU R., « Un bon sauvage voltairien : l'Ingénu », *Studi di letteratura francese*, Florence, 1981.

PRUNER F., « Recherches sur la création romanesque dans *L'Ingénu* de Voltaire », *Archives de Lettres modernes*, n° 30, 1960.

TRACHEZ-GRIFFOUL C., *L'Ingénu*, collection « L'œuvre au clair », Bordas, 1992.

STAROBINSKI J., « Le fusil à deux coups de Voltaire », *Le Remède dans le mal*, Gallimard, 1989.

TABLE DES MATIÈRES

ZADIG

Voltaire

« Tous les siècles se ressemblent par la méchanceté des hommes. »

Sur le point d'épouser la plus belle fille de Babylone, jouissant de la jeunesse et de la fortune, Zadig se demande s'il est possible de vivre heureux ici-bas. Sa fiancée le trahit, des fanatiques le traînent en justice, on le menace du bûcher, on le vend comme esclave...

POCKET N° 6046

CANDIDE

Voltaire

« Il faut cultiver notre jardin. »

Élevé dans le meilleur des mondes possibles par son vénéré maître Pangloss, Candide cultive l'illusion du bonheur. Mais son imprudence envers l'appétissante Cunégonde le chasse de ce paradis terrestre. Les pires aventures l'attendent, de Lisbonne en Eldorado, sur cette terre ou triomphe le Mal.

POCKET N° 6006

CLASSIQUES

Diderot

Supplément au Voyage
de Bougainville

POCKET

TEXTE INTÉGRAL
+ LES CLÉS DE L'ŒUVRE

SUPPLÉMENT AU VOYAGE DE BOUGAINVILLE

Diderot

Le voyage de Diderot

En 1771, Bougainville a publié son *Voyage autour du monde*. Diderot saute alors sur l'occasion : il court le monde lui aussi, mais sur le papier.
Il déclare la guerre à l'égoïsme, rêve d'une société utopique d'entraide et de bienveillance universelle.

POCKET N° 6263

LETTRES PERSANES

Montesquieu

Quoi de plus divertissant qu'un étranger perdu dans un pays inconnu ?

Aux yeux du Persan Usbek, nos manières, nos passions, nos mœurs paraissent un carnaval de bizarreries. La France et Paris lui semblent incompréhensibles. Pour décrire cette nation « civilisée », il entreprend une chronique étincelante d'esprit, de fausse naïveté et de hardiesse.

POCKET N° 6021

CLASSIQUES

Montesquieu
Lettres persanes

POCKET

TEXTE INTÉGRAL
+ LES CLÉS DE L'ŒUVRE

LE BARBIER DE SÉVILLE

Beaumarchais

Le personnage de Figaro

Le vieux Bartholo, tuteur amoureux et jaloux, prétend épouser sa pupille, l'astucieuse Rosine. Un jeune amant, le comte Almaviva, s'introduit dans la place pour la lui souffler, secondé par un valet rompu à tous les stratagèmes. Mais le barbon se révèle difficile à duper...

POCKET N° 6226

LES LIAISONS DANGEREUSES

Choderlos de Laclos

Correspondance machiavélique

Complices soudés par leur liaison passée, le vicomte de Valmont et la marquise de Merteuil, chasseurs et stratèges de la cruauté, choisissent comme cible des innocents. La pure et naïve Cécile Volanges, la vertueuse et brûlante Mme de Tourvel seront les victimes de leurs œuvres de vengeance et de destruction morale.

POCKET N° 6010

L'ÎLE DES ESCLAVES

Marivaux

Fable utopique

Jetés sur un rivage grec à la suite d'un naufrage, deux couples, maîtres et serviteurs, découvrent l'Île des esclaves. Dans cette étrange république, on leur ordonne d'échanger leurs noms, leurs vêtements et leurs conditions. Les valets ont trois ans pour transformer leurs maîtres, et faire de ces orgueilleux injustes et brutaux des êtres humains raisonnables et généreux.

POCKET N° 6225

LE JEU DE L'AMOUR ET DU HASARD

Marivaux

Imbroglio amoureux

Pour éprouver la fidélité de son fiancé Dorante, Silvia se fait passer pour sa servante Lisette, tandis que Dorante fait de même avec son valet Arlequin. Et voilà l'amour mis à l'épreuve de la méfiance, des préjugés, de la timidité, du moment où il faudra se rendre et dire « oui ».

POCKET N° 6107

Faites de nouvelles rencontres sur pocket.fr

- Toute l'actualité des auteurs : rencontres, dédicaces, conférences...
- Les dernières parutions
- Des 1ers chapitres à télécharger
- Des jeux-concours sur les différentes collections du catalogue pour gagner des livres et des places de cinéma

Imprimé en France par CPI
en mars 2016